# A RODA DA **FORTUNA**

NAPOLEON HILL

# A RODA DA FORTUNA

## AS MEMÓRIAS DE NAPOLEON HILL EM SUAS PRÓPRIAS PALAVRAS

TRADUÇÃO
LUCIENE RIBEIRO

2024

Título original: *Mastermind*



A roda da fortuna

1ª edição: Fevereiro 2024



**Autores:**
Napoleon Hill
Fundação Napoleon Hill

**Tradução:**
Luciene Ribeiro

**Preparação de texto:**
Flávia Araujo (Estúdio Kenosis)

**Revisão:**
3GB Consulting
Rebeca Michelotti

**Projeto gráfico e diagramação:**
Gabriel Silva

**Capa:**
Jéssica Wendy

**DADOS INTERNACIONAIS DE CATALOGAÇÃO NA PUBLICAÇÃO (CIP)**

Hill, Napoleon
A roda da fortuna : as memórias de Napoleon Hill em suas próprias palavras /
Napoleon Hill ; tradução de Luciene Ribeiro.
— Porto Alegre : Citadel, 2024.
304 p.

ISBN 978-65-5047-412-6
Título original: Master Mind

1. Autoajuda 2. Desenvolvimento pessoal 3. Sucesso I. Título
II. Ribeiro, Luciene

24-0268 CDD - 158.1

Angélica Ilacqua - Bibliotecária - CRB-8/7057

**Produção editorial e distribuição:**

contato@citadel.com.br
www.citadel.com.br

# SUMÁRIO

# PREFÁCIO DOS EDITORES

Napoleon Hill escreveu extensas memórias sobre sua vida em duas ocasiões: a primeira durante sua juventude, em Wise County, Virgínia; e a segunda, aparentemente, durante a Segunda Guerra Mundial. Digo "aparentemente" porque os arquivos da Fundação Napoleon Hill contêm esses dois manuscritos, mas obviamente eles estão incompletos e terminam na década de 1940. O Sr. Hill faleceu em 1970. Seu último livro, *Como enriquecer com paz de espírito*, foi escrito em 1967 e lança alguma luz sobre seus últimos anos; mas seus próprios diários e memórias desse período, se é que existiram, ainda não foram encontrados.

As duas memórias foram intituladas pelo Sr. Hill como *A roda da fortuna* e *A mão do destino*. Elas contêm detalhes de sua vida, incluindo seus quatro matrimônios, dois divórcios e um casamento anulado, que nós da Fundação não encontramos em nenhum de seus outros escritos ou discursos. Seus sucessos e fracassos nos negócios também são apresentados em pormenores – e houve mais fracassos do que sucessos, como ele mesmo admitia. Essas memórias contêm profundas reflexões sobre o estado de espírito desse grande pensador: como ele lidou com o fracasso, tirou proveito das derrotas, transformou a adversidade em vantagem e finalmente alcançou a felicidade com sua última esposa, Annie Lou – uma felicidade que o havia iludido durante a maior parte de sua vida.

O Sr. Hill dizia que o princípio do MasterMind, no qual duas ou mais mentes trabalham harmoniosamente para alcançar um objetivo comum, é o mais importante dos 17 princípios de sucesso que ele estabeleceu em décadas de pesquisa sobre como as pessoas alcançam uma vida feliz e bem-sucedida. Uma das histórias mais interessantes em suas memórias é sobre como ele e sua terceira esposa, Rosa Lee, utilizaram o princípio do MasterMind para descobrir o único dos 17 princípios que ninguém havia compreendido ou realizado antes: a força cósmica do hábito.

Os curadores da Fundação Napoleon Hill combinaram as duas memórias em uma, eliminando a repetição e colocando os eventos em ordem cronológica quando havia sentido fazê-lo. Escolhemos intitular a edição original das memórias combinadas como *MasterMind* – no Brasil, manteve-se *A roda da fortuna* –, em reconhecimento à importância que este princípio desempenhou em sua filosofia e vida – e como uma homenagem a esse gigante intelectual, que foi o maior pensador e escritor de todos os tempos nas áreas de realização pessoal e autodesenvolvimento.

Desejamos que você possa desfrutar e aprender com estas memórias nunca antes publicadas do Dr. Napoleon Hill.

**Don Green**
*Diretor-executivo e curador da*
*Fundação Napoleon Hill*

# PREFÁCIO ORIGINAL DA FUNDAÇÃO NAPOLEON HILL

A história de vida de Napoleon Hill coincide com a história da organização da primeira filosofia de realização pessoal do mundo, abrangendo vinte anos de pesquisa iniciada por sugestão e em colaboração com Andrew Carnegie.

Esta narrativa descreve as circunstâncias dramáticas em que o autor conseguiu estabelecer parcerias com os mais ilustres líderes empresariais e industriais americanos, incluindo Henry Ford, Thomas A. Edison, Frank A. Vanderlip, John D. Rockefeller, Woodrow Wilson e Luther Burbank, entre outros.

Nascido na pobreza nas montanhas do Sul, o próprio autor desta história incomum é um exemplo dramático do que a América oferece em termos de oportunidade para a autodeterminação. Esta história é a resposta para todos aqueles que, por ignorância ou desorientação, buscam alterar os fundamentos econômicos e políticos dos Estados Unidos com qualquer forma de "ismo". Esta é uma história de luta, perseverança, determinação e definição de propósito que deve ser uma inspiração para cada pessoa que a ler.

A história também revela fatos até então inéditos sobre a ascensão de homens como Andrew Carnegie em direção à fama e à fortuna; revela a exata diferença entre o *self-made man** e aqueles que foram cercados por todas as vantagens; e descreve claramente a diferença entre a mente de Henry Ford e a mente de milhares de pessoas que trabalharam para ele.

Por meio de sua própria história pessoal, o autor ofereceu ao mundo uma visão nova e surpreendente sobre a experiência do fracasso e da derrota, que deve ser de grande ajuda para todas as pessoas que estão sendo ou já foram atingidas pelo fracasso. Como ele próprio admite, ele falhou mais vezes do que muitos dos milhares que analisou, mas conseguiu converter cada falha em um trampolim, no qual continuou subindo até que, finalmente, forçou a vida a ceder-lhe o conhecimento prático de uma lei natural que pode se tornar tão valiosa para o mundo quanto a descoberta da Lei da Gravidade por Newton, ou a interpretação de Emerson para a Lei da Compensação.** Ele a chama de "Lei do Sucesso".

A declaração do autor no primeiro parágrafo de sua história incomum é o suficiente para recomendar esta leitura a todas as pessoas que não conseguiram obter da vida tudo o que necessitavam ou desejavam. Existem poucas pessoas vivas hoje em dia que podem dizer com sinceridade: "Eu fiz com que a vida me desse todas as

---

* *Self-made man* é uma expressão cunhada em 1842 pelo norte-americano Henry Clay, senador dos Estados Unidos, para descrever um indivíduo que consegue alcançar o sucesso por si mesmo, sem a ajuda de influências externas. (Nota da Tradutora.)

** Lei da Compensação: "Você recebe aquilo que dá". Em seu ensaio intitulado "Compensação", o filósofo norte-americano Ralph Waldo Emerson (1803-1882) escreveu que cada pessoa é compensada da mesma forma que ela contribuiu. A Lei da Compensação é uma atualização da Lei de Semeadura e Colheita: você nunca pode ser compensado em longo prazo por mais do que fez. A renda que você ganha hoje é sua compensação pelo que fez no passado. Se quiser aumentar sua compensação, você deve aumentar o valor de sua contribuição. (Nota da Tradutora.)

bênçãos materiais e espirituais de que preciso ou desejo". O autor descobriu o caminho para dominar essa grande força da natureza; ele aprendeu o segredo pelo qual a felicidade duradoura e a segurança financeira podem ser alcançadas; ele se muniu de liberdade e independência suficientes para poder viver sua própria vida exatamente como desejava. Ele trabalhou quando era impelido a fazê-lo; ele se divertia quando tinha vontade; e encontrou a felicidade conjugal com a mulher que escolheu.

Nesta narrativa, oferecemos ao leitor um plano detalhado para seguir, passo a passo, cada movimento desse homem que fez a vida lhe pagar dividendos da forma que ele queria, assim como um conhecimento prático dos princípios que conduziram os homens mais ilustres da América à fama e à fortuna. Grande parte do valor real da história reside no fato de transmitir informações e descrever princípios de realização pessoal que não são lecionados por nenhuma instituição de ensino e nunca foram publicados antes em formato de livro. A maneira clara como o autor descreve os métodos usados por Henry Ford em sua ascensão da pobreza à riqueza por si só já seria digna de integrar o currículo de qualquer escola pública.

Esta autobiografia não foi escrita para glorificar o autor. Foi escrita para preservar, em benefício de todos que precisarem dela – e isso, caro leitor, inclui todos nós –, as regras para alcançar o sucesso que o autor provou serem sólidas e viáveis.

**Fundação Napoleon Hill**

# PRÓLOGO
# UMA INTRODUÇÃO AO AUTOR
por W. Clement Stone

A mão do destino às vezes alcança lugares inusitados à procura de escolhidos para realizarem trabalhos especiais – ajudando as pessoas a descobrir e se beneficiar das experiências, dos fracassos e dos sucessos daqueles que as precederam.

E deve ter sido a influência dessa mão que inspirou Andrew Carnegie a escolher Napoleon Hill, um jovem desconhecido nascido nas montanhas, para oferecer ao mundo sua primeira filosofia prática de realização pessoal.

Napoleon Hill nasceu em uma cabana de madeira às margens do rio Pound, na região montanhosa de Wise County, Virgínia. Durante a infância ele conheceu a pobreza, que permeava tudo ao seu redor, bem como a superstição, o medo e o analfabetismo, que dominavam o condado montanhoso onde nasceu.

Mas, passo a passo, aquela parceira silenciosa – que parece ter tomado Napoleon Hill sob sua intervenção e proteção desde o início de sua vida – conduziu-o de desventura em desventura, até finalmente colocá-lo sob a influência do grande filantropo Andrew Carnegie, que patrocinou sua pesquisa de vinte anos sobre as causas do sucesso, ajudando homens e mulheres em todo o mundo a melhorarem de vida.

Fui tocado pela influência inspiradora de Napoleon Hill pela primeira vez há mais de vinte anos, quando tive a sorte de ler um de seus livros mais populares, *Quem pensa enriquece*. Quando terminei de ler esse livro, tomei a decisão de acumular, nos vinte anos seguintes, seguindo as regras de sucesso ali estabelecidas, um patrimônio não inferior a dez milhões de dólares.

Começando com um capital de apenas cem dólares, atingi minha meta um ano antes dos vinte que havia previsto. Hoje sou presidente de quatro grandes companhias de seguro, com uma rede que cobre todos os estados da União e que agora começa a se ramificar para o Canadá e vários outros países.

Até alguns anos atrás, eu não conhecia Napoleon Hill a não ser por meio de seus livros, e tinha a impressão de que ele já havia falecido, mas não, tinha apenas se aposentado. Ele estava morando na Califórnia quando o contatei e o convenci a sair da aposentadoria para dar ao mundo este volume e vários outros que ele escreveu, incluindo o curso por correspondência *A Ciência do Sucesso*.

Antes que eu conhecesse Napoleon Hill, ele já havia disseminado sua filosofia de sucesso por todo o mundo, sozinho e sem a ajuda de ninguém, sem uma organização empresarial e sem capital operacional – uma conquista que muitos editores experientes amparados por grandes financiamentos muitas vezes não conseguem realizar.

É certo que há algo na filosofia da Ciência do Sucesso, capturada e apresentada por Napoleon Hill em seus livros, que fez com que suas obras se espalhassem por todo o mundo por meio da propaganda boca a boca. De que outra forma alguém poderia explicar o fato de terem alcançado e beneficiado milhões de homens e mulheres em praticamente todas as edições?

Assim que *Quem pensa enriquece* foi publicado, em 1937, o livro logo chamou a atenção do falecido Mahatma Gandhi, líder indiano – o que foi fundamental para que esse e todos os outros trabalhos de Napoleon Hill fossem publicados e amplamente distribuídos por toda a Índia, onde seus livros ainda são *best-sellers*.

Da Índia, os livros de Napoleon Hill chegaram até o Brasil, onde foram traduzidos para o português e são campeões de vendas até hoje. As livrarias que visitei recentemente nos países latino-americanos me informaram que as vendas dos livros de Napoleon Hill estão na casa dos milhões de exemplares.

Talvez eu esteja em uma posição privilegiada de autoridade para testemunhar a influência inspiradora da filosofia de sucesso de Napoleon Hill, devido aos milagres que ela inspirou em minha própria equipe de vendas. Alguns de nossos vendedores, que antes ganhavam entre 75 e 100 dólares por semana, de repente aumentaram seus ganhos para até 500 dólares por semana depois de ler os livros de Napoleon Hill e de fazer o curso por correspondência.

Esse impressionante recorde de vendas do meu próprio pessoal – principalmente devido aos livros de autoajuda e aos cursos de Napoleon Hill – não me deixa outra escolha a não ser me referir a ele como um fazedor de "homens milagrosos".

Até poucos anos atrás, Napoleon Hill não buscava nenhum reconhecimento ou publicidade pessoal, preferindo deixar que seus serviços pelo próximo falassem por si. Portanto, os favores que ele prestou aos homens mais poderosos da sociedade eram conhecidos apenas por alguns amigos pessoais.

Durante a Primeira Guerra Mundial, ele foi retirado de campo e designado para trabalhar com o presidente Woodrow Wilson – ocasião em que prestou ao presidente e ao seu país vários serviços valiosos, incluindo a elaboração de material motivacional para intensificar a produção e inspirar a lealdade dos trabalhadores nas instalações industriais que fabricavam suprimentos para a guerra.

Durante o primeiro mandato de Franklin D. Roosevelt, Napoleon Hill prestou valiosos serviços confidenciais para ajudar a deter a onda de medo que se apoderava da população; e foi ele quem deu a Roosevelt aquela frase mundialmente famosa "A única coisa que temos a temer é o próprio medo", citada pelo presidente em seu primeiro discurso de posse.

Quando uma das grandes indústrias do famoso empresário R. G. LeTourneau foi bloqueada por sindicalistas que tentavam mobilizar os dois mil funcionários da fábrica em Toccoa, na Geórgia, Napoleon Hill foi chamado e recebeu carta branca para negociar a situação. Ele fez o trabalho tão bem que os organizadores (dois homens influentes, responsáveis por um considerável fundo sindical) retiraram os piquetes e foram embora, após terem conquistado para sua causa menos de duzentos funcionários de LeTourneau.

Por essas e outras razões, ao oferecer esse vislumbre íntimo do autor desta obra, sinto que estou lhe apresentando um grande influenciador que irá inspirá-lo e que marcará a leitura deste volume como um dos grandes momentos verdadeiramente decisivos de sua vida.

Este volume não é uma reedição de nenhuma das outras obras de Napoleon Hill; ele é mais intimista que todas as suas publicações anteriores, pois revela ao leitor o segredo pelo qual ele encontrou acesso aos poderes invisíveis que deram um efeito tão inspirador aos seus livros.

Esta e todas as outras obras de Napoleon Hill são isentas de assuntos polêmicos, como religião e política, e seu único propósito é ajudá-lo a descobrir a passagem secreta para aqueles poderes milagrosos que deram tanta força às obras de Napoleon Hill.

Estamos vivendo em uma era de milagres, em que cabe até mesmo às pessoas mais sábias tratarem com respeito e séria contemplação as descobertas feitas por homens e mulheres comuns que dedicam a vida e se esforçam para compreender o poder da mente humana e fazer uso prático dele.

Por último, este livro não foi apenas escrito por Napoleon Hill: foi primeiramente vivido por ele, por muitos e muitos anos, e cada princípio mencionado foi testado por ele no laboratório da vida. Antes de permitir sua publicação, ele provou que é possível encontrar abundância material e paz de espírito seguindo os procedimentos estabelecidos nestas páginas, porque ele mesmo o fez.

Napoleon Hill conquistou tudo o que queria ou de que precisava, e em abundância; porém, mais importante do que isso, ele obteve a fórmula para conseguir mais do que desejava, e a compartilhará com você neste livro.

E a única grande esperança dele ao publicar este livro é que você, assim como todo leitor que estiver pronto, adote sua fórmula e a use para alcançar tudo o que desejar – desde que a realização de seus desejos não prive qualquer outra pessoa de seu direito de ter prosperidade e paz de espírito.

Em cada linha das páginas seguintes, você encontrará uma mensagem muito pessoal de Napoleon Hill. Por trás dessas linhas, expressas em espírito, mas não em palavras, você poderá captar o calor da sinceridade e o entusiasmo do homem que as escreveu. Se conseguir, você estará de parabéns, pois ficará muito próximo daqueles amigos invisíveis descritos pelo autor no livro, já que terá encontrado o segredo supremo do sucesso que ele menciona indiretamente em quase todos os capítulos.

Não espere absorver logo na primeira leitura todas as referências instigantes que o autor oferece neste livro, pois algumas declarações são de uma natureza tão especial que você somente conseguirá se beneficiar delas totalmente testando por si mesmo a técnica do autor, experimentando-a em suas atividades diárias.

Aconselho-o a estudar este livro com atenção; e estude não apenas os princípios que ele ensina, mas também a vida do homem que fez com que esses princípios fossem aplicados por pessoas em todo este imenso mundo, para alcançar o sucesso e a felicidade.

# INTRODUÇÃO
por Dr. Virgil H. Lake

Deixe-me apresentar o autor deste livro incomum primeiro me apresentando. Sou médico, moro em Atlanta, Geórgia, e minha profissão é ajudar as pessoas a melhorar e permanecer bem fisicamente. No entanto, em meu trabalho profissional, encontrei centenas de homens e mulheres que não se beneficiariam dos métodos ortodoxos de terapia – porque estavam doentes mentalmente, não fisicamente. Eles estavam doentes porque algo deu errado no intrincado maquinário de seus cérebros.

Há pouco mais de vinte anos, encontrei Napoleon Hill pela primeira vez quando ele dava uma palestra para uma turma de dois mil alunos na faculdade que eu frequentava, enquanto me preparava para minha profissão. Desde aquela época, tornei-me um estudante respeitoso da filosofia que Andrew Carnegie inspirou o Sr. Hill a organizar. Digo respeitoso porque descobri que a filosofia não apenas tem um valor inestimável para a minha vida financeira, mas também tem sido de grande ajuda para mim no tratamento de muitos pacientes – cujas doenças se devem, principalmente, a alguma forma de fracasso financeiro pessoal que destruiu sua vontade de vencer.

Li o manuscrito deste livro com muito cuidado e, embora algumas partes do livro sejam muito profundas para que eu as compreenda, e ainda mais para tentar explicar a outras pessoas, posso dizer sinceramente: eu acredito que as experiências que o Sr. Hill descreveu como fatos de sua vida dramática aconteceram exatamente como ele disse.

Algumas experiências não são, de forma alguma, novidade para mim. Já tinha ouvido relatos de experiências semelhantes de muitos pacientes e de seus amigos. De uma coisa estou perfeitamente certo: a parte não mapeada e desconhecida da mente humana é esmagadoramente maior do que a parte conhecida que entendemos, e dificilmente haverá espaço para comparação entre elas.

Tudo o que o Sr. Hill descreveu pode ter acontecido, mas isso não é nem sequer metade da história em comparação ao que poderia ter acontecido se a mente humana fosse tão bem compreendida quanto o corpo físico.

Existem muitas escolas de terapia, e cada grupo adquiriu algum conhecimento útil relacionado à saúde e à manutenção do corpo físico; mas nem todos juntos descobriram como ou por que determinada força de vontade pode deter a mão da morte quando, de acordo com todas as regras conhecidas da vida, um indivíduo deveria estar morrendo ou morto. Nós, cuja profissão é ajudar as pessoas a manterem uma boa saúde, reconhecemos que existe um poder disponível para os seres humanos que, em certas circunstâncias, transforma em macacos aqueles que profetizam que a morte chegará dentro de determinado tempo, ou que certa pessoa tem apenas alguns dias ou semanas para viver. Sabemos que um indivíduo pode – e muitas vezes consegue – anular todos esses vereditos.

Napoleon Hill chegou perto de alcançar esse poder misterioso, mas ele fez isso pelo estudo do poder que se aplica às leis econômicas e às coisas materiais. Sua filosofia é lida e respeitada em grande parte do mundo, porque ajuda as pessoas a se recuperarem após uma derrota; ajuda a suplantar a pobreza pela opulência, para milhares de pessoas; e ajuda literalmente homens e mulheres a "nascerem de novo" mental e espiritualmente.

Há pouco tempo, um próspero homem de negócios, que conheço de longa data, entrou em meu consultório, viu em minha mesa um livro escrito pelo Sr. Hill, *Quem pensa enriquece*, e exclamou: "Esse homem me salvou de cometer suicídio". Então ele me contou sua história. Vinte anos atrás, ele entrou no escritório do Sr. Hill em Chicago e anunciou que estava prestes a tirar a própria vida. Ele disse que havia caído em um buraco tão fundo que parecia e se sentia como um indigente; mas o Sr. Hill o acolheu, colocou-o em um tipo de "ginástica mental", como ele expressou, e em uma hora ele deixou o escritório como uma pessoa totalmente nova, pronta para assumir as responsabilidades da vida, exatamente onde a mão do destino o havia atingido. Ele começou a prosperar a partir daquele dia, e continuou próspero.

Ele disse que seus amigos haviam profetizado sua ruína, porque em sua mente ele já havia desistido de viver, e realmente havia chegado a um beco sem saída na estrada da vida. Mas quando o conheci, ele não me parecia ser alguém que já tivesse pensado em tirar a própria vida ou desistir porque a existência estava árdua ou o caminho era difícil.

Sim, Napoleon Hill finalmente conseguiu encontrar o que pode vir a ser a chave para esse poder misterioso, que renova a fé e a esperança em homens e mulheres que já morreram mentalmente, mas fisicamente continuam vivendo. Creio que ele descreveu sua descoberta neste livro de forma admirável, e tenho fé suficiente em sua integridade para deixar registrado o seguinte: acredito sinceramente que a lei natural que ele descreve neste livro pode ser o tão procurado elixir da vida, com o qual podemos estender nossa longevidade imensuravelmente além do tempo convencional de setenta anos. Estou igualmente disposto a admitir que pode se tornar o meio pelo qual o medo, o desânimo e a preocupação podem ser plenamente dominados e, assim, preparar o caminho para a opulência para todos os que a buscam.

As leis aqui descritas pelo Sr. Hill são dignas da mais profunda análise e estudo pelos mais hábeis psicólogos e especialistas da mente, bem como pelos membros de todas as escolas terapêuticas. Não posso falar por outros membros da minha profissão, mas posso falar por mim mesmo; e não hesito em dizer que acredito que o Sr. Hill descobriu a ponta do fio que nos conduz no emaranhado desta vida caótica. Acredito também que sua pesquisa posterior, na qual está agora engajado, ainda pode colocar o segredo desta lei ao alcance das pessoas mais humildes.

Aconselho você a não tentar sondar as profundezas da mente de Napoleon Hill apenas com a leitura deste livro, pois ele contém apenas a "borda externa" de suas descobertas relacionadas à mente; de fato, ele não quis incluir tais descobertas em seus livros anteriores, permanecendo bem dentro dos limites do que é entendido e aprovado pela ciência.

Este volume não é apenas biográfico; é uma coletânea de alguns desses fenômenos mentais incomuns que o Sr. Hill descobriu, relativos às suas análises de milhares de homens e mulheres, que ele acredita serem valiosos demais para ocultar do público. É seguro dizer que, ao terminar de ler este livro, você estará mais perto do que nunca desse grande poder dentro de seu próprio cérebro, que pode misteriosamente transformar o fracasso em sucesso.

CAPÍTULO 1

# COMO MINHA JORNADA COMEÇOU

Posso prepará-lo melhor para compartilhar os princípios de sucesso que aprendi conduzindo-o pelo caminho que segui em minha luta para adquirir o conhecimento necessário para fazer a vida valer a pena. Ao final do caminho, você verá que fiz com que a vida me desse todas as bênçãos materiais e espirituais que precisava ou desejava.

Você e eu estamos prestes a entrar, por meio desta história pessoal, em uma forma de diálogo mental que deve, necessariamente, abrir para você os detalhes íntimos da minha vida pessoal. Portanto, começarei do início e revelarei a cadeia de experiências dramáticas que culminaram, enfim, na descoberta da pedra filosofal que literalmente transmuta os metais básicos da experiência em riquezas douradas. Antes de concluir minha história, você verá obviamente que muito de seu valor está intimamente associado ao meu nascimento humilde e aos vários fracassos que experimentei ao longo do caminho, portanto, eu não poderia deixar de descrevê-los.

Deixe-me levá-lo de volta ao ponto de partida onde, em uma manhã sombria de outubro de 1883, vi a luz do dia pela primeira vez. Em uma cabana de madeira com apenas um cômodo, na região montanhosa do sudoeste da Virgínia, perto do final do século 19, o destino planejava o nascimento de uma criança cuja vida se tornaria uma influência para a vida de milhões de pessoas em todo o mundo.

A criança era um menino que veio ao mundo gritando de medo, talvez antevendo as adversidades que estavam destinadas a moldá-lo em seu papel dramático na vida.

Quatro anos depois, naquela mesma cabana, dois médicos sentaram-se ao lado da cama desse garoto que morria lentamente de febre tifoide.

Os médicos chamaram o pai do menino e anunciaram que tinham feito de tudo para salvá-lo, mas não fora o suficiente. O garoto duraria mais uma noite, talvez, mas não mais do que isso.

O pai se recusou a aceitar o veredicto dos médicos.

– Não! – disse ele. – Meu filho não vai morrer.

Ele então se virou e, deixando os médicos atônitos, desceu para a floresta, a algumas centenas de metros da casa na montanha, ajoelhou-se e orou por uma hora. Ele pediu que seu filho fosse salvo. A tarde brilhante pareceu se transformar repentinamente em escuridão, que durou alguns minutos. Então um sentimento de fé tomou conta dele, e assim ele teve certeza de que sua oração havia sido atendida.

Ele se levantou e voltou para casa. Ao entrar no quarto onde apenas uma hora antes seu filho estava em coma, ele encontrou a criança acordada e implorando desesperadamente por água.

Os médicos recusaram, pois naquela época a febre tifoide era tratada sem ministrar água. Desconsiderando a ordem médica, o pai trouxe uma cuia de água fresca, ficou ao lado da cama e levou-a aos lábios da criança enquanto ela bebia.

Os médicos disseram:

– Ele estará morto em uma hora!

Mas o pai respondeu:

– Não, agora ele está nas mãos de um novo médico, e esse médico me prometeu que ele não morrerá.

Foi assim que começou uma série de experiências destinadas a transformar a história de vida daquele menino em um enredo digno de qualquer história de ficção.

Sim, o pai do menino estava certo! O "novo médico" fez o garoto melhorar. Logo a mão do destino assumiu o controle e começou a girar a roda da fortuna; e ela o favoreceu tantas vezes que isso dificilmente poderia ser explicado pela lei do acaso.

Esse menino é o escritor destas linhas!

As páginas que se seguem apresentam, pela primeira vez, algumas das experiências mais estranhas e inexplicáveis da minha vida.

Para começar, nasci em um ambiente infeliz, e minha herança foram quatro bens que significam a ruína para muitas pessoas: a pobreza, o medo, a superstição e o analfabetismo. O único ativo duradouro que herdei foi um traço genuíno da saudável ambição americana.

Teoricamente, nasci em circunstâncias que não me ofereciam um único fio de esperança de realização pessoal, e não mais do que uma chance em dez milhões de superar minha origem humilde.

Mas a mão do destino é longa, e às vezes chega a lugares inusitados em busca de materiais e indivíduos para serem moldados de acordo com seu propósito.

Por três gerações, meu povo nasceu, viveu, lutou na ignorância, no analfabetismo e na pobreza, e morreu sem ter saído das montanhas daquela região. Eles viviam da terra. A maior parte de sua escassa renda provinha da venda da aguardente de milho.

Meus pais me enviaram para a escola aos quatro anos, principalmente para ficarem livres de mim enquanto trabalhavam no campo. Quando nasci, não havia ferrovias, telefone, luz elétrica ou estradas públicas transitáveis naquela parte do estado. Eu nunca tinha visto um trem até chegar à idade adulta. Wise County era então famosa por três coisas: as rixas nas montanhas, a aguardente de milho e pessoas ignorantes!

Minha primeira ambição na vida era tornar-me o pior dos bandidos, pois essa era a fama da região montanhosa onde eu vivia. Durante o meu terceiro ano na escola, chegou às minhas mãos uma cópia da história de Jesse James; e isso me impactou tanto que decidi escrever uma história que faria a dos irmãos James parecer coisa de criança.

Quando eu tinha nove anos, minha reputação de mau elemento já havia se espalhado por toda a vizinhança. Eu andava armado com uma pistola de seis cartuchos que havia pertencido a um tio. Com ela, fui desenvolvendo o desejo de me tornar perigoso para qualquer coisa ou pessoa que se colocasse em meu caminho.

Em uma ocasião, minha professora anunciou que eu levaria uma surra; mas fugi da escola e me recusei a voltar até que minha avó negociasse uma trégua. Assim, concordei em deixar minha pistola em casa e aceitar três chicotadas, desde que não fossem administradas com muita violência. Depois de levar a surra, voltei para a escola naquela noite e escrevi minhas iniciais no quadro-negro com meu revólver de seis tiros. Os buracos na parede ainda estão lá até hoje.

Minha mãe morreu quando eu tinha nove anos de idade, deixando-me com um irmão de quatro anos, chamado Vivian. Um ano depois, a mão do destino atacou novamente, quando ocorreu um evento que marcou o ponto de virada mais importante da minha vida. Meu pai se casou de novo, e trouxe para casa uma madrasta.

Muito antes de nossa nova mãe chegar, meu irmão e eu havíamos sido habilmente treinados para odiar "aquela mulher" que estava vindo para tomar o lugar de nossa mãe. Na noite em que ela e meu pai chegaram, nossos vizinhos e parentes se reuniram em nossa casa para recebê-la. Meu pai a apresentou a todos os presentes, e finalmente veio até mim. Eu estava de pé em um canto da sala com os braços cruzados sobre o peito, tentando parecer tão revoltado quanto eu me sentia.

– E aqui – disse meu pai – está seu filho Napoleon, o menino mais malvado de Wise County, e não tenho dúvidas de que amanhã ele estará jogando pedras em você.

Fiquei todo orgulhoso com aquela introdução notável, endureci o queixo para baixo e tentei representar o papel que meu pai havia designado para mim. Minha madrasta se aproximou de mim, colocou a mão sob meu queixo e levantou meu rosto, para que ela pudesse me olhar diretamente nos olhos. Então ela se virou e fez um discurso de duas frases, que estava destinado a reverberar em todo o mundo e influenciar milhões de pessoas, algumas das quais ainda não haviam nascido:

– Você está errado sobre este menino! – exclamou minha madrasta. – Ele não é o menino mais malvado de Wise County; ele é apenas o garoto mais inteligente do condado, que ainda não descobriu como usar sua inteligência.

Era a primeira vez na minha vida que alguém dizia algo gentil sobre mim, e isso me impactou completamente. Então, eu soube naquele momento que iria amar "aquela mulher" que tinha aprendido a odiar. Nós nos tornamos amigos inseparáveis desde o primeiro encontro até o dia em que ela faleceu, cerca de quarenta anos depois.

Por influência de minha madrasta, troquei meu revólver por uma máquina de escrever, e ela começou a me ensinar redação. Ainda no início da adolescência, eu já escrevia colunas semanais para vários pequenos jornais do interior, com notável sucesso – pois, quando não havia notícias reais, eu as fabricava.

Naquele momento, eu não sabia que minha madrasta se tornaria o meio pelo qual eu seria compensado pela perda de minha mãe; mas logo ficou claro que ela estava destinada a mudar todo o curso da minha vida para melhor, assim como a vida do meu pai e a do meu irmão.

Ela era uma mulher culta, e sabia a diferença entre pobreza e fartura. Minha primeira impressão duradoura sobre isso veio logo depois que ela e meu pai se casaram, quando ela anunciou sua intenção de mudar a situação mental, espiritual e financeira de toda a família. Como faria isso, ela francamente admitiu que não sabia; só sabia que faria!

A oportunidade para seu primeiro movimento em direção à realização de seu propósito declarado de superar a pobreza surgiu um mês depois, quando sua dentadura caiu e se quebrou em vários pedaços. Como é estranho que, quando uma pessoa estabelece definitivamente uma meta específica e se determina a atingi-la, os meios para alcançá-la apareçam em circunstâncias aparentemente sem importância!

Meu pai pegou os cacos, juntou-os na palma da mão, olhou para a dentadura em pedaços por um minuto e comentou:

– Acho que eu posso fazer uma dentadura!

Deixando cair os pratos com os quais preparava o café da manhã, minha madrasta correu até meu pai, jogou os braços em volta dele e gritou:

– Eu sei que você pode fazer uma dentadura!

Eu soube do incidente vários dias depois, quando voltei da escola e encontrei meu pai ocupado, cuidando de uma chaleira de aparência estranha que ele estava aquecendo no fogão da cozinha. Quando perguntei o que era, ele me informou que era um vulcanizador. Continha um conjunto de dentes artificiais que ele acabara de fazer para minha madrasta. Ela havia contatado uma casa de suprimentos odontológicos e encomendado equipamentos e matérias-primas suficientes para que meu pai lhe fizesse uma nova dentadura, e era isso que estava sendo moldado naquela pequena chaleira. Logo a dentadura foi retirada do fogo, foi lixada até ficar pronta e colocada na boca de minha madrasta – e, acredite ou não, serviu tão bem quanto a que havia se quebrado; tão bem, na verdade, que ela a usou por muitos anos.

A coisa seguinte que eu soube foi que meu pai estava prestando serviços odontológicos para os montanheses da vizinhança, fabricando próteses dentárias com as próprias mãos na oficina de ferreiro do meu avô.

Depois de exercer a profissão de protético por mais de três anos, meu pai descobriu que a lei exigia que ele tivesse uma licença; e que ele estava violando a lei, e estava sujeito à prisão. A descoberta trouxe grande consternação para meu pai e todos os seus amigos, exceto para minha madrasta. Lembro-me muito bem do que ela disse quando soube que era necessária uma licença:

– Se você tiver que passar por um exame para obter uma licença – ela desafiou –, então você vai entrar em uma faculdade e estudar odontologia.

Meu pai queria desistir da ideia e voltar para a lavoura, mas a resposta de minha madrasta foi:

– Temos que seguir em frente, e não andar para trás! – Nunca me esqueci dessas palavras.

Aos quarenta anos, meu pai ingressou no Louisville Dental College. Ele se formou quatro anos depois, como ela havia profetizado, com grandes honras!

Com a carreira de meu pai plenamente encaminhada, ela voltou sua atenção para mim e me obrigou a escolher uma carreira, com a promessa de que me apoiaria no que eu desejasse seguir como profissão. Escolhi a área da administração e, logo depois, ao concluir o ensino médio, comecei a estudar e me preparar para o trabalho administrativo.

## Meu primeiro emprego

Meu primeiro emprego foi como secretário do general Rufus A. Ayers, um importante advogado e empresário do Sul, proprietário de muitos bancos e minas de carvão. Menos de seis meses depois de começar a trabalhar, fui transferido do escritório particular do general para o cargo de escriturário-chefe de uma de suas minas de carvão em Richlands, Virgínia, administrada por seu filho Harry. Seu outro filho, James, era gerente-geral de um dos bancos do general, também em Richlands.

Pouco depois de assumir meu novo cargo, ocorreu uma tragédia que me trouxe a primeira grande oportunidade de exercer a minha iniciativa e levou à minha nomeação para o cargo de gerente-geral de uma das minas de carvão do general. Passei a ser responsável por uma equipe de 350 homens, tornando-me o mais jovem gerente de minas do país.

Devo mencionar as circunstâncias em que consegui essa posição de responsabilidade sendo tão jovem, devido à sua influência em minha vida e pelo valor que pode representar para outras pessoas que buscam o caminho para a autodeterminação.

Por mais que eu queira omitir essa infeliz circunstância, sou compelido a mencionar o fato de que os dois filhos do general Ayers saíram da faculdade com o hábito de aproveitar a boa vida excessivamente – um hábito que estava destinado a me dar minha primeira chance real de liderança. Em um final de semana, os dois filhos do general Ayers estavam em uma farra, durante a qual James acidentalmente deixou cair um revólver – que disparou e matou um mensageiro. Soube do acidente quase imediatamente, e logo corri para o hotel onde ocorreu. Interroguei a única testemunha ocular da tragédia e tomei seu depoimento por escrito sob juramento, o que deu a James total exoneração. Em seguida, chamei o legista e consegui um atestado de óbito para o homem morto, junto com o reconhecimento oficial da morte como acidental, e paguei as despesas de seu enterro.

Logo depois, telegrafei para o general Ayers, em sua casa em Big Stone Gap, Virgínia, para contar o que havia acontecido e para informar que tinha ido ao banco em Richlands e o encontrara destrancado, com os cofres abertos e o dinheiro espalhado, como se um ciclone tivesse atingido o local. O general imediatamente me telegrafou de volta, pedindo que eu assumisse o banco, fizesse um levantamento do dinheiro e descontasse de sua própria conta qualquer valor que estivesse faltando, e que um novo caixa estaria disponível na segunda-feira de manhã para eu abrir as portas e continuar no lugar de seu filho.

Jamais esquecerei a sensação que tive ao receber aquele telegrama. Recebi amplos poderes com a oportunidade óbvia de relatar qualquer valor que eu escolhesse, sem a menor chance de alguém questionar onde o dinheiro estaria. Eu sabia muito bem que poderia ter embolsado de quinze a vinte mil dólares, ou talvez mais, sem a menor indicação de que eu havia pegado o dinheiro. Fiquei cara a cara com minha primeira tentação de roubar, e não seria totalmente humano se eu deixasse de admitir que estudei a oportunidade cuidadosamente.

Por um lado, poderia me apropriar de uma pequena fortuna, sentindo-me justificado por meu ato, alegando que havia prestado ao filho do general um serviço inestimável – que valia muito mais do que qualquer quantia que eu pudesse receber. Por outro lado, poderia demonstrar, sem margem para dúvidas, que eu era confiável; e sabia muito bem que, se fosse leal, poderia conseguir qualquer cargo nas empresas do meu patrão. Eu queria ser gerente da mina de carvão, porque acreditava sinceramente que poderia administrar o negócio com mais eficiência do que o filho do general, que pensava tão pouco em seu trabalho que permitia que o negócio sofresse enquanto ele se divertia em alguma farra inconsequente.

Quando o dinheiro foi contado e o livro-caixa foi registrado, faltavam exatamente 10 mil dólares. Chequei e verifiquei novamente os números, e recontei o dinheiro, mas sempre faltava a mesma quantia. Então encontrei um malote, que tinha como remetente o nome de um banco de Richmond, Virgínia. A embalagem continha o valor exato que faltava, tudo em notas novas. O pacote não era grande. Eu poderia facilmente colocá-lo dentro do bolso do meu sobretudo e levá-lo embora sem ser notado, e foi exatamente esse o meu primeiro impulso.

Experimentei colocar o pacote no bolso, e ele se encaixava no espaço perfeitamente. Então tive outro impulso que me salvou. Algo dentro de mim disse: "Filho, tire esse dinheiro do seu bolso e coloque-o de volta no local ao qual ele pertence, ou você se arrependerá todos os dias da sua vida".

Tirei o pacote do bolso, coloquei-o de volta no cofre do banco e telefonei para meu patrão, informando que o dinheiro havia sido contado e registrado no livro-caixa e que tudo estava certo, até o último centavo.

– O quê!? – meu chefe exclamou. – Tem certeza de que não falta nada?

– Nem um centavo – respondi.

E algo dentro de mim parecia dizer: "Muito bem, servo bom e fiel. Você demonstrou domínio sobre si mesmo; você se tornará o senhor de muitas coisas no futuro".*

Embora eu ainda estivesse no final da adolescência, encontrei mais tentações que precisaram ser dominadas, e passei por uma variedade

---

* "Disse-lhe o seu senhor: Muito bem, servo bom e fiel; sobre o pouco foste fiel, sobre muito te colocarei; entra no gozo do teu senhor." (Mateus 25:21).

maior de experiências humanas do que muitas pessoas encontram durante toda a vida.

Mas cada experiência parecia abrir para mim uma avenida de oportunidades que me levaram por fim a uma proximidade com muitas das grandes mentes daquela época, de homens que realizaram feitos notáveis e que estavam destinados a colaborar comigo para oferecer ao mundo a primeira filosofia prática de realização pessoal, baseada no "know-how" que eles adquiriram pelo método de tentativa e erro ao longo de uma vida inteira de trabalho.

Ao olhar para trás, para o início de minha carreira, não posso deixar de me surpreender com o espírito de generosidade de homens ocupados e bem-sucedidos que se esforçaram para me inspirar e me guiar. Alguns desses homens abriram portas para mim, prontamente, com oportunidades que eu não teria encontrado por toda a minha vida sem a ajuda deles.

Em certa ocasião, Frank W. Vanderlip, que era então presidente do grande National City Bank de Nova York, convidou-me para ir até Nova York e passou uma semana apresentando-me a dezenas de homens influentes, cuja cooperação provou ser inestimável no trabalho que eu estava destinado a realizar.

Uma por uma, explorei as mentes dos homens que construíram impérios industriais e descobri os segredos de toda uma era de invenção mecânica que deu à América o avião, o automóvel, o rádio, o cinema e o mais bem-sucedido sistema de livre comércio que o mundo conheceu.

De cada uma dessas mentes, obtive informações úteis que encontraram seu caminho para a filosofia da realização pessoal que mais tarde eu organizaria. Mas, a cada vez que eu explorava uma dessas mentes, era óbvio que saía pela porta da frente sem trazer comigo a chave mestra para a realização pessoal que eu tanto procurava.

## A chave mestra

Por fim, abri uma porta pela qual não havia passado antes, e ali descobri os "fantasmas" ocultos de homens que abalaram o mundo com suas conquistas. Não penetrei na câmara secreta atrás daquela porta, mas consegui a chave mestra que pode abri-la – e me esforçarei, por meio destas páginas, para entregar essa chave a todos que estiverem prontos para isso.

É a chave que Emerson esteve tão perto de revelar em seu ensaio sobre a Lei da Compensação.* É a chave com a qual Newton entrou em contato quando revelou a Lei da Gravidade. É a chave usada por todo homem que se apropria de uma medida maior da Inteligência Infinita, por meio da oração.

Antes que eu possa descrever essa chave adequadamente, devo conduzi-lo pela longa estrada que percorri em busca dela, pois essa é a única maneira de torná-la disponível para outras pessoas.

Essa estrada não foi fácil, pois foi semeada com espinhos e regada com lágrimas de agonia; e me conduziu através de um deserto de desânimo e derrota temporária, de forma tão severa que pôs minha alma à prova. Talvez ao ler este livro você tenha mais sorte; pois me esforçarei, por meio de minhas francas confissões, para indicar a você os pontos de perigo.

Agora, voltemos à minha história. Quando o general Ayers chegou na segunda-feira de manhã, a primeira coisa que me perguntou foi:

– Quanto foi o prejuízo para o banco?

Quando eu disse a ele mais uma vez que não faltava nem um só centavo do dinheiro, ele olhou para mim incrédulo e exclamou:

– O quê! Não faltou nada?

Assegurei-lhe que não; mas com certeza ele pensou que eu havia coberto o prejuízo com meus próprios fundos, como uma forma de proteger seu filho James, que era meu grande amigo.

* *Lei da Compensação*: veja a p. 10.

Depois que o general recebeu meu relatório sobre a tragédia e leu cuidadosamente a declaração juramentada que eu havia tomado da única testemunha ocular do acidente, ele disse algo que não apenas me proporcionou meu primeiro cargo de liderança, mas também me deixou em paz com minha própria consciência:

– Você lidou com este caso tão bem quanto qualquer advogado experiente poderia ter feito. E fez mais do que isso: demonstrou traços de lealdade e iniciativa, muito além do que eu esperaria encontrar em alguém tão jovem quanto você. Com base na teoria de que uma boa jogada merece outra, quero que você assuma a mina de carvão como gerente-geral. Se você conseguiu recuperar todo o dinheiro, sem faltar nada, em um banco que ficou destrancado por dois dias, tenho certeza de que se sairá bem na mina. Portanto, você terá o controle total da produção e das vendas.

Vislumbrei um brilho nos olhos do general que não deixou dúvidas de que ele estava me recompensando pela minha honestidade sobre o ocorrido no banco, bem como pela minha iniciativa em lidar com o acidente de seu filho.

Minha nomeação como gerente-geral da mina de carvão foi amplamente divulgada devido à minha pouca idade, e chamou a atenção de muitas pessoas influentes – incluindo o senador Bob Taylor, com quem eu estava destinado a encontrar, logo depois, outra oportunidade de exercer minha iniciativa, em uma escala tão grande que mudou toda a minha vida.

A influência de minha madrasta me deu uma sede insaciável de conhecimento. Ela gostava de livros, o que me estimulou um desejo ardente não apenas de ler, mas também de escrever. Meu primeiro trabalho sério como escritor profissional surgiu quando tive a boa sorte de conhecer o senador Taylor, que na época publicava a *Bob Taylor's Magazine*. Tive a ideia de escrever uma série de histórias sobre a vida de homens de sucesso; vendi a ideia para Bob Taylor e fui designado para entrevistar o magnata do aço Andrew Carnegie, com quem todos os arranjos foram feitos com antecedência pelo senador Taylor.

Então, foi ali que a mão que embaralha as cartas do destino humano começou a trabalhar para valer. Ela me deu uma mão de cartas que mudou toda a trajetória do meu futuro e me enviou para a selva da vida em busca de informações sobre as causas do sucesso e do fracasso, sem me dar um roteiro ou orientação definida!

Cheguei ao escritório do Sr. Carnegie no início do outono de 1908, esperando ficar com ele não mais do que as três horas que ele havia me prometido. A entrevista começou às dez horas da manhã e durou o dia todo, e a maior parte dos dois dias seguintes; no final, o Sr. Carnegie me deu não apenas uma bela descrição dos princípios importantes com os quais ele acumulou sua grande fortuna, mas também uma ideia que beneficiou muitos homens e mulheres que, à minha maneira humilde, pude ajudar no caminho da vida.

A ideia foi plantada em minha mente logo depois que comecei a entrevistar o Sr. Carnegie, quando ele perguntou se eu entrevistaria para a revista apenas homens que obtiveram sucesso financeiro; e garanti a ele que essa era minha intenção.

– Será certamente útil – sugeriu ele – escrever histórias sobre homens que fizeram fortuna e são considerados bem-sucedidos, mas você também deve entrevistar homens que não conseguiram acumular riquezas; eles serão ainda mais úteis, porque lhe dirão o que não se deve fazer.

## A filosofia da realização pessoal

Eu já havia contado ao Sr. Carnegie que meu objetivo era escrever histórias sobre homens de sucesso e, dessa forma, ganhar o dinheiro de que eu precisava para pagar minha faculdade de Direito. Ele mudou totalmente esse plano ao sugerir que eu dedicasse pelo menos vinte anos da minha vida para pesquisar as causas do sucesso e do fracasso, organizando os resultados de minhas descobertas como a "primeira filosofia de realização pessoal do mundo", como ele expressou.

Ao final de nossa primeira entrevista, o Sr. Carnegie perguntou se eu tinha ou não coragem suficiente para aceitar uma sugestão que ele desejava me oferecer. Respondi que coragem era tudo o que eu tinha, e que estava preparado para fazer o possível para aceitar qualquer sugestão que ele se dispusesse a oferecer.

Então ele me disse o seguinte:

> "Existem milhões de pessoas no mundo que não têm a menor noção das causas do sucesso e do fracasso. Elas estão dispostas a aprender, mas não há professores. As escolas e faculdades ensinam praticamente tudo, exceto os princípios da realização pessoal. Elas exigem que homens e mulheres jovens passem de quatro a oito anos mergulhados na irrealidade acadêmica e adquirindo conhecimento abstrato, mas não ensinam o que fazer com o conhecimento depois de obtê-lo."

Ele continuou:

> "O mundo precisa de uma filosofia de realização prática e compreensível, organizada a partir do conhecimento prático obtido com a experiência de homens e mulheres na GRANDE UNIVERSIDADE DA VIDA! Em todo o campo da filosofia, não encontrei nada que seja remotamente parecido com o tipo de filosofia que tenho em mente.
>
> Se você se sente atraído por essa necessidade global de que estou falando, não acha que a organização de tal filosofia pode oferecer maiores honras do que qualquer outra que você possa obter como advogado? Já temos advogados suficientes, mas temos poucos filósofos capazes de ensinar a homens e mulheres a arte de viver.
>
> Parece-me que esta é uma oportunidade que deve desafiar um jovem ambicioso do seu tipo; mas a ambição por si só

não é suficiente para esta tarefa que tenho em mente. Aquele que a assumir deverá ter coragem e tenacidade.

Este trabalho exigirá pelo menos vinte anos de esforço contínuo, durante os quais quem o empreender terá que ganhar a vida de alguma outra forma; porque esse tipo de pesquisa nunca é rentável no início. E, geralmente, aqueles que contribuíram para a civilização por meio de trabalhos dessa natureza tiveram que esperar cerca de cem anos após a própria morte até receberem o reconhecimento por seu labor.

Ao final do trabalho, se conseguir realizá-lo com sucesso, você fará uma descoberta que poderá ser uma grande surpresa para si mesmo. Você descobrirá que a causa do sucesso não é algo separado e dissociado do homem; que é uma força tão intangível na natureza que a maioria dos homens nunca a reconhece; uma força que poderia ser apropriadamente chamada de 'outro eu'.

É digno de nota o fato de que esse 'outro eu' raramente exerce sua influência ou se dá a conhecer, exceto em momentos de urgência extraordinária – quando os homens são forçados, por meio das adversidades e derrotas temporárias, a mudar seus hábitos e pensar em uma saída para as dificuldades.

Minha experiência me ensinou que um homem somente se aproxima do sucesso quando é atingido pelo que ele chama de 'fracasso'; pois é nessas ocasiões que ele é forçado a pensar. Se ele pensar com precisão e com persistência, descobrirá que o chamado fracasso não é mais do que um sinal para se rearmar com um novo plano ou propósito. A maioria dos fracassos reais se deve às limitações que os homens estabelecem em sua própria mente. Se tivessem a coragem de dar um passo adiante, poderiam descobrir seu erro."

– Já estamos conversando há quase três dias – disse o Sr. Carnegie. – Descrevi tanto as vantagens quanto as desvantagens da tarefa que sugeri a você. Já dei todas as informações que poderia dar; portanto, quero propor um teste que provará de forma conclusiva se você é ou não o homem certo para fazer este trabalho. Você não saberá qual é o teste, porque 90% dele já foi realizado durante nossas conversas. Antes de concluir o teste, gostaria de fazer uma pergunta – e desejo que responda com um simples "sim" ou "não". A questão é a seguinte: você está disposto a desistir da ideia de se tornar advogado e dedicar vinte anos de trabalho nesta pesquisa que será necessária para dar ao mundo sua primeira filosofia de realização pessoal, e ganhar seu próprio sustento ao longo desta jornada, sem nenhuma ajuda minha?

O Sr. Carnegie recostou-se na cadeira, olhou diretamente para mim e esperou. Eu me remexi na cadeira por alguns segundos, e então respondi:

– Sim! Não apenas começarei o trabalho, Sr. Carnegie, mas pode contar comigo para concluí-lo, não importa quanto tempo demore.

O Sr. Carnegie abriu um largo sorriso e disse:

– Muito bem, meu rapaz! Você passou na última parte do teste com louvor.

Não consegui entender o que ele queria dizer, mas anos depois descobri que ele tinha um relógio nas mãos, cronometrando minha reação à sua pergunta.

Ele tinha me dado 60 segundos para tomar uma decisão; e levei 29 segundos. Descobri mais tarde que ele havia aplicado o mesmo teste a outros jornalistas e escritores, e o tempo de reação deles variou de três horas a três meses. O Sr. Carnegie explicou que, de acordo com sua experiência, geralmente era possível confiar no homem que reconhecia uma oportunidade, agarrava-a prontamente e começava a agir imediatamente, a fim de conduzi-la até sua conclusão lógica. Meu destino estava sendo medido em segundos, e eu não sabia disso. Os eventos que vieram a seguir provaram que o julgamento do Sr. Carnegie estava correto – pois ainda hoje, décadas depois, continuo empenhado em executar a tarefa que ele me deu.

Por intermédio da colaboração do Sr. Carnegie durante os dez anos seguintes ao nosso encontro, obtive informações inestimáveis da maioria dos líderes empresariais e industriais mais conhecidos do público americano; e recebi do Sr. Carnegie o plano necessário e boa parte das informações para elaborar o que culminou no que hoje é conhecido como a Lei do Sucesso.

## MasterMind

Dentre os 17 princípios que, após anos de estudo, compilei como a Lei do Sucesso, o Sr. Carnegie concentrou-se em nossa primeira entrevista nos três mais importantes. Um deles sempre foi utilizado por todas as pessoas que alcançam sucesso notável em qualquer empreendimento. É o que o Sr. Carnegie chamava de *MasterMind:* a coordenação do esforço de duas ou mais pessoas, trabalhando para um propósito definido em um espírito de perfeita harmonia.

A natureza desse princípio, mas não toda a sua importância, foi revelada a mim logo no início de nossa entrevista, quando perguntei ao Sr. Carnegie a quais fatores ele atribuía seu sucesso. Depois de pedir que eu definisse a minha concepção de "sucesso" e ouvir que minha ideia de sucesso era o acúmulo de riquezas, o Sr. Carnegie respondeu:

– Temos aqui em minha empresa um grupo de MasterMind, que consiste na experiência pessoal, educação, temperamento, personalidade e lealdade de muitos homens e mulheres cujas mentes foram coordenadas e direcionadas em perfeita harmonia para a fabricação e a comercialização do aço. De minha parte, não sei nada sobre fabricar ou vender aço; mas os membros da minha aliança de MasterMind conhecem tudo o que já foi descoberto sobre a fabricação e a comercialização do aço, e foram eles que acumularam para mim a riqueza que você chama de sucesso.

Esta foi uma ideia totalmente nova para mim! Eu nunca tinha ouvido falar que operações comerciais bem-sucedidas exigiam uma aliança de MasterMind; e nunca, até ouvir o Sr. Carnegie mencionar esse princípio, tinha ouvido falar de uma mente composta, consistindo em duas ou mais mentes individuais coordenadas e dirigidas para propósitos definidos, em um espírito de harmonia.

– Quando falo sobre o espírito de harmonia – explicou o Sr. Carnegie –, refiro-me a algo mais profundo e importante do que as palavras de alguém ou sua conduta pessoal com os outros. Refiro-me aos pensamentos que dominam sua mente, pois aprendi que uma pessoa pode destruir o espírito de equipe do MasterMind, causando enormes danos tanto por meio de seus pensamentos negativos quanto por meio das palavras ditas. Os pensamentos têm uma maneira peculiar de transmitir a todos uma atitude mental definida e facilmente reconhecível, que pode ser favorável ou antagônica a todos com quem eles se associam.

Eu era muito jovem, e tinha uma experiência muito limitada para entender, na época, todo o significado das palavras que o Sr. Carnegie dizia. Mas suas palavras voltaram para mim com um significado novo e muito mais claro anos depois, quando comecei a reconhecer, na conduta tanto de homens bem-sucedidos como de fracassados, as evidências da natureza e da importância do princípio que ele tentava me explicar.

Praticamente todo o primeiro dia de nossa entrevista foi dedicado às explicações do Sr. Carnegie sobre o *modus operandi* pelo qual o princípio do MasterMind era aplicado em seu negócio, e a uma explicação elaborada de como esse princípio vinha sendo aplicado por outros famosos líderes em suas empresas – e muitos deles foram posteriormente apresentados a mim.

O Sr. Carnegie também fez uma assombrosa afirmação: de que, com a ajuda de um grupo de MasterMind adequado, ele poderia ter acumulado sua fortuna em bancos, ferrovias, mineração ou praticamente qualquer outro negócio que pudesse ser útil a um grande número de pessoas, com a mesma facilidade com que enriquecera com a fabricação do aço.

Quando perguntei ao Sr. Carnegie quem, dentre os membros individuais de seu grupo de MasterMind, havia sido de maior ajuda para ele, ele prontamente respondeu:

– Charlie Schwab! E devo acrescentar que ele é valioso porque sua personalidade se presta a criar harmonia entre as pessoas com quem ele trabalha.

Quando chamei a atenção do Sr. Carnegie para o fato de ter ouvido dizer que a educação formal do Sr. Schwab era limitada, e expressei surpresa por ele ser um homem tão valioso, fiquei chocado com a resposta:

– A instrução de Charlie pode ter sido limitada, mas sua educação não foi. A melhor parte da educação de qualquer indivíduo é o que ele obtém por meio do relacionamento com as pessoas depois que seus dias de escola terminam – desde que ele se associe com o tipo certo de pessoas. O maior benefício do princípio do MasterMind consiste no fato de que, por meio dele, um homem sem escolaridade – como Thomas Edison, por exemplo – pode adquirir todo o conhecimento que está disponível, por meio de tudo o que a educação tem a oferecer.

Ponderei durante anos sobre essa surpreendente declaração, chegando finalmente à conclusão inevitável de que o Sr. Carnegie estava absolutamente certo; pois constatei, quando comecei a vasculhar o histórico escolar de cada um dos homens que alcançaram sucesso excepcional, que nenhum deles devia uma grande ou importante parte de seu sucesso à sua escolaridade. Sempre fui grato ao Sr. Carnegie por ter rompido com essa tradição da formação escolar, pois isso me ajudou a eliminar um complexo de inferioridade que eu havia desenvolvido em minha própria mente, devido à minha falta de formação universitária, e me levou de várias maneiras a descobrir de forma mais rápida e definitiva os princípios mais importantes do sucesso.

O Sr. Carnegie aproveitou o meu questionamento sobre a escolaridade limitada de Schwab para imprimir em minha mente a necessidade universal de uma filosofia de realização pessoal, como ele havia sugerido. Essa era uma de suas características peculiares que o tornavam um gênio na gestão de pessoas – o hábito de aproveitar o momento mais oportuno para dramaticamente plantar ideias na mente dos outros.

– Uma das principais fraquezas das escolas e faculdades – disse Carnegie – é a falta de um sistema para ensinar as pessoas a empregar o conhecimento depois que ele foi acumulado. Veja Charlie Schwab, por exemplo. Ele não é uma enciclopédia ambulante sobre os fatos ensinados na escola, mas pode pegar qualquer conjunto de fatos, transformá-lo em um plano definido e expressá-lo em ações práticas mais rapidamente do que qualquer pessoa que já conheci. Ele não depende de nenhuma regra que aprendeu na escola, mas confia em regras que ele cria para si mesmo, em regras que se ajustam às suas necessidades.

## Um objetivo principal definido

O segundo dia da minha entrevista com o Sr. Carnegie foi inteiramente dedicado à sua análise e descrição do que ele chamou de "irmão gêmeo do princípio do MasterMind". Ele o denominou como a "definição do objetivo principal", explicando que o ponto de partida de todos os homens bem-sucedidos é a definição de um objetivo maior, ao qual todos os outros objetivos e propósitos devem estar subordinados.

Quando olho para trás, para os muitos anos desta gloriosa experiência, durante os quais encontrei mais fracassos do que a maioria das pessoas (é o que meus inimigos dizem, e admito que seja verdade), posso afirmar que minha maior salvação foi aquele dia em que o Sr. Carnegie se dedicou a preencher minha mente com uma impressionante compreensão a respeito do princípio da definição de propósito, e isso me permitiu levantar e seguir em frente, vez após vez, até que minha luta foi finalmente coroada com o sucesso.

Graças à sagaz compreensão daquele velho e hábil escocês sobre a mente humana, ele me proporcionou um entendimento prático sobre o único princípio do sucesso que me ajudou a ficar em pé e seguir caminhando em direção ao meu objetivo, a cada vez que eu era derrotado. Muitas vezes, desde meu primeiro encontro com o Sr. Carnegie, tenho me perguntado por que as escolas e faculdades públicas não tornam obrigatório que todos os estudantes adquiram uma compreensão prática e completa sobre o princípio da definição do objetivo principal, antes de receberem o certificado de graduação.

O Sr. Carnegie teria sido um grande professor se tivesse seguido essa profissão. Ele tinha a capacidade de associar suas ideias com coisas que impressionavam e influenciavam os outros, de forma tão definida que eles nunca mais as esqueciam. Ainda tenho uma lembrança vívida de sua alegoria sobre a importância do princípio da definição, como se ele tivesse me falado sobre isso ontem.

– A vida é apenas uma série contínua de portas que abrem e fecham – disse ele. – E se quisermos ter uma vida de sucesso, devemos nos tornar hábeis tanto em fechar como em abrir portas. A pessoa bem-sucedida fecha a porta atrás de si para cada indivíduo, cada pensamento e cada experiência que lhe causa aborrecimento ou fracasso, de maneira firme e definitiva. A pessoa frustrada deixa abertas atrás de si as portas para todas as experiências que teve e para todos aqueles que a prejudicaram. Dessa forma, ela comete o mesmo erro repetidas vezes e permite que o mesmo inimigo entre sorrateiramente pela porta aberta e possa derrotá-la. Em sua busca pelas causas do fracasso e do sucesso, aprenda como e por que as pessoas bem-sucedidas fecham as portas atrás de si, mantendo do lado de fora todos aqueles que não são benéficos para elas, bem como todo impulso de pensamento que é prejudicial à obtenção de seu objetivo de vida. Algumas pessoas dirão que essa filosofia é fria e cruel; que elas jamais poderiam fechar a porta para seus parentes; que nunca poderiam esquecer as experiências desagradáveis que tiveram; que não poderiam esquecer os rancores que guardam contra os inimigos. Elas podem falar a verdade de maneira franca, mas, ao fazê-lo, condenam-se eternamente a uma rotina cansativa de luta e miséria, sem maiores benefícios ou privilégios na vida do que gerar filhos que já vêm ao mundo amaldiçoados, com as mesmas tendências herdadas de vagar pela vida como fracassados, porque também serão negligentes ou se recusarão a fechar atrás de si as portas para pessoas negativas e influências destrutivas.

Já ouvi outros expressarem esse mesmo pensamento em termos como "Queime as pontes que ficaram para trás e vire a cabeça em direção ao futuro"; "Deixe o passado morto enterrar seus mortos"; "O ontem se foi para sempre, então trabalhe hoje para colher amanhã"; e muitas outras frases sucintas. Mas nenhuma delas me impressionou tanto quanto a ilustração do Sr. Carnegie sobre abrir e fechar portas.

Nunca poderei estimar todos os benefícios pessoais que obtive com essa descrição da necessidade de fechar e abrir portas. Ao longo da vida, tive que fechar muitas portas atrás de mim – e, se não estivessem bem trancadas, eu não teria completado a filosofia com a qual finalmente alcancei a autodeterminação, como eu desejava.

Dentre outras ocasiões em que me beneficiei fechando as portas para circunstâncias desfavoráveis, foi particularmente benéfico fechar firme e permanentemente a porta contra as influências ambientais de minha origem humilde e minha primeira infância. Se não tivesse feito isso, provavelmente estaria hoje em Wise County, Virgínia, ajudando meus parentes a manter abertas as portas para a influência negativa daquele ambiente. Fechei a porta contra o sentimento de inferioridade que tanto se esforçava para me dominar, devido à falta de um diploma universitário.

Fechei bem a porta contra o hábito de andar à deriva, sobre o qual o Sr. Carnegie me alertou de forma tão impressionante. Essas e outras portas para o passado foram fechadas e trancadas permanentemente, graças à explicação do Sr. Carnegie sobre o que acontece com as pessoas que deixam escancaradas todas as portas para as experiências do passado. O autocontrole é a força com que fechamos as portas para o passado. O autocontrole nos dá o domínio completo sobre todas as emoções do coração, todos os anseios, todos os desejos. O poder da vontade é dado a cada ser humano para que ele possa fechar atrás de si qualquer porta que escolher.

A partir de sua análise sobre a importância de abrir e fechar portas, o Sr. Carnegie passou a discutir o hábito de andar à deriva – que é responsável pela maioria dos fracassos. Ele definiu esse hábito como "uma fraqueza, que geralmente leva ao fracasso todos aqueles que não desenvolvem o hábito da determinação; todos aqueles que não se propõem a cumprir um propósito importante na vida". Ele situou esse hábito de andar à deriva, sem um plano ou propósito, no topo de uma lista do que chamou de "principais causas do fracasso". Minha experiência posterior, relativa à análise pessoal de mais de cinco mil homens e mulheres, confirmou completamente sua opinião.

Quando ouvi o Sr. Carnegie mencionar que o hábito de andar à deriva encabeçava a lista das causas do fracasso, fiquei curioso para saber quais eram as outras. A meu pedido, ele citou a lista inteira enquanto eu a anotava cuidadosamente. Naquele momento, eu tinha a intenção de obter a lista apenas para examiná-la em particular e determinar minhas próprias prioridades para lidar com esses obstáculos.

Mas, devido aos estupendos benefícios que obtive ao analisar a mim mesmo e aos outros, apresento essas causas a seguir – com alguns acréscimos feitos por mim, após trinta anos de experiência estudando e analisando pessoas.

## As principais causas do fracasso, segundo Andrew Carnegie

*Com minhas observações, que aumentaram a lista de 17 para 30*

Ao me fornecer sua lista das principais causas do fracasso, o Sr. Carnegie enfatizou a necessidade de fechar a porta firmemente contra cada uma delas e mencionou que qualquer pessoa que deixasse uma porta aberta provaria assim que era definitivamente uma vítima do hábito de andar à deriva. A lista vem a seguir. Coloquei um X ao lado das causas mais perigosas – cada uma destas, por si só, pode garantir o fracasso.

1. ( X ) O hábito de se deixar levar pelas circunstâncias, sem objetivo, planos ou propósito definidos.
2. Condições hereditárias desfavoráveis (algo que ninguém pode controlar).
3. ( X ) Falta de um objetivo principal definido como meta de vida.
4. Educação inadequada (dentro e fora da escola).
5. ( X ) Falta de autodisciplina, manifesta geralmente por meio de excessos na comida, bebida, relações sexuais e indiferença em relação às oportunidades de desenvolvimento mental.
6. ( X ) Falta de ambição para ir além da mediocridade na escolha de uma profissão.
7. Saúde precária, geralmente devido a pensamentos errados e dieta inadequada.

8. Influências ambientais desfavoráveis durante a infância.
9. ( X ) Falta de persistência em levar até o fim aquilo que se começa.
10. ( X ) Personalidade negativa, na qual se desenvolvem hábitos ofensivos aos outros.
11. Falta de compreensão e controle, por meio de uma sensualidade exacerbada.
12. ( X ) Desejo descontrolado de ganhar a qualquer custo, geralmente expresso pela desonestidade e pelo hábito do jogo.
13. Falta do hábito de tomar decisões com rapidez e firmeza.
14. ( X ) Um ou mais dos seis medos básicos, a saber: (1) medo da pobreza, (2) medo da crítica, (3) medo de adoecer, (4) medo da perda do amor, (5) medo da velhice, (6) medo da morte.
15. ( X ) Escolha errada de uma pessoa para se casar.
16. O hábito de ser excessivamente cauteloso nas relações pessoais.
17. ( X ) Ausência de todas as formas de cautela.
18. ( X ) Escolha errada de parceiros nas relações comerciais e sociais.
19. ( X ) Escolha errada de uma vocação, ou negligência total em fazer uma escolha.
20. Falta de concentração de esforços.
21. O hábito de gastar indiscriminadamente, sem ter um orçamento para controlar as despesas.
22. ( X ) Falha em controlar e usar o tempo da melhor maneira possível.
23. Falta de entusiasmo controlado.
24. ( X ) Intolerância: uma mente fechada, baseada particularmente na ignorância ou preconceito em relação a assuntos religiosos, políticos e econômicos.
25. ( X ) Incapacidade ou negligência em cooperar com os outros em espírito de harmonia.

26. Assumir um poder que não foi adquirido por seu próprio mérito (filhos de pessoas ricas, por exemplo).
27. Falta de espírito de lealdade.
28. Egoísmo e vaidade fora de controle (ambos podem ser benéficos, se forem controlados e usados adequadamente).
29. ( X ) O hábito de formar opiniões e construir planos com base em suposições, em vez de fatos organizados.
30. ( X ) Falta de imaginação suficiente para reconhecer oportunidades favoráveis, e falta de autoconfiança para abraçá-las, quando são reconhecidas.

Essas trinta principais causas do fracasso não estão listadas em ordem de importância, com exceção da primeira – que é a mais comum e mais perigosa de todas. Desde então, aprendi algumas das outras causas comuns do fracasso que inseri na lista do Sr. Carnegie.

E já que estamos falando sobre sucesso, gostaria de descrever a interessante definição de sucesso elaborada pelo Sr. Carnegie:

> "Sucesso, no sentido amplo da palavra, é o poder com o qual se consegue tudo o que se deseja na vida, sem violar os direitos dos outros e permanecendo em paz com a própria consciência."

Não me lembro de ter ouvido uma definição melhor de sucesso. Contudo, parece-me uma estranha e imponderável ironia que o Sr. Carnegie tenha sido a pessoa que me iniciou no caminho em busca do "poder com o qual se consegue tudo o que se deseja na vida", pois isso me levou, enfim, a alcançar facilmente meu objetivo; no entanto, ele mesmo nunca o encontrou! Ele ganhou centenas de milhões de dólares, por certo, mas também morreu na miséria, com o coração partido e a mente desequilibrada.

Esse é um fato que merece ser analisado por todas as pessoas que estão procurando nas estradas e atalhos da vida o que chamam de sucesso. Nessa surpreendente definição de sucesso dada pelo Sr. Carnegie, pode-se encontrar uma espécie de roteiro que, se for observado, nos impedirá de sairmos ou nos desviarmos do caminho que leva à felicidade. Tenho observado que muitas pessoas adquirem mais bens materiais neste mundo do que precisam, como fez o Sr. Carnegie; mas a realidade mais chocante que descobri é que apenas poucas pessoas, entre todos os habitantes desta Terra, podem verdadeiramente se qualificar como bem-sucedidas de acordo com a definição do Sr. Carnegie.

É estranho que o Sr. Carnegie tenha compreendido tão claramente os perigos contidos nessa lista das causas do fracasso sem ter sido capaz de se salvar da miséria que marcou o terrível apogeu de sua vida. Sem a intenção de lançar calúnias desnecessárias sobre a memória do falecido – que talvez tenha sido o meu maior benfeitor –, não posso deixar de me perguntar se a última palavra em sua definição de sucesso não continha o segredo de sua infelicidade. Em vista de seu modo severo ao lidar com os trabalhadores antes e durante a sangrenta greve de Homestead* e seu relacionamento inflexível e frígido com seu parceiro de negócios, Henry C. Frick, a quem muitos afirmam que ele tratava de forma muito injusta, talvez o Sr. Carnegie tenha perdido o contato amigável e harmonioso com sua própria consciência. Trago esse exemplo como um ponto de

---

* A Greve de Homestead foi uma paralização que começou em 30 de junho de 1892 e culminou em uma batalha sangrenta entre trabalhadores e policiais em 6 de julho de 1892. O incidente ocorreu na Homestead Steel Works (grande empresa produtora de aço), na área de Pittsburgh, Pensilvânia, e foi uma das disputas trabalhistas mais sérias dos Estados Unidos, entre a Amalgamated Association of Iron and Steel Workers e a Carnegie Steel Company, que pertencia a Andrew Carnegie. O resultado foi uma grande derrota para o sindicato e um retrocesso para os esforços de sindicalização da indústria do aço. (Nota da Tradutora.)

reflexão para todos que estejam buscando alcançar o sucesso dentro da definição de Carnegie, e não como uma calúnia contra o nome de um dos homens mais sábios e uma das influências mais benéficas que já cruzaram meu caminho.

Décadas atrás, quando o Sr. Carnegie me deu essa definição de sucesso e sua lista das principais causas de fracasso, não havia nada perceptível em sua personalidade ou estilo de vida que indicasse que ele não era um homem muito bem-sucedido, a julgar pelos padrões materiais e financeiros pelos quais se medem as realizações de um homem. Ele tinha poder e o reconhecimento do mundo industrial; ele tinha uma fortuna imensa; tinha boa saúde; e, de acordo com todas as aparências externas, estava em paz com o próprio coração – onde ninguém, exceto sua própria consciência, tinha o privilégio de entrar. A maneira alegre, entusiástica e despreocupada com que o Sr. Carnegie conversou comigo naqueles primeiros três dias de entrevista não me deixou dúvidas de que ele estava, naquela época, em paz com a própria consciência. Mas algo que nenhuma mente externa poderia detectar talvez já estivesse, desde aquela época, destruindo lentamente o relacionamento entre o grande Carnegie e sua consciência.

Os vários anos que passei observando homens que acumularam grandes riquezas, desde aquela primeira visita ao Sr. Carnegie, fortaleceram minha crença de que alguma coisa nesse negócio de acumular riquezas demais em bens materiais tende a enfraquecer a consciência. Não tenho a pretensão de conhecer a causa desse estranho fato, mas não deixa de ser um fato. E pude constatar evidências disso nos hábitos pessoais e na atitude mental de quase todos os homens ricos que tive o privilégio de analisar. Aqueles que desejam ter mais do que precisam podem realmente tê-lo, mas devem pagar um preço; e uma parte importante desse preço é a subjugação de sua própria consciência.

Reconheci essa verdade logo após meu primeiro encontro com o Sr. Carnegie, e fiz uma ampla preparação em minha própria mente para me proteger contra esse mal – um fato que explicará a alguns de meus amigos (que frequentemente me criticavam) por que não empreguei logo meus talentos e o conhecimento inestimável obtido em minha pesquisa para adquirir uma vasta fortuna. Eu queria dinheiro suficiente para minhas necessidades, mas não queria tê-lo à custa de paralisar minha consciência. Houve momentos em que minha clara linha de distinção entre ganho monetário pessoal com e sem a aprovação da consciência me custou fortunas consideráveis.

Meu desejo por acumular conhecimento em vez de dinheiro era tão evidente que meus amigos mais próximos constantemente zombavam de mim por causa disso. Lembro-me com muita clareza, e espero que de forma proveitosa, da maneira como meu amigo Edwin C. Barnes me cumprimentava todas as vezes que nos encontrávamos:

– Ora, ora, ora! Meu velho amigo Nap Hill, que tem um milhão de dólares na cabeça e nenhum centavo no bolso!

Meu amigo Barnes acumulou muitos milhões de dólares depois de pegar um trem de carga para Orange, Nova Jersey, e literalmente se vender para o que mais tarde se tornou uma parceria com Thomas A. Edison. Para ele era um mistério – e talvez ainda seja – a razão pela qual nunca parei de buscar conhecimento para conquistar grandes riquezas financeiras!

Também fiquei muito e permanentemente impressionado com as várias conversas que tive com Arthur Brisbane, famoso colunista de jornais. Muitos anos depois de conhecê-lo, e muito antes de começar a converter minha filosofia em uma renda considerável, tivemos casas de veraneio vizinhas nas montanhas Catskill, e muitas vezes passávamos as noites conversando, porque eu poderia aprender mais com ele em uma noite do que conseguiria em um mês de leitura contínua na biblioteca pública.

Brisbane cunhou uma frase com a qual sempre se despedia de mim toda vez que nos separávamos:

– Lembre-se – ele gritava em um tom de voz estridente, com um quê de zombaria –, a coisa mais lucrativa da Terra é descobrir o que a maioria das pessoas quer ouvir, e dizer exatamente isso!

Se alguma vez um homem conseguiu resumir em uma frase a sua principal filosofia de vida, esse homem foi Brisbane. Desde que o conheci, ele sempre me falava como ganhar dinheiro caindo nas graças da multidão e bajulando as pessoas.

Brisbane possuía muitos milhões de dólares, e tudo isso ele ganhou ficando ao lado de pessoas que não se esforçavam para pensar, e dizendo o que elas queriam ouvir. Quando ele morreu, eu lutava para sair da pobreza em Hell's Kitchen e voltar para o caminho da meta que havia estabelecido, por sugestão do Sr. Carnegie. Mas havia duas diferenças tremendas entre Brisbane e mim: ele não havia deixado nada de valor além de dinheiro suficiente para que seus filhos vivessem sem dificuldades, e nunca encontrou a felicidade enquanto viveu!

Aquilo que deixarei quando eu partir, e seu valor para outras pessoas, é algo que ainda não posso estimar; mas tenho uma coisa que não tem preço: uma felicidade contínua, com tamanha alegria e intensidade que me mantêm em um estado de embriaguez espiritual a cada minuto do dia.

Houve um tempo, mais ou menos na época em que conheci o Sr. Brisbane, que eu teria dado qualquer coisa para ter o privilégio de escrever uma mensagem diária para milhões de pessoas e poder publicá-la na primeira página, na primeira coluna, em centenas de jornais. Eu acreditava então, como acredito agora, que poderia ter feito aquele espaço tão valioso para o editor, William Randolph Hearst, quanto o Sr. Brisbane, e mais valioso ainda para os milhões de pessoas que leriam seu conteúdo. Eu teria feito isso; não escrevendo exatamente o que as pessoas queriam ouvir, que era a filosofia de Brisbane, mas analisando as notícias do dia, de modo que todos os que as lessem aprendessem alguma coisa sobre as verdadeiras causas dos atritos, das intrigas, do egoísmo, da ganância, da inveja, da deslealdade e do medo – tudo o que motiva as pessoas em seus negócios e relacionamentos sociais. Mas isso foi há mais de trinta anos, quando eu sabia muito menos sobre o Sr. Brisbane do que quando ele deixou sua primeira página para sempre.

Uma estranha coincidência é o fato de que, pouco antes de o Sr. Brisbane falecer, muitos de meus amigos mais próximos pressentiram sua morte em um futuro não muito distante e começaram, sem meu conhecimento, a preparar o caminho para que eu assumisse sua famosa coluna de jornal, que se chamava "Today". Entre outros homens influentes que reconheciam minha capacidade de igualar o estilo de escrita de Brisbane, com tanta eficácia que até mesmo os membros do jornal eram frequentemente enganados por ele, estava um amigo muito querido. Quando Brisbane deixou o jornal, esse amigo meu estava tão determinado que chegou a escrever uma carta de apresentação muito convincente para o Sr. Hearst, e sugeriu que eu pegasse um avião para a Califórnia e falasse com o editor imediatamente. Guardei a carta comigo por três semanas, durante as quais analisei completamente as carreiras do Sr. Brisbane e do Sr. Hearst – começando com a época em que muitos acreditavam que as táticas inflamadas do jornal do Sr. Hearst haviam sido a causa direta do assassinato do presidente McKinley, até o infame *boom* imobiliário da Flórida, para o qual o Sr. Brisbane abriu caminho por meio de sua coluna "Today".

Depois de analisar esses dois homens da forma mais imparcial possível, cheguei à conclusão de que uma das muitas "travadas" extremamente benéficas da roda da fortuna em minha vida foi o fato de nunca ter escrito uma linha para nenhum dos jornais de Hearst, e de nunca ter simpatizado com qualquer uma de suas políticas editoriais. Além disso, e o mais importante: nunca em toda a vida escrevi uma única linha, proferi uma única palavra ou me entreguei a qualquer ato de qualquer natureza baseado na filosofia de Brisbane, de "descobrir o que a maioria deseja ouvir e dizer exatamente isso".

A carta de apresentação ao Sr. Hearst ainda está em meus arquivos e é um dos meus bens mais valiosos, porque é uma prova de que, muitas vezes, o que uma pessoa acredita que quer acaba sendo o que ela não quer. Se eu me dispusesse a assumir a coluna de primeira página do Sr. Brisbane, quando sentia um desejo ardente por isso, provavelmente teria acumulado alguns dos milhões de dólares que a coluna rendeu, direta e indiretamente. Mas nunca teria tido o privilégio de me ver obrigado a viver em um pequeno quarto em Hell's Kitchen enquanto pesquisava e escrevia, e certamente nunca teria tido o privilégio de desvendar a lei da natureza que torna a interpretação da Lei da Compensação de Emerson tão fácil quanto aprender o alfabeto.

Digo sinceramente, sem qualquer sentimento oculto ou consciente de egoísmo ou vaidade (espero), que prefiro ocupar minha atual posição humilde, mas feliz, como um buscador de conhecimento, sem um centavo de remuneração financeira, a ocupar a primeira posição como escritor refletindo as ideias e desejos pessoais do Sr. Hearst, assim como todos os que permanecem em sua equipe. Existe algo profundo – e que o mantém em paz com sua consciência – no homem que se relaciona de tal maneira com os outros que pode sempre ter uma opinião própria e expressá-la da maneira que escolher. Esse algo, seja lá o que for, compensa qualquer benefício material e financeiro que ele possa ter perdido. Além disso, o tempo é o benfeitor da pessoa que está de bem com sua consciência, e é uma moeda que vale mais do que qualquer ganho por trair sua consciência ou subjugá-la.

Pode parecer estranho que um homem que está empenhado em transmitir aos outros uma filosofia de sucesso deva adverti-los, ao mesmo tempo, contra a tentativa de adquirir a riqueza material em excesso; mas eu dificilmente poderia fazer menos, tendo em vista tudo o que aprendi sobre o "estado de espírito" daqueles que adotaram o acúmulo de dinheiro como seu único objetivo na vida. Dentre as centenas de homens ricos que entrevistei e analisei durante os últimos anos, posso contar nos dedos de uma mão aqueles que não se prejudicaram com o excesso de riqueza.

Um desses poucos homens é Henry Ford. Apesar de ter sido rotulado como um homem ganancioso e sangue frio, ele recebeu mais benefícios reais de sua fortuna do que qualquer outra pessoa que já conheci – acredito que, principalmente, pelo fato de se relacionar com seu dinheiro da maneira correta. Para ele, o dinheiro era algo para ser usado, e não algo para ser acumulado, sobre o qual devemos nos sentar como uma galinha chocando seus ovos. Ford aprendeu como acumular e usar corretamente a sua riqueza. Assim, fez com que seu dinheiro servisse não somente a ele, mas também a centenas de milhares de outras pessoas.

Um dos mais tristes erros do Sr. Carnegie, e que também contribuiu para que ele perdesse a sanidade, foi o movimento que ele fez quando a United States Steel Corporation foi reorganizada: ele trocou sua participação na corporação por quatrocentos milhões de dólares e se aposentou. No momento em que ele parou de operar seus negócios, seu cérebro começou a atrofiar. Já vi a mesma coisa acontecer com outros homens uma centena de vezes. Enquanto a maioria considerava que havia chegado a hora de parar e descansar, Henry Ford ainda era o primeiro homem à frente do grande império industrial da Ford. A esse fato, mais do que a qualquer outro, Ford devia sua saúde perfeita e seu estado de espírito satisfeito.

Observando homens como Ford, Carnegie, Edison e outros do tipo, e com minha própria experiência, aprendi que a única coisa que traz felicidade duradoura para qualquer ser humano é a prestação de alguma forma de serviço. Os bens materiais, de certa forma, proporcionam uma liberdade física; mas a liberdade física não é suficiente para garantir a felicidade. É preciso também ter liberdade mental e espiritual, que vêm apenas como uma compensação pelo que fazemos, e não pelo que temos. Se essa única verdade pudesse ser compreendida e aplicada pelas forças que hoje chamamos de civilização, todo esse combate sangrento entre patrões e empregados, todas as vãs e estúpidas tentativas dos governantes de reprimir os líderes empresariais e industriais, tudo isso chegaria ao fim; e nós, americanos, seguiríamos de mãos dadas mantendo nossa posição legítima como o país mais rico e livre do mundo.

Sempre foi um mistério para mim por que razão o Sr. Carnegie enfatizava tão fortemente a importância das relações harmoniosas entre as pessoas como um dos fundamentos do sucesso, se ele mesmo acabou se envolvendo nos mais amargos desentendimentos com seus parceiros comerciais – mais do que qualquer um dos grandes líderes industriais que tive o privilégio de entrevistar. Talvez houvesse alguma coisa cutucando sua consciência de dentro de sua própria alma, algo que ele nunca ousou expressar em palavras e que o levou a sair de seu caminho para pregar o relacionamento harmonioso como um dos passos para a realização pessoal.

O último dia da minha primeira entrevista com o Sr. Carnegie foi o mais importante. Dotado de uma visão aguçada sobre o efeito dramático das palavras, o Sr. Carnegie guardou seu maior trunfo para jogá-lo no terceiro dia da entrevista, depois de ter preparado cuidadosamente a minha mente para receber, reconhecer e compreender corretamente o último dos três princípios de realização pessoal que ele enfatizou naquela visita.

Naquele terceiro dia de entrevista, o Sr. Carnegie não me permitiu fazer nenhuma pergunta ou conversar; em vez disso, começou imediatamente a plantar essa ideia em minha mente, e posso dizer com segurança que ela foi mais útil, na maioria das ocasiões, do que qualquer outra que já recebi de qualquer fonte. Não fossem as vantagens que obtive com essa ideia, nunca teria completado os vinte anos de trabalho que dediquei à organização da Lei do Sucesso – um fato que o inteligente Carnegie antecipou, e por isso ele dramatizou com tanta eficácia a sua apresentação do terceiro princípio da realização pessoal.

## O hábito de tirar proveito dos fracassos

– Já descrevi para você os dois princípios mais importantes da realização pessoal – começou ele –, e agora vou familiarizá-lo com o terceiro princípio. Ele é tão importante que, sem uma compreensão profunda e uma apreciação apurada de seu valor, você jamais terminará o trabalho que está prestes a realizar.

> Você pode anotar o nome deste terceiro princípio como "O Hábito de Tirar Proveito dos Fracassos". Agora sublinhe a palavra "hábito", e lembre-se de que ela é uma parte importante desse princípio. Quero que escreva outra declaração, com a qual você entenderá todo o significado e importância do princípio de lucrar com o fracasso: "Todo fracasso traz consigo a semente de um sucesso equivalente".
>
> Você pode nunca ter pensado dessa maneira, mas muitas vezes há mais virtude e muito mais benefício no fracasso do que haveria no sucesso; pois o fracasso é um dos recursos importantes que a natureza utiliza para repreender aqueles que cometem erros ou se envolvem em caminhos tortuosos. Ao examinar a trajetória de homens que alcançaram um sucesso notável, você observará que o sucesso deles veio na exata proporção do quanto eles lucraram com seus fracassos e erros antes de alcançá-lo.
>
> Você também ficará impressionado com o fato óbvio de que nenhuma pessoa jamais poderá alcançar grandes patamares ou

realizações sem primeiro tropeçar e cair, falhar e cometer erros. Volte aos registros históricos dos grandes homens do passado e você ficará surpreso ao saber que, antes de chegarem ao sucesso, eles se depararam com todo tipo de fracasso e derrota.

Antes de prosseguir, gostaria de lembrá-lo da diferença entre fracasso e derrota temporária. Se você não compreender essa diferença, será levado a acreditar que fracassou em muitas ocasiões, quando apenas encontrou uma derrota temporária.

A vida é organizada de tal forma que todos os homens devem enfrentar tanto o fracasso real quanto a derrota temporária; e este é o momento apropriado para chamar sua atenção para o fato de que o sucesso e o fracasso muitas vezes dependem da interpretação da pessoa sobre as dificuldades que encontra: ela as aceita como um obstáculo ou como um trampolim? Como um fracasso permanente ou mera derrota temporária?

– Nossa entrevista está quase no fim, mas espero que não seja a última. Primeiro, vou recomendá-lo a três homens que desejo que você entreviste. Depois de conversar com eles, quero que volte e me deixe ajudá-lo a analisar o conhecimento que adquiriu com eles. Tenho três cartas de apresentação prontas para você. Uma é para Henry Ford, o automobilista de Detroit; outra é para o Dr. Alexander Graham Bell, o inventor do telefone de longa distância; e a terceira é para o Dr. Elmer R. Gates, um cientista que realizou importantes pesquisas no campo dos estímulos mentais. Tanto o Dr. Gates quanto o Dr. Bell moram em Washington. Mas, antes de ir até eles, gostaria que você se encontrasse com Ford. Ele ainda não realizou nenhum feito notável, mas um dia dominará a indústria automobilística. Enquanto isso, você pode examiná-lo como uma cobaia, com quem poderá aprender as características práticas de um homem que começa do nada, sem dinheiro, sem o apoio de amigos, com pouca escolaridade, e vai direto para o topo da escada, apesar dos fracassos e das derrotas temporárias.

O Sr. Carnegie me entregou as três cartas de apresentação, levantou-se, apertou minha mão, colocou o braço em volta dos meus ombros e disse, enquanto me acompanhava até a porta:

– Adeus, meu rapaz! E não se esqueça: espero que você conclua seu trabalho.

A entrevista tinha terminado. Uma entrevista que estava destinada a mudar minha vida e afetar seriamente a vida de muitos outros, embora eu mal compreendesse na época o total significado do que estava acontecendo comigo. No caminho até o trem, eu andava e carregava minha mala de viagem; mas estava tão hipnotizado pelo interesse e pela fé que o grande Carnegie havia inspirado em mim que até hoje não sei dizer por quais ruas segui, ou como cheguei à estação ferroviária. A única coisa de que me lembro é de olhar pela janela do trem naquela fria manhã de outubro e avistar a estação de Detroit, para onde seguia com minha carta de apresentação a Henry Ford.

Eu tinha a intenção de entrevistar o Sr. Carnegie por três horas, com o propósito de escrever uma matéria sobre um homem rico e seu dinheiro. No fim foram três dias, durante os quais o jogo virou: foi o Sr. Carnegie quem me entrevistou, plantou em meu coração um propósito definitivamente importante, destinado a mudar toda a minha vida terrena, e me forneceu três dos mais importantes princípios da realização pessoal, que posteriormente foram integrados na organização da Lei do Sucesso. São eles:

1. O princípio do MasterMind;
2. A definição de um propósito ou objetivo principal;
3. O hábito de tirar proveito dos fracassos.

Como resultado de minha entrevista com o Sr. Carnegie, pude construir o núcleo do que viria a ser a Lei do Sucesso. Sem os três princípios enfatizados por ele, eu nunca poderia ter desenvolvido os outros. O valor aproximado desses três foi estimado pelo Sr. Carnegie quando ele me disse: "Nenhum homem jamais alcançou o sucesso duradouro sem se aliar a outras mentes por meio do princípio do MasterMind; sem adotar e seguir até o fim um objetivo principal definido na vida; e sem tirar proveito dos fracassos e erros ao longo do caminho – tanto os próprios como os dos outros".

Hoje, depois de ter analisado centenas de pessoas notavelmente bem-sucedidas e outros milhares reconhecidos pelo mundo (e por eles mesmos) como fracassados, posso afirmar com uma autoridade teórica maior que a estimativa do Sr. Carnegie: a importância desses três princípios não foi de forma alguma exagerada.

CAPÍTULO 2

# MEUS ENCONTROS COM EMPREENDEDORES

## como Henry Ford, Dr. Alexander Graham Bell, Dr. Elmer R. Gates, Cyrus H. K. Curtis e Edward Bok

Por mais importantes e úteis que fossem as informações que eu tinha recebido do Sr. Carnegie, elas eram apenas a base da filosofia de realização pessoal que eu estava procurando. Descobri, durante meus primeiros contatos com Henry Ford, Dr. Bell, Dr. Gates, Cyrus Curtis e Edward Bok, que a construção de uma filosofia prática de sucesso exigia mais do que algumas entrevistas com homens que haviam acumulado dinheiro.

Quero reconhecer aqui a dívida de gratidão que tenho com esses homens; não apenas pelas contribuições que fizeram ao meu trabalho, mas particularmente pelo fino espírito de simpatia com que colaboraram comigo durante longos anos. Eles colocaram à minha disposição fatos que a maioria dos homens teria guardado como valiosos demais para serem divulgados sem compensação monetária.

Esse fino espírito de cooperação foi demonstrado principalmente pelo Dr. Bell e pelo Dr. Gates, com os quais estive em contato por mais de dois anos, concedendo-me acesso a qualquer conhecimento que detivessem e dedicando tempo para me ajudar a analisar e classificar adequadamente todo o aprendizado que reuni em entrevistas com outras pessoas. O Dr. Bell se interessou tanto pelo meu plano ambicioso de organizar uma filosofia prática de sucesso que me forneceu uma cópia das chaves de sua biblioteca e arquivos confidenciais. Mais adiante descreverei a natureza dessa esplêndida ajuda que me foi oferecida, mas primeiro relatarei minha visita inicial a Henry Ford.

Minha viagem a Detroit serviu a um duplo propósito. Como eu planejava havia algum tempo comprar um dos automóveis do Sr. Ford, decidi atender ao pedido do Sr. Carnegie e fui visitá-lo – e depois eu poderia voltar para casa de automóvel. Apresentei minha carta e tive minha primeira impressão de Henry Ford. Devo confessar que a reunião foi muito decepcionante, pois eu havia concluído precipitadamente, pelo que o Sr. Carnegie havia dito, que encontraria um homem com uma personalidade brilhante, com quem eu obteria, imediatamente, todo o material suficiente para completar a filosofia da realização pessoal. Em vez disso – e não pretendo aqui ser descortês com o Sr. Ford –, conheci um homem cuja aparência, na melhor das hipóteses, era a de um mecânico de segunda categoria, cuja personalidade era... bem, simplesmente não existia. O Sr. Ford era frio, indiferente, totalmente apático, falava somente quando era obrigado a fazê-lo – e quando falava, transmitia suas ideias em palavras de uma ou duas sílabas, não muito mais do que isso.

Por fim chegamos à discussão sobre o automóvel que planejava comprar, quando o Sr. Ford relaxou visivelmente e disparou a falar sobre a mecânica da máquina (algo que ele acreditava que eu precisaria saber, tendo em vista que pretendia dirigi-lo por milhares de quilômetros pelo país, numa época em que havia poucos postos de gasolina e praticamente nenhuma estrada pavimentada).

Recebi uma breve aula de mecânica em uma volta pela fábrica com o Sr. Ford ao volante. Ao entregar o carro para mim, ele explicou algo sobre "retardar a faísca" antes de dar a partida no motor. Ignorei essa instrução na primeira vez que tentei ligar o motor, e por causa do meu esquecimento tive que sustentar meu braço em uma tipoia por algum tempo.

Durante os quatro dias em que fiquei em Detroit, entrevistei muitos operários que trabalhavam na fábrica da Ford (que era uma empresa muito pequena na época) e muitos comerciantes locais e vizinhos do Sr. Ford. Quando dizia a eles quem eu era e por que queria a informação, muitos erguiam as sobrancelhas em um gesto óbvio de diversão. Um deles teve a coragem de dizer:

– Esse Ford pode até vir a se tornar o gênio que o Sr. Carnegie disse que seria, mas por enquanto ele não é gênio, não!

Entrevistei, ao todo, aproximadamente cinquenta pessoas ligadas ao Sr. Ford ou que o conheciam muito bem, e nenhuma delas concordava com as previsões do Sr. Carnegie a respeito dele. Devo confessar que eu também compartilhava o ponto de vista deles. No caminho de volta de Detroit, perguntei a mim mesmo repetidas vezes: "Como diabos um homem de percepção tão aguçada como o Sr. Carnegie pôde cometer tamanho erro em relação a Ford?".

Ao final de três dias, concluí que minha viagem a Detroit não fora de muita utilidade para a minha filosofia da realização pessoal. Na verdade, minha decepção com o Sr. Ford foi um sério golpe em minha fé no Sr. Carnegie – que eu acreditava ter cometido um erro imperdoável de julgamento. Mas isso foi há muitas décadas. Desde então, duas coisas importantes aconteceram para mudar minha opinião: o Sr. Ford viveu o bastante para justificar tudo o que o Sr. Carnegie tinha dito sobre ele, e eu me tornei um observador mais atento e um analista mais preciso da mente humana.

Durante o último dia de minha estada em Detroit, fiz descobertas potenciais de duas características muito importantes do Sr. Ford – as quais encontraram seu caminho em minha filosofia, mas não antes de terem sido verificadas e duplamente testadas, para garantir que eu não estava enganado.

Ao estudar sua política de negócios e o tipo de automóvel que ele estava construindo, observei que o Sr. Ford avaliava quase 100% de sua produção em dois importantes fundamentos do sucesso: o autocontrole e o hábito de concentrar todos os esforços na obtenção de um único objetivo. Pude ver claramente que Ford era um homem com uma mente única; e que, quando ele começava qualquer coisa, não parava até que tivesse terminado. Também pude ver que sua mente controlava totalmente seu coração; e que seus sentimentos (se é que os tinha) não podiam interferir em sua razão. Essas duas características eram virtudes que eu reconhecia, mas não compreendia como suficientes para permitir que o Sr. Ford se aproximasse das estimativas do Sr. Carnegie sobre ele.

Antes de deixar Detroit, percebi que o Sr. Ford poderia ser dotado da habilidade de se apropriar e usar o princípio do MasterMind, cuja importância fora repetidamente enfatizada pelo Sr. Carnegie; e percebi claramente que ele já havia começado a aplicar, conscientemente ou por acaso, o princípio de trabalhar com um propósito de vida definido.

Mal sabia eu, ao dirigir meu primeiro Ford saindo de Detroit em minha volta para casa, que viveria para ver o dia em que poderia dizer sinceramente sobre o Sr. Ford: "Ele excedeu em muito as estimativas do Sr. Carnegie sobre sua capacidade". Mas isso foi exatamente o que fui obrigado a fazer. Quando conheci o Sr. Ford, ele era prejudicado pela falta de capital, pela falta de educação, por um físico hereditário infeliz, por uma personalidade negativa e um preconceito nada atraente, geralmente demonstrado por algumas pessoas com essas deficiências.

O resultado imediato de meu primeiro encontro com o Sr. Ford foi a adição de dois novos princípios – autocontrole e concentração de esforços – à minha Filosofia do Sucesso. Além disso, não vi mais nada no Sr. Ford ou em seu negócio que prometesse mais contribuições para a minha filosofia. No entanto, eu tinha fé suficiente na opinião do Sr. Carnegie para seguir sua sugestão de observar Ford de perto. É uma sorte que eu tenha feito isso, porque o Sr. Ford estava destinado a servir como uma prova viva e indiscutível da solidez não apenas dos cinco princípios que eu havia aprendido, mas também de muitos outros.

Depois de fazer minha própria análise do Sr. Ford e de sua equipe – a partir da qual descobri que ele aplicava perfeitamente todos os princípios que eu tinha aprendido, exceto um –, fiz com que a lista fosse verificada com muito cuidado por um amigo próximo e imparcial do Sr. Ford, ano após ano, de 1908 a 1930. Fiz isso para ter certeza de quantos e quais princípios o Sr. Ford estava aplicando, e também para determinar se ele estava utilizando outros princípios que eu não havia incluído na Lei do Sucesso.

## Dr. Elmer R. Gates e Dr. Alexander G. Bell

Vamos agora deixar o Sr. Ford por um tempo e descrever as contribuições para a filosofia feitas pelo Dr. Gates e pelo Dr. Bell, os quais contatei imediatamente após deixar Detroit. Voltaremos ao Sr. Ford no momento oportuno e descreveremos as contribuições indispensáveis que ele deu ao meu trabalho durante os dez anos que se seguiram ao nosso primeiro encontro.

Telefonei para o Dr. Gates, em Chevy Chase, Maryland. Quando cheguei com a carta de apresentação do Sr. Carnegie, tive uma das surpresas mais chocantes da minha vida. Fiquei sabendo que o Dr. Gates não tinha um tostão; a parte mais importante de seu vasto equipamento de laboratório estava nas mãos dos credores, e, para usar suas palavras exatas, ele estava "sem um pão em casa".

Quando toquei a campainha da porta da frente, ele veio atender pessoalmente. Espiando por trás da porta entreaberta, ele perguntou (antes que eu tivesse tempo de anunciar quem eu era e a natureza da minha missão) se eu era oficial de justiça. Quando descobriu que eu tinha vindo em uma missão amigável, seus olhos se encheram de lágrimas, enquanto me contava uma história lamentável sobre o que pode acontecer (e geralmente acontece) quando um homem dedica praticamente todo o seu tempo em busca de conhecimento e muito pouco para divulgá-lo.

Embora eu estivesse chocado por ter encontrado um homem tão ilustre passando fome, logo senti que esse encontro tinha sido uma bênção, porque em sua necessidade desesperada encontrei (e imediatamente abracei) uma das maiores oportunidades de reunir conhecimento que já tive. Depois de ouvir a história do Dr. Gates, incluindo uma descrição resumida sobre a sua pesquisa no campo dos fenômenos mentais, pude ver claramente, apesar de minha juventude e falta de experiência em pesquisa científica, que tinha literalmente caído no meu colo uma oportunidade estupenda em relação à tarefa que o Sr. Carnegie havia me confiado.

Fui à mercearia e comprei comida para uma semana; depois passei quase dois dias com o Dr. Gates, os quais foram inteiramente dedicados à sua descrição do que havia aprendido sobre os princípios do funcionamento da mente.

Depois fui até a Filadélfia e contatei John Wanamaker, o grande magnata das lojas de departamentos,* e o convenci a doar dez mil

---

* A Wanamaker's foi uma das primeiras lojas de departamentos dos Estados Unidos. Fundada em 1861 por John Wanamaker, na Filadélfia, foi decisiva para o desenvol-

dólares para o Dr. Gates – quantia que ele precisava desesperadamente para recuperar seu equipamento de laboratório e pagar algumas despesas imediatas.

Voltei para Chevy Chase e me coloquei a serviço do Dr. Gates, na qualidade de faz-tudo na maior parte do tempo. Dediquei o restante do tempo a uma aliança semelhante com o Dr. Alexander Graham Bell. Assim, durante os dois anos que se seguiram (1909-1910), tive o privilégio de ser ensinado por duas das maiores mentes que este país já produziu, sob condições que me deram o benefício de uma vida inteira de pesquisa por esses dois competentes cientistas – cujas experiências e descobertas sobre os princípios do funcionamento da mente não poderiam ter servido às minhas necessidades de maneira mais apropriada se tivessem feito voluntariamente seu trabalho para meu benefício especial.

Gostaria de enfatizar o hábito estranho e regular da roda da fortuna de sempre me colocar no caminho de tudo e de todos que eu precisava encontrar para a realização de minha tarefa. Não é nenhum mistério entender por que fui forçado a experimentar tantos fracassos, ao mesmo tempo em que tive o privilégio de me apropriar e utilizar do conhecimento adquirido em uma vida inteira de experiência prática por homens como o Dr. Gates e o Dr. Bell. A resposta é simples: falhei em alguns objetivos menores, mas não no meu objetivo maior.

Depois que o Dr. Gates se sentiu aliviado da terrível tensão causada por sua ruína financeira, ele começou a trabalhar seriamente, dedicando a maior parte do tempo a pesquisas adicionais no campo dos fenômenos mentais, e o restante dele para me transmitir os

---

vimento do setor de varejo, tendo sido inclusive a primeira loja a usar etiquetas de preço. Em seu auge, no início do século 20, a Wanamaker's inaugurou uma loja na cidade de Nova York, na esquina da Broadway com a Nona Avenida. No final do século, a rede contava com dezesseis pontos de venda. Em 1996 a Macy's Center City tornou-se a principal acionista da Wanamaker's. (Nota da Tradutora.)

conhecimentos já adquiridos e testados. Nesse ínterim, meus recursos financeiros pessoais foram se esgotando; eu precisava reorganizar meu tempo para poder ganhar a vida, enquanto prosseguia meus estudos com o Dr. Gates e o Dr. Bell. Superei essa dificuldade abrindo uma das primeiras escolas de mecânica e direção automotiva que já existiram, e a administrei sob o nome de The Automobile College of Washington. Ali muitos motoristas e proprietários de automóveis aprenderam a dirigir, e muitos mecânicos foram preparados para trabalhar como montadores em diversas fábricas automobilísticas, incluindo a Ford.

Durante os anos em que dirigi a escola, tive o privilégio de ver entre os matriculados muitos homens ilustres, entre eles o *Señor* Manuel L. Quezón, então comissário residente e posteriormente presidente das Filipinas. Nossa amizade teve início quando ele era aluno da minha escola, e perdurou ao longo dos anos, até o momento de sua morte. Além de orientá-lo na condução de automóveis, também tive o privilégio de aconselhá-lo politicamente. Em uma ocasião, previ que as Filipinas conquistariam em breve a independência, e que o *Señor* Quezón se tornaria o primeiro presidente das Ilhas em menos de 25 anos. Minha profecia se tornou realidade.

Antes de entrar em uma descrição detalhada das importantes contribuições que o Dr. Bell e o Dr. Gates estavam destinados a fazer ao meu trabalho, gostaria de chamar a atenção para um fato: a amigável e harmoniosa aliança de trabalho que formei com esses dois homens forneceu minha primeira compreensão do poder impressionante do princípio do MasterMind, que o Sr. Carnegie já havia mencionado como o principal responsável pela acumulação de sua enorme fortuna. Ouvi tudo o que o Sr. Carnegie disse sobre o funcionamento de seu MasterMind, mas, francamente, não fiquei profundamente impressionado, até que comecei a sentir a influência da autoconfiança e do desenvolvimento da imaginação que começaram a se manifestar em minha mente, logo após minha aliança com o Dr. Bell e o Dr. Gates. Agora sei que minha associação com essas duas grandes mentes me deu a capacidade de entender as leis da natureza, assim como o desejo duradouro de observar o método de operação dessas leis, que eu não poderia ter recebido de nenhuma outra fonte. Há algo impressionante e profundo que se revela a qualquer pessoa que tenha a oportunidade de entrar em contato, mesmo que de forma temporária, com os pensamentos mais profundos de mentes verdadeiramente grandes.

Essas interpretações filosóficas da minha experiência, as quais estou interpondo entre os destaques da minha história, podem parecer desnecessárias para alguns, mas para mim são essenciais, porque ajudam a fornecer uma imagem precisa do verdadeiro "estado de espírito" que fui desenvolvendo enquanto me preparava para receber o conhecimento prático de uma lei natural que faz parte da busca de qualquer pessoa (ou, pelo menos, deveria fazer). A história que estou relatando não pode ser devidamente contada pela simples menção dos fatos. Para que a história transmita informações de uso prático a outras pessoas, os fatos devem ser devidamente interpretados, ponderados, organizados, classificados e enfatizados – uma tarefa que estou me esforçando para realizar por meio destas digressões analíticas.

Quando o Sr. Carnegie chamou minha atenção pela primeira vez para o princípio do MasterMind, a única impressão que tive foi que ele proporcionava uma variedade de talentos técnicos e experiência pessoal obviamente necessários para a fabricação e comercialização de aço – portanto, era de grande valor econômico para uma pessoa que reunisse membros individuais em grupo e os induzisse a trabalhar para um fim comum.

Com a ajuda do Dr. Gates, logo compreendi que o princípio do MasterMind tem outras vantagens, além das puramente econômicas:

ele pode ser usado como um elo entre a mente de um indivíduo e muitas fontes externas de conhecimento, e provavelmente é o único meio possível de comunicação voluntária entre um indivíduo e a Inteligência Infinita.

Tornou-se bastante óbvio, à medida que fui me familiarizando com a pesquisa do Dr. Gates sobre o assunto, que o princípio do MasterMind fornece benefícios físicos e espirituais a todos que o compreendem e aplicam. Os aspectos espirituais do princípio logo se tornaram tão claros que fui capaz de interpretar muitas afirmações da Bíblia que antes eram para mim apenas palavras desconexas, especialmente aquela que afirma, de fato: "Onde dois ou três estiverem reunidos em Meu nome, aí estou eu no meio deles" (*Mateus*, 18:20).

As demonstrações do Dr. Gates na aplicação do princípio do MasterMind não deixaram dúvidas em minha mente de que foi esse o princípio que Cristo usou de forma tão impressionante na realização do que, em seu tempo, acreditava-se que fossem milagres. Minha própria experiência na aplicação desse princípio na solução dos problemas da vida não deixou outra alternativa senão acreditar que existe uma força universal para todos os que a compreendem e aplicam, não disponível por meio de qualquer outra fonte.

Em uma ocasião, o Dr. Gates estava em seu "quarto silencioso", como ele o chamava, concentrando-se em um dispositivo no qual ele estava trabalhando para o controle, por eletricidade, a partir da terra ou de um barco, de "embarcações não tripuladas". Ele ficou "sentado" em busca de ideias por cerca de uma hora, quando seu cérebro começou a captar ideias relacionadas a um dispositivo totalmente diferente. Ele acendeu as luzes e começou a anotar as ideias à medida que surgiam. Depois de escrever por horas, ele percebeu, ao examinar suas anotações, que havia descoberto informações científicas de grande valor que nunca haviam sido reveladas a ninguém.

Já em 1910, o Dr. Gates desenvolveu um dispositivo mecânico real que podia controlar barcos não tripulados a partir da terra ou do mar – e acredito que seja o mesmo dispositivo que mais tarde foi patenteado por outra pessoa, e hoje é largamente utilizado. O conhecimento necessário para completar o dispositivo acabou sendo descoberto pelo Dr. Gates durante uma de suas meditações – as suas reuniões de MasterMind consigo mesmo. Eu estava presente no laboratório no dia em que o dispositivo foi demonstrado pela primeira vez, e lembro-me claramente de alertar o Dr. Gates que, mais cedo ou mais tarde, ele seria registrado no Escritório de Patentes sob algum outro nome que não fosse o dele. Uma de suas falhas mais graves – aquela que sempre o deixava sem dinheiro – era sua generosidade excessiva em mostrar aos outros os resultados de suas pesquisas.

Conheci uma grande variedade de gênios ao longo da minha pesquisa, mas nenhum deles se compara à personalidade do Dr. Gates. Ele tinha tão pouca consideração pelo dinheiro que raramente pensava nisso, até que ele ou sua família precisassem de comida. Em uma ocasião, ele pegou um bonde em Chevy Chase, com a intenção de ir até o Escritório de Patentes em Washington, sem um só centavo no bolso, e ficou constrangido ao ser convidado a descer do veículo. Ele caminhou por seis quilômetros e voltou sem a menor percepção de que precisava de uma aliança de MasterMind, de alguém que assumisse a responsabilidade de fornecer-lhe pelo menos dinheiro suficiente para cuidar das despesas básicas do dia a dia.

Posso imaginar o que o Sr. Carnegie teria feito em circunstâncias semelhantes; mas é claro que não haveria "circunstâncias semelhantes" nos negócios do Sr. Carnegie, porque ele se relacionava tanto com seu grupo MasterMind que este lhe fornecia tudo de que precisava, inclusive um amplo capital de giro. Essa era a principal diferença entre essas duas grandes mentes; ambos sabiam como utilizar as leis da natureza, mas o Sr. Carnegie procurou se relacionar com elas de modo que proporcionassem tudo de que ele precisava. O Dr. Gates estava mais interessado no conhecimento das leis do que em fazê-las suprir suas necessidades materiais da vida.

Vi o Dr. Gates conduzir um experimento que talvez tenha me impressionado mais do que qualquer outro. Devido à sua simplicidade, creio que posso descrevê-lo. Ele tinha alguns cães, com os quais realizava uma elaborada série de experimentos com o objetivo de testar a capacidade de pensamento. Ele não apenas provou conclusivamente que os cães pensam de maneira inteligente dentro de certa gama de assuntos, como também que esses animais têm um senso de percepção altamente desenvolvido, por meio do qual podem captar telepaticamente os pensamentos de seus donos, sendo sua capacidade telepática muito maior do que a do homem.

Em seu laboratório, ele colocou no chão quatro caixas pintadas – de vermelho, amarelo, azul e preto –, numeradas de 1 a 4. Dois de seus cachorros estavam tão altamente "sensíveis" à sua mente (o termo que ele mesmo usava para o relacionamento) que ele os levou à sala, saiu do ambiente, para que não pudessem vê-lo, e então os direcionou por telepatia, a ponto de fazer com que qualquer um deles pegasse uma bola de borracha e a colocasse em uma das quatro caixas que escolhesse. Ele realizou essa proeza com os cachorros várias vezes, alternando de um cão para o outro de acordo com as escolhas que eu dava a ele por escrito.

Em dado momento, um dos cães recebeu instruções telepáticas para colocar a bola em cada uma das quatro caixas, seguindo uma ordem que escrevi em um pedaço de papel e que alternava de um número para outro, aleatoriamente. O cão seguiu as instruções com precisão por cinquenta mudanças consecutivas. Era muito raro que um dos animais deixasse de cumprir as instruções com precisão. Por meio de ordens escritas por mim e comunicadas ao cão telepaticamente pelo Dr. Gates, eu alterava as instruções que faziam com que o cão colocasse a bola na caixa número um e depois voltasse para retirá-la e colocá-la em outra caixa que eu havia escolhido, sem que uma só palavra fosse dita e sem que o cachorro pudesse ver ou ouvir qualquer ordem do Dr. Gates.

A conexão entre o cérebro dos cães e o Dr. Gates foi estabelecida por meio de um procedimento sistemático de alimentar os cães como recompensa por sua concentração enquanto as instruções eram transmitidas a eles. No início, as instruções eram dadas oralmente; então, pouco a pouco, a comunicação oral foi reduzida até que o cachorro precisasse "sintonizar" e captar as instruções da mente do Dr. Gates.

É claro que todos os que conhecem alguma coisa sobre cães sabem que eles têm uma audição mais aguçada do que a dos homens. O observador atento, se for um verdadeiro amante de cães, também notará que qualquer cão, sem qualquer forma de treinamento, pode "sintonizar" e captar o estado de espírito de seu dono. Eu mesmo vi meu cãozinho chorar como uma criança, produzindo os mesmos sons, quando eu estava em um estado de sofrimento mental cuja existência e natureza só poderiam ser detectadas por telepatia.

Durante os mais de vinte anos de pesquisa que conduzi por conta própria, observei que havia alguma forma de aliança de MasterMind como a principal fonte de poder de todas as pessoas que contatei e que obtiveram sucesso notável em qualquer empreendimento. Às vezes, a aliança consistia em uma associação puramente comercial, mas, muitas vezes, era uma aliança entre um homem e sua esposa. Dentre os milhares de homens bem-sucedidos que tive o privilégio de conhecer intimamente, poucos não deviam a maior parte de seu sucesso a uma mulher.

Tornou-se óbvio para mim, muito antes que Henry Ford tivesse alcançado a alta posição de reconhecimento que mais tarde alcançou, que a maior parte de seu sucesso se devia à estreita aliança que ele tinha com a Sra. Ford. O público raramente via fotos da Sra. Ford ou seu nome na mídia impressa, mas isso não significa que sua influência não tenha sido definitiva em todos os negócios de grande importância para o Sr. Ford.

A mesma aliança de MasterMind existia entre o Sr. Thomas A. Edison e sua segunda esposa. Suas mentes eram tão sintonizadas, de maneira tão definida e estreita, que ela conseguia sentir, a toda hora, exatamente o que estava acontecendo dentro da mente dele, mesmo quando ele estava envolvido em uma pesquisa científica importante. Além disso, a influência dela sobre o Sr. Edison era uma das importantes fontes de inspiração que o mantinham trabalhando em um espírito de intenso entusiasmo por até vinte horas por dia, quando ele estava envolvido em alguma experiência.

## Questionário do MasterMind

Enquanto estive associado ao Dr. Bell e ao Dr. Gates, preparamos em conjunto um questionário por meio do qual obtivemos, de pessoas bem-sucedidas – líderes em negócios, indústrias, bancos, transportes e todas as profissões eruditas –, uma definição precisa de como elas fizeram uso do princípio do MasterMind, e os resultados que haviam experimentado. As informações proporcionadas pelo questionário foram surpreendentes. Eis alguns dos destaques mais importantes:

1. Dentre as 2.200 pessoas que preencheram o questionário, 2.149 afirmaram taxativamente, tanto pela natureza das respostas individuais quanto pelas respostas categóricas à pergunta específica (se eles tinham usado o princípio do MasterMind), que seu sucesso se devia principalmente à aplicação desse princípio. As 51 restantes afirmaram, basicamente, que não podiam definir com precisão até que ponto suas

conquistas se deviam à aliança com outras pessoas por meio do princípio do MasterMind, mas todas admitiram o uso desse princípio de uma maneira ou outra.

2. Do total, 1.152 afirmaram que suas esposas eram as pessoas mais influentes e úteis de sua aliança de MasterMind, 550 negaram que elas tivessem qualquer participação em suas realizações, e os demais relataram que suas esposas tiveram contribuição, mas não as reconheciam como sendo as pessoas mais influentes de suas alianças de MasterMind.
3. Todos relataram que, na opinião deles, a harmonia absoluta entre todos os membros de uma aliança de MasterMind era essencial para a obtenção do mais alto grau de sucesso.
4. A observação precisa de alguma forma de estimulação mental (descrita pela maioria como um entusiasmo incomum) foi relatada por 1.840 entrevistados; segundo eles, isso lhes proporcionou um uso mais livre de sua imaginação criativa durante o contato pessoal real com os membros de sua aliança de MasterMind.

Tive muita sorte, pelo privilégio dessa estreita relação com o Dr. Bell e o Dr. Gates, tanto na preparação do questionário quanto na análise das informações coletadas, porque a influência deles foi um dos fatores cruciais para que empresários ocupados de todo o país pudessem reservar um tempo em sua agenda não apenas para responder às perguntas, como também para fornecer informações adicionais que foram de grande ajuda para a organização das causas do sucesso e do fracasso.

O envio desse questionário marcou o início de um estreito relacionamento que cultivei mais tarde com muitos dos homens mais ilustres e conhecidos do público americano na primeira metade do século 20, os quais cederam generosamente seu tempo e sua experiência enquanto eu organizava e testava minha filosofia. Sem a influência do Dr. Gates, do Dr. Bell e do Sr. Carnegie, eu não teria conquistado e mantido, por tantos anos, o interesse pessoal desses grandes líderes americanos.

Como alguns leitores desta história podem estar interessados em saber exatamente como eu convenci um número tão grande de empresários ocupados a preencher um longo questionário e doar incansavelmente seu tempo, ao longo de tantos anos, reproduzo aqui uma das cartas que foram enviadas com o questionário:

> Caro Sr. Vanderlip:
> (Frank A. Vanderlip, então presidente do National City Bank)
>
> Por meio da gentileza do Sr. Andrew Carnegie, do Dr. Alexander Graham Bell e do Dr. Elmer R. Gates, fui agraciado com o privilégio de empreender um trabalho de pesquisa. Estimo que esse trabalho tomará vinte anos da minha vida, com o propósito de organizar todas as causas do sucesso e do fracasso em uma filosofia de realização pessoal.
>
> Estou conduzindo minha pesquisa em meu próprio tempo e às minhas próprias custas, sem qualquer forma de apoio financeiro, com pleno conhecimento de que a maior parte dos benefícios do meu trabalho será revertida para outras pessoas, muitas delas ainda não nascidas.
>
> Meu trabalho não é, de modo algum, uma cópia de qualquer outra forma de pesquisa que está sendo realizada no momento, ou que já tenha sido conduzida por qualquer indivíduo ou grupo educacional. Portanto, ele tem a possibilidade de revelar conhecimentos essencialmente novos, que serão de benefício duradouro para as escolas e faculdades.
>
> Dessa forma, o senhor faria a gentileza de dedicar um pouco do seu tempo para o meu empreendimento, respondendo pessoalmente às perguntas do questionário anexo, com qualquer informação suplementar que queira transmitir e que

me ajude a identificar e organizar todas as causas práticas do sucesso e do fracasso?

Sei que o senhor é um homem ocupado, e que meu pedido não oferece motivo algum para que coopere comigo, nem qualquer tipo de benefício pecuniário. No entanto, tanto o Dr. Bell quanto o Dr. Gates acreditam que o senhor, assim como todos os outros que alcançaram o sucesso material, de alguma forma têm uma dívida de gratidão por suas bênçãos, as quais somente poderiam ser pagas contribuindo com os menos afortunados, oferecendo uma parte do conhecimento adquirido em sua trajetória para o sucesso.

Peço a sua cooperação, não em meu próprio nome, mas como a forma mais prática de caridade que qualquer homem bem-sucedido poderia estender a todos aqueles que ainda não conseguiram encontrar o caminho para o sucesso material.

Cordialmente,

Napoleon Hill

É claro que os nomes de meus três ilustres colaboradores confeririam ao meu pedido uma aura de dignidade e influência que nenhum homem verdadeiramente bem-sucedido poderia ignorar; mas, antes de enviar a carta, eu não esperava que ela trouxesse tantas evidências de cooperação sincera como recebi. O Sr. Vanderlip, por exemplo, enviou uma carta de três páginas junto com seu questionário preenchido, na qual ele transmitia algumas das informações mais úteis que recebi durante todo o meu trabalho de pesquisa. Ele encerrava sua carta com este significativo convite: "Se precisar de mais cooperação da minha parte, por favor, venha pessoalmente a Nova York, quando estiver pronto, e o apresentarei a qualquer um de meus associados ou parceiros comerciais que você deseje conhecer. Além disso, ofereço-lhe meu sincero apoio para o trabalho louvável que iniciou".

Ao final do primeiro ano de minha parceria com o Dr. Bell e o Dr. Gates, os resultados de meu trabalho estavam facilmente sujeitos a um inventário. Eles consistiam principalmente no fato de eu ter obtido, por meio da influência dos dois inventores ilustres, uma abundância de evidências provando a solidez dos cinco princípios fundamentais de realização que eu havia adotado, além de um contato pessoal em circunstâncias excepcionalmente favoráveis com muitos dos líderes mais ilustres da América. Estes, por sua vez, ficaram interessados em meu trabalho e prometeram sua entusiasmada cooperação até que eu o concluísse. Além dos cinco princípios que eu já havia adotado como fundamentos da minha filosofia, descobri outros três, por meio de meu trabalho com o Dr. Bell e o Dr. Gates: 1) Imaginação, 2) Entusiasmo e 3) Iniciativa.

As informações fornecidas por meio dos questionários enviados por alguns dos homens mais influentes do país, somadas ao conhecimento que adquiri com o Dr. Bell e o Dr. Gates, não deixaram margem para dúvidas de que a imaginação, o entusiasmo e a iniciativa são qualidades sem as quais o sucesso não é possível.

Pela aplicação pessoal desses princípios de realização, consegui transformar o Automobile College of Washington em um negócio lucrativo, que produziu não apenas o dinheiro de que eu precisava para as minhas despesas pessoais e o trabalho de pesquisa, mas também um excedente – com o qual comprei metade de uma franquia operacional da doceria Martha Washington Candy Company. A outra metade pertencia a Ernest M. Hunt, para quem eu havia vendido metade da participação na escola automotiva. Contratamos alguns especialistas técnicos, que organizaram um curso de "Operação e Mecânica de Automóveis" por correspondência; anunciamos o curso no *Saturday Evening Post* e, no decorrer de um ano, matriculamos milhares de estudantes de todos os estados do país.

O Sr. Hunt e eu não sabíamos quase nada sobre automóveis – mal sabíamos o suficiente para dirigir um. Mas o grande Carnegie havia me ensinado a superar minhas deficiências, com a ajuda do princípio do MasterMind. Assim, fiz um uso proveitoso desse princípio, cercando-me de uma equipe de especialistas mecânicos que podiam fazer tudo o que era necessário para operar a escola. No auge do nosso sucesso, o Sr. Hunt decidiu que gostava mais do negócio de doces do que da escola. Então, ele trocou a sua parte na sociedade da escola pela minha parte na franquia Martha Washington Candy, e levou o negócio de doces para Chicago, onde, aplicando os princípios de realização que eu havia descoberto até então, ele logo se tornou muito próspero.

O fator que influenciou o Sr. Hunt a fazer essa negociação comigo sempre foi para mim uma fonte de muitas risadas. Antes de ingressar na escola, ele havia sido tesoureiro de uma editora de livros em Akron, Ohio, que faliu e custou a ele quase todas as suas economias. Assim que viu nossa escola entrar no ramo de publicação de livros, ele se lembrou de sua experiência desagradável no campo editorial e imediatamente me propôs a negociação. Em muitas ocasiões, ele me aconselhou a nunca entrar no ramo de livros. Em vez de seguir seu conselho, converti meus talentos e dediquei meu tempo a escrever livros, e tenho certeza de que tive mais sucesso com isso do que se tivesse continuado com ele no ramo de doces.

A mão do destino, no entanto, embaralhou as cartas da vida de tal forma que, um ano depois, vendi a autoescola e me mudei para Chicago, onde estava destinado a passar os dez anos seguintes com experiências que alteraram entre o sucesso e o fracasso. Por meio dessas experiências, pude colocar à prova todos os princípios que culminaram na filosofia da realização pessoal.

Lembro-me claramente de uma das advertências do Sr. Carnegie sobre o preço que eu teria de pagar pelo meu sucesso, em relação à tarefa que ele me designou. Ele disse: "Todo homem de sucesso deve passar algum tempo meditando em seu próprio Jardim do Getsêmani antes de poder ostentar a coroa do sucesso!".

Quão verdadeira foi sua profecia! Passei dez anos no meu Getsêmani, mas saí do jardim mais purificado em meu caráter. Analisando os meus dez anos de luta em Chicago, percebi claramente que, embora tenha recebido em meu coração algumas das minhas feridas mais profundas, também recebi algumas de minhas maiores bênçãos, sem as quais o trabalho de minha vida poderia não ter culminado de modo tão feliz.

Chicago estava destinada a se tornar meu campo de testes, onde eu deveria testar não apenas os princípios de realização pessoal que havia descoberto até então, e havia adotado como parte de minha filosofia, mas também a força e a resistência de meu corpo e de minha alma.

## Os "Três Grandes" da Filadélfia

Antes de me mudar para Chicago, conquistei a amizade de muitos homens influentes que estavam destinados a desempenhar um papel importante em minha vida – entre eles, os "Três Grandes" da Filadélfia: Cyrus H. K. Curtis, proprietário do *Saturday Evening Post;* Edward Bok, editor do *Ladies' Home Journal;* e John Wanamaker, o grande príncipe do comércio.

A ocasião de meu primeiro encontro pessoal com Cyrus H. K. Curtis foi interessante e dramática. Ele foi um dos 2.200 líderes que preencheram e devolveram meu questionário, com o qual enviou uma carta muito encorajadora sugerindo que eu acrescentasse mais dois princípios à minha lista: 1) O hábito de fazer mais do que foi pago para fazer e 2) O hábito do pensamento preciso.

Quando oferecemos ao *Post* a proposta para anunciar nosso curso de mecânica por correspondência, ele foi peremptoriamente recusado. Se bem me lembro das circunstâncias, eles alegaram que não era possível aprender pelo correio como operar um automóvel. Reuni nossos livros didáticos, gráficos, projetos, anotações de aula e todas as demais parafernálias e fui imediatamente à Filadélfia para apelar ao Sr. Curtis.

Ele ouviu com poucos comentários tudo o que eu tinha a dizer. E, quando terminei, abandonou abruptamente a discussão sobre meu anúncio e começou a falar sobre a análise do trabalho que eu havia iniciado por sugestão do Sr. Carnegie. Ah, desejei centenas de vezes ter um relato gravado, palavra por palavra, de tudo o que ele me disse! Mas a essência e o conteúdo podem ser resumidos nestas palavras: "Vou aceitar sua propaganda no *Post*, não particularmente porque acredito que sua escola tenha um grande mérito, mas por uma razão melhor: com ela você está fazendo o bem e nenhum mal, ao mesmo tempo em que está ajudando a financiar sua pesquisa, em um campo que definitivamente promete a descoberta de conhecimentos que serão de grande valia para as pessoas que mais precisam". O pequeno anúncio, que não passava de uma coluna, foi publicado no *Post*, e então as matrículas em nossa escola dispararam.

Ao terminar nossa reunião, o Sr. Curtis recomendou que eu visitasse Edward Bok, que também havia preenchido o meu questionário. Desse encontro, surgiu uma amizade que continuou durante os dez anos seguintes de minha luta, além de uma contribuição definitiva para minha filosofia – um de seus princípios mais importantes: uma personalidade agradável.

Após o Sr. Bok ter estudado cuidadosamente os oito princípios de realização que eu já havia reunido por meio da colaboração de Carnegie, Ford, Bell e Gates, acrescidos dos dois sugeridos por Curtis, ele disse: "Nenhuma filosofia de sucesso seria completa sem o princípio de uma personalidade agradável". Ele então mencionou as razões pelas quais uma personalidade agradável era essencial para o sucesso, e descreveu o que chamou de "Os 12 requisitos importantes para uma personalidade agradável".

Mais tarde, por meio de minha própria pesquisa, descobri outros fundamentos essenciais para uma personalidade agradável, de modo que a lista agora contém 21 pontos.

### Os 21 requisitos para uma personalidade agradável

*Elaborado por Edward Bok e outros*

1. **Eloquência eficaz:** a habilidade de contextualizar ideias, palavras e atitudes de modo a torná-las impressionantes.
2. **Harmonia interior:** capacidade de controlar e direcionar todas as emoções.
3. **Magnetismo pessoal:** sensualidade controlada, com capacidade de transmutar essa energia em qualquer forma de atividade desejada.
4. **Vestuário apropriado:** o hábito de escolher roupas com cores e padrões adequados à sua personalidade e sua ocupação.
5. **Postura e controle corporal:** prontidão e dignidade refletidos em movimentos graciosos do corpo.
6. **Controle de voz:** capacidade de transmitir qualquer impressão desejada por meio da entonação e do controle do volume da voz.
7. **Sinceridade de propósito:** capacidade de construir amizades por meio da lealdade e da vontade de ser amigo(a).
8. **Escolha do linguajar:** o hábito de usar palavras que transmitem pensamentos de forma a não constranger os outros.
9. **Equilíbrio mental e físico:** uma expressão tácita de autoconfiança, sem demonstrar sinais de vaidade, egoísmo ou inferioridade.

10. **Senso de humor refinado:** o hábito de ver e reconhecer o lado mais leve das relações sociais e comerciais.
11. **Altruísmo:** a disposição de servir aos outros, sem exigir ou esperar nenhuma recompensa em troca.
12. **Expressão facial controlada:** a habilidade de transmitir qualquer sentimento desejado por meio da expressão dos olhos, da boca e dos músculos faciais.
13. **Pensamento positivo:** o hábito de manter a mente ocupada com pensamentos otimistas, construtivos e criativos.
14. **Entusiasmo:** o hábito de expressar o interesse de forma intensa, seja por meio de pensamentos, seja por expressões orais ou gestos.
15. **Imaginação:** o hábito de transformar antigas ideias em novas possibilidades, e o estado de atenção para reconhecer rapidamente as circunstâncias a serem evitadas ou as oportunidades a serem aproveitadas.
16. **Tato:** a arte de dizer e fazer coisas que não irão constranger ou embaraçar os outros de forma desnecessária.
17. **Versatilidade:** o hábito de aprender com os eventos da atualidade e com os fatos importantes relacionados ao seu objetivo principal, bem como com a vida em geral.
18. **A arte de ouvir:** o hábito de dar total atenção aos outros quando eles estão falando ou expressando ideias.
19. **A arte do discurso firme:** capacidade de falar com segurança e convicção em todos os momentos, seja em conversas casuais ou diante de um público.
20. **Autoconfiança:** uma precisa avaliação de si mesmo, sem evidências de vaidade ou egoísmo.
21. **Boa saúde:** o hábito de comer, beber, exercitar o corpo e a mente de forma adequada, tão necessário para manter um corpo físico saudável.

Dentre todos os grandes líderes executivos e da indústria que fizeram contribuições para minha filosofia, nunca encontrei alguém com uma personalidade mais agradável do que o Sr. Bok. Ele não apenas sabia quais eram os atributos de uma personalidade agradável, como também fazia uso deles como um hábito diário. Ele chamou minha atenção para uma característica importante da personalidade da qual eu nunca tinha ouvido falar: que as impressões definitivas e precisas sobre as características dominantes do caráter de uma pessoa são transmitidas por meio de cada palavra que ela fala ou escreve, intencionalmente ou não. Depois de ouvi-lo expressar essa opinião, comecei a analisar todos os tipos de escrita e, sempre que possível, compará-los com as impressões pessoais que tive dos seus autores, começando pelo próprio Sr. Bok. Fiquei surpreso ao perceber com que precisão ele havia declarado esse fato tão importante.

Desde o dia em que conheci o Sr. Bok até este momento, tenho feito questão de observar e avaliar as pessoas sob o prisma desses 21 requisitos para uma personalidade agradável. Enquanto dirigi o Departamento de Propaganda e Vendas de uma escola de negócios, treinei mais de trinta mil vendedores, e cada um deles aprendeu a cultivar e fazer o melhor uso desses 21 fatores. Muitos desses vendedores se destacaram em sua profissão, principalmente pela capacidade de se relacionar com os outros em espírito de harmonia. Mais de seis mil dos vendedores que treinei estavam envolvidos na venda de seguros de vida, e muitos passaram a integrar um seleto clube cujos membros vendem no mínimo um milhão de dólares em seguros anualmente.

Se você estiver interessado em desenvolver uma personalidade agradável, talvez seja útil observar que nenhum dos atributos inclui o uso de qualquer forma de bajulação. Outro fator importante, e que deve ser benéfico, é que todos os 21 fatores podem ser cultivados, desenvolvidos, aperfeiçoados e controlados por qualquer pessoa que tenha interesse suficiente para desejar manter relações amigáveis com os outros.

Em meu segundo encontro com o Sr. Carnegie, depois de obter do Sr. Bok a lista dos elementos essenciais para uma personalidade agradável, pedi a ele que examinasse a lista comigo. Depois de um exame minucioso, ele disse que havia pouco ou quase nada que ele pudesse sugerir ou acrescentar, e terminou dizendo que, de todos os homens que ele conhecia, Charles M. Schwab era o que tinha a classificação mais alta dentre todos os fatores da lista.

Dos milhares de homens e mulheres que analisei, em todas as esferas da vida, verificando ponto por ponto cada um dos 21 requisitos para uma personalidade agradável, apenas uma pessoa atingiu 100% da lista: Franklin D. Roosevelt. A análise foi feita poucos dias depois de sua primeira posse.

Corroborando o que o Sr. Bok havia dito sobre a personalidade de uma pessoa ser refletida em cada palavra que ela diz, temos o fato bem conhecido de que o presidente Roosevelt tinha uma das vozes mais agradáveis já ouvidas por meio das ondas do rádio. Essa característica de sua personalidade não mudou ao longo de seu primeiro mandato, a não ser para melhor, apesar de ser muito difícil, mesmo para um ator treinado, transmitir sua personalidade pelo rádio sem omitir muitas de suas qualidades essenciais.

Durante minhas entrevistas, continuei prosseguindo com meus empreendimentos comerciais, porque não recebia nenhuma ajuda financeira do Sr. Carnegie. Como resultado de minha convivência com William H. Taft, então presidente dos Estados Unidos e um dos homens que mais colaboraram comigo na organização de minha filosofia de realização, decidi vender minha autoescola. O presidente Taft era um dos meus colaboradores mais interessados, e foi ele quem me incentivou a desistir da escola e seguir em outras frentes, que me dariam novas oportunidades de reunir fatos para minha filosofia.

## Colocando os princípios em funcionamento

Meu próximo passo, por mais estranho que pareça, foi induzido pela roda da fortuna pelo que pareceu ser um mero acaso. Eu tinha acabado de me casar. Assim que me desliguei da escola, por insistência do presidente Taft, minha esposa e eu fizemos nossa primeira visita à família dela na Virgínia Ocidental. Imagine um "filósofo iniciante", experiente por tudo o que seus primeiros 23 anos de vida poderiam proporcionar no caminho do conhecimento de mundo, além de quatro anos de relação estreita com homens como Andrew Carnegie, Dr. Alexander Graham Bell e o Dr. Gates, tão seguro de si que já se sentia o dono do mundo: essa é uma bela imagem de mim mesmo em minha primeira visita à família de minha esposa.

Quando chegamos a Clarksburg, Virgínia Ocidental, no trem que vinha de Washington, fizemos uma baldeação para o sistema Interurban Street Railway – que nos levou até Haywood Junction, a uns três quilômetros de Lumberport, nosso destino.

Estava chovendo muito quando chegamos, e não havia ninguém para nos receber com algum transporte a cavalo ou charrete. Então caminhamos três quilômetros em meio à lama e debaixo de chuva. A viagem arruinou meu terno novo e minha disposição, portanto, eu desejava sinceramente mandar tudo aquilo às favas.

A primeira pessoa a quem fui apresentado foi Vance Hornor, irmão da minha esposa. Cumprimentei-o asperamente, em voz alta, exigindo saber por que as pessoas da região não pediam à Street Railway Company a construção de um ramal de Haywood Junction até Lumberport. Em poucas palavras, obtive a resposta:

– Faz dez anos que estamos implorando à Monongahela Valley Traction Company a construção de um ramal até Lumberport – respondeu o Sr. Hornor. – Mas custaria cem mil dólares para construir uma ponte sobre o rio, e isso é mais dinheiro do que a empresa tem para investir. Então só nos resta esperar e torcer.

– Esperar e torcer! – explodi. – Desse jeito vocês não vão conseguir nem uma linha de carroças. Por que vocês não tentam o princípio do MasterMind do Sr. Carnegie, junto com a definição de propósito, para conseguir a construção da linha?

Com essa observação, me lancei na minha primeira grande oportunidade de experimentar os princípios de realização que eu havia aprendido até então. Assim que lancei o desafio ao Sr. Hornor, ele me retrucou, perguntando:

– E por que você não faz isso?

Para não ser superado pelo meu cunhado, gritei de volta:

– Claro que sim, e vou mostrar que é possível! Na verdade, não existe a palavra impossível em meu vocabulário.

Naquele momento, o irmão mais velho de minha esposa, J. Hood Hornor, entrou na sala, e fui apresentado a ele por seu outro irmão desta forma:

– Conheça seu novo cunhado, e lhe agradeça pelo que ele vai fazer pela cidade! Ele vai conseguir que a empresa de transporte construa o ramal de Haywood Junction.

Hood apenas resmungou uma espécie de "olá" à moda caipira, e disse:

– Se conseguir uma linha de transporte para a cidade, você poderá ser o dono de tudo isso, se quiser.

Isso era tudo que eu precisava para colocar o maquinário da minha mente para funcionar. Francamente, eu não tinha a menor ideia de por onde começar, ou como proceder. Havia cometido o erro que todos os jovens tendem a cometer: o erro de falar demais. Mas, para livrar a minha cara, comecei imediatamente a compensar minha explosão de autoconfiança. Enquanto descrevo em detalhes o que aconteceu a seguir, por favor, tenha em mente que você está lendo a história de um jovem tentando aplicar a filosofia de mentes experientes, cuja característica cômica lembra um menino de pé em cima de uma cadeira em frente ao espelho, usando os sapatos e o casaco do pai, e tentando se barbear com a navalha dele.

Como eu já estava ali mesmo, decidi fazer o movimento número um: pedi para dar uma olhada no rio que exigia a tal ponte de cem mil dólares, cuja ausência isolava completamente a cidade natal de minha esposa. Meus dois cunhados e eu fomos de charrete até o rio; e eles ficaram olhando para mim, esperando que eu colocasse o misterioso princípio do "MasterMind" em ação, fosse lá o que fosse. Pela expressão que tinham no rosto, enquanto se entreolhavam e sorriam, percebi que eles estavam se divertindo às minhas custas.

Depois de ficarmos ali por uns cinco minutos, aconteceu algo que quase mudou meu plano de organizar uma filosofia de realização, mas colocou em minhas mãos uma maneira precisa e prática de dar a volta por cima, bem como minha primeira oportunidade de aplicar a filosofia de Carnegie.

Vou descrever a cena exatamente como aconteceu, enquanto eu estava ali às margens do rio Monongahela: trinta metros abaixo, ficava a estrada rural que cruzava o rio sobre uma pequena e frágil ponte de madeira, que balançava como se fosse desabar a cada vez que um cavalo passava sobre ela. Subindo e descendo o rio, havia cerca de dez trilhos de comutação da ferrovia Baltimore & Ohio Railroad, e bem no meio deles passava a estrada rural. Enquanto estávamos ali conversando, surgiu uma locomotiva puxando uma enorme série de vagões carregados de carvão. A longa composição fechou completamente a estrada rural por cerca de quinze minutos. Enquanto isso, fazendeiros com parelhas de cavalos esperavam dos dois lados do cruzamento. Por fim, um dos fazendeiros ficou impaciente, reclamou com os maquinistas e, depois de muita discussão, persuadiu-os a desengatar o trem e deixá-lo atravessar.

Esse movimento era a deixa que eu esperava encontrar. Foi o ponto de partida para que eu pudesse decolar em minha nova ocupação, como um autodenominado construtor de ferrovias. Apontando para o irado fazendeiro, exclamei para meus cunhados:

– Vocês estão vendo o que eu vejo?

Ao que Vance Hornor respondeu:

– Isso não é nada. Muitas vezes já cheguei a esperar por meia hora nesse cruzamento.

Antes que ele terminasse de falar, eu já imaginava à minha frente a ponte de cem mil dólares e um bonde passando por ela. Todo o plano para convencer a empresa a construir a linha surgiu em minha mente, tão claramente como se eu o tivesse escrito em um papel. Além disso, eu estava tão certo da solidez do plano como se o próprio Sr. Carnegie o tivesse criado.

– Já sei! – exclamei. – Vocês terão sua ponte e seu ramal até Lumberport em menos de três meses!

Os irmãos Hornor olhavam para mim boquiabertos e com os olhos arregalados, demonstrando claramente um espanto misturado com descrença. Resumidamente, expliquei a eles o significado do termo "MasterMind" e como obtive meu primeiro conhecimento sobre isso. Em seguida, descrevi como esse princípio poderia ser aplicado para resolver o problema do transporte local, e foi mais ou menos com estas palavras:

– O problema de vocês aqui parece intransponível, por causa do alto custo da ponte. Muito bem, vamos aplicar o princípio do MasterMind e dividir o problema em três pequenas partes, que poderemos superar uma de cada vez. Primeiro, é preciso convocar uma reunião do Conselho Municipal e elaborar uma resolução que preveja uma franquia gratuita para o uso das ruas da cidade, e o privilégio de fornecer energia elétrica para os moradores, que será apresentada à empresa de transportes. Em seguida, peçam aos membros do Conselho que me acompanhem como um comitê, para chamar o superintendente de Divisão da Estrada de Ferro B&O, a quem ofereceremos o privilégio de pagar um terço do custo da ponte, pois desviaremos a estrada secundária e eliminaremos o perigo constante do cruzamento. Iremos até a Secretaria de Transporte do condado e pediremos que paguem outro terço do custo da ponte, a fim de dar ao povo um alívio do perigo causado pelos trilhos da ferrovia. Em seguida, iremos à Traction Company e ofereceremos a franquia, mais o pagamento de dois terços do custo da ponte, em troca da construção imediata da linha. Nesse meio-tempo, precisamos convencer todos os proprietários a doarem o terreno necessário para o direito de passagem.

A expressão dos irmãos Hornor mudou de repente. O olhar de incredulidade havia desaparecido. Falando quase simultaneamente, eles exclamaram:

– Seu plano vai funcionar! – E Vance Hornor terminou a observação: – Por que diabos não pensamos nisso dez anos atrás?

Foram necessários apenas três dias para reunir as partes interessadas e organizar a divisão em três das despesas de cem mil dólares para a ponte. Minha primeira tentativa de usar a filosofia de Carnegie trouxe uma vitória tão definitiva e completa que quase mudou todos os meus planos. Estimulado pela dimensão e pela natureza daquele sucesso, que eu considerava um "grande negócio", ofereci-me para prestar mais serviços aos irmãos Hornor, dizendo:

– Isso não é nada, nós mal começamos.

Fazendo rapidamente um levantamento de suas necessidades, descobri que eles eram proprietários de praticamente todas as terras adjacentes à cidade e da maioria dos terrenos baldios. Eles também estavam envolvidos em um negócio de pequena escala na produção de gás natural; mas, como logo percebi, sua maior dificuldade era a falta de mercado para comercializar o gás. Eles poderiam extrair centenas de milhões de metros cúbicos de gás natural apenas perfurando buracos no solo, mas não tinham para quem vender toda essa produção.

Levei-os a uma reunião de MasterMind, para a qual convidamos algumas das pessoas mais influentes e financeiramente confiáveis da cidade, com o objetivo de criar um plano para trazer indústrias e novos profissionais para a região. As reuniões se repetiram por muitas vezes nas três semanas seguintes, e finalmente consegui convencer a população e os irmãos Hornor a organizarem a implantação de uma fábrica de vidros na cidade.

Fui até Pittsburgh e contratei um especialista em vidros para assumir o projeto e conduzir a fábrica. Em pouco tempo, a fábrica de vidros estava em operação, empregando seiscentos homens e mulheres, que precisavam de casas para morar. Aqui, novamente, os irmãos Hornor encontraram uma oportunidade de lucrar, convertendo os terrenos vazios em propriedades lucrativas. Além disso, a fábrica de vidros comprava deles três mil dólares em gás natural todos os meses.

Assim, eu havia me tornado o Andrew Carnegie local, com influência suficiente para cair nas graças de todas as pessoas da comunidade, que me enviavam presentes. Mas eu não estava pedindo presentes. Estava dando aos familiares de minha esposa uma amostra do que a filosofia da realização poderia fazer, e me alegrava com isso.

Meus cunhados possuíam uma área considerável de produção de gás natural, na qual operavam duas pequenas usinas que forneciam combustível para suas próprias famílias e parte dos outros residentes de Lumberport. Constituímos uma empresa e começamos imediatamente a perfurar poços adicionais, e em pouco tempo tínhamos mais gás do que conseguíamos vender. Por meio de minha aliança com Andrew Carnegie, providenciei a compra do revestimento das tubulações necessárias para os poços de gás, por meio de um plano de pagamento mensal, o que nos permitiu perfurar poços mais rapidamente.

Os lucros da venda do gás foram reinvestidos no negócio, até que finalmente a empresa estendeu suas vendas para praticamente todas as cidades próximas, além de vender uma parte do gás no atacado para a Hope Natural Gas Company, uma grande subsidiária da Standard Oil que operava naquele território.

A empresa de gás ainda existe, e é controlada por membros das nossas famílias. Meu filho mais velho tem o controle acionário. Os lucros do negócio pagaram a faculdade dos meus três filhos, hoje todos formados, e forneceram renda suficiente desde o início para cuidar de todas as necessidades financeiras relacionadas à manutenção da minha família. Foi graças a essa feliz circunstância que pude realizar mais de vinte anos de pesquisa na organização da Filosofia da Realização Pessoal Americana, sem nenhuma ajuda financeira de Andrew Carnegie ou de qualquer outro.

Assim, minha primeira grande aplicação da filosofia de Andrew Carnegie rendeu, ao longo dos anos, desde que construí a linha de bondes em Lumberport, uma renda bruta de muitos milhões de dólares, e ainda traz uma renda muito maior do que minha família realmente precisa.

Antes do restante da minha história que ainda está por vir, que trata das principais adversidades que enfrentei em relação às finanças, devo declarar que, quando meu serviço foi concluído em Lumberport, fui embora e continuei meu trabalho em outras localidades, sem tirar para mim um só centavo dos lucros que ajudei a obter. Sinto que devo revelar, ainda, que, ao longo de minhas operações em Lumberport, tive uma aliança de MasterMind com meus dois cunhados, homens muito capazes, que fizeram a maior parte do trabalho "braçal" enquanto eu fazia o planejamento. Eles tinham uma boa reputação de crédito, e isso foi de grande valia em algumas situações difíceis no início de nossas operações.

A essa altura, minha fama havia se espalhado tão rapidamente que o chefe da Monongahela Traction Company me fez uma oferta, com um salário generoso, para que eu me tornasse o primeiro assistente de seu conselheiro-chefe, e aceitei.

Logo depois, surgiu a oportunidade de ir para Chicago para atuar como gerente de publicidade da LaSalle Extension University – e a abracei, pois percebi que meu sucesso nos negócios em Lumberton poderia me consumir, e com certeza significaria a morte para minha pesquisa.

Penso que talvez o meu medo de desapontar o Sr. Carnegie tenha sido o motivo que me levou a romper os laços com a Virgínia Ocidental e me mudar para Chicago para realizar o que minha esposa e seus parentes acreditavam ser uma missão tola. Eles nunca perdoaram meu "erro", e nunca, até onde sei, compartilharam totalmente minha ambição de descobrir o que torna as pessoas bem-sucedidas ou fracassadas. No entanto, a semente que ajudei os irmãos Hornor a plantar durante minha estada com eles provou ser lucrativa. Pouco antes do *crash* que levou à Grande Depressão, lancei as ações da empresa de gás em Wall Street por um preço de compra de 1,16 milhão de dólares, sem mencionar os muitos milhões que eles ganharam durante os anos em que operaram o negócio, de 1912 a 1929.

Não quero deixar a impressão de ter feito a fortuna que os irmãos Hornor acumularam, pois não tive nada a ver com a operação de seus negócios, a não ser apresentá-los ao princípio do MasterMind e ajudá-los a experimentá-lo na prática. Depois disso, eles se moveram sob seu próprio impulso. O sucesso deles se deve, principalmente, ao fato de terem compreendido e aplicado o princípio do MasterMind de forma rápida e inteligente. Hood Hornor era o homem que sempre dizia "não", enquanto Vance era o que promovia e concebia ideias, traçava planos e os executava – depois que Hood conseguia compreendê-los na dimensão prática. Em toda a minha experiência, nunca vi dois homens coordenarem seus esforços em espírito de harmonia de maneira mais perfeita do que eles, apesar do fato de serem de tipos diferentes, e tão distantes um do outro por natureza quanto os polos da Terra.

A minha associação com os irmãos Hornor durou pouco menos de um ano, mas permaneci com eles tempo suficiente para provar que havia uma maneira eficaz de fornecer transporte adequado à cidade. Eles fizeram um bom uso do exemplo que dei, como demonstra a fortuna que acumularam.

Outra característica interessante e significativa de minha relação com o início da história empresarial dos Hornor revela claramente a diferença entre o hábito de andar à deriva e o hábito de não se desviar. Quando meu filho mais velho, James, estava prestes a ir para a faculdade, pedi a ele que ficasse comigo por alguns dias, durante os quais lhe expliquei a importância de adotar um propósito significativo na vida e direcionar os esforços em prol de sua realização. Ele acabou decidindo que queria se tornar chefe administrativo da empresa de gás que eu havia ajudado a organizar. Portanto, escolheu disciplinas adequadas para prepará-lo para esse objetivo. Ele foi para a faculdade com um propósito definido e escolheu deliberadamente os estudos necessários para prepará-lo para atingir o objetivo desse propósito, e não apenas para acumular créditos.

No final de 1934, exatamente 22 anos depois de ter sido convidado a passear no primeiro bonde que chegou à cidade, voltei até lá e fiz, com o mesmo condutor, a derradeira viagem do último bonde a circular na linha, que daria lugar à operação dos modernos ônibus motorizados. Com um pedido especial aos funcionários do bonde, fui o único passageiro a ser transportado na última viagem. Enquanto eu estava na plataforma, ao lado do condutor, praticamente sem um tostão, uma vez que a Depressão tinha consumido quase tudo que eu tinha, olhei para trás e contemplei aquela cidade, onde eu sabia muito bem que tinha recusado uma fortuna para continuar o trabalho que havia escolhido. Eu me perguntei, como meus familiares devem ter feito muitas vezes, o que me levou a desistir da facilidade de uma renda segura e escolher um trabalho vitalício que obviamente não me traria retornos financeiros imediatos.

Talvez eu nunca saiba a verdadeira razão de minha escolha; mas sei que foi uma escolha sábia, porque acabou me levando ao objetivo que me comprometi a alcançar, sem o qual eu teria me tornado um miserável. Há uma influência estranha e hipnótica na atmosfera da cidade de Lumberport que teve um efeito desagradável sobre mim durante as poucas vezes que tentei criar raízes ali. Eu nunca poderia ter sobrevivido ali com qualquer paz de espírito. Alguns locais, assim como algumas pessoas, exercem sobre nós uma influência negativa que, se não for quebrada, certamente nos leva ao fracasso.

Sempre foi uma fonte de muito pesar para os irmãos Hornor, e particularmente para Vance Hornor, o fato de eu não ter permanecido em Lumberport. O incentivo que me foi oferecido foi uma participação de um terço na empresa, mas tenho certeza de que foi melhor eu não ter ficado. Eu não era feliz ali; não estava interessado em ganhar dinheiro. Com o tempo, teria me tornado uma pessoa miserável, um fracasso aos meus próprios olhos, uma decepção para eles e para minha esposa. Além disso, havia uma força silenciosa e irresistível em meu próprio cérebro que me impossibilitava de encontrar felicidade ou paz de espírito em Lumberport. Essa força foi o propósito definido que o Sr. Carnegie plantou em minha mente; um propósito que se estendia em direção ao futuro e requeria o conhecimento de muitos assuntos por meio das experiências de muitas pessoas, o que nunca poderia ter sido alcançado em um único local.

## De volta a Chicago

Tomei uma das decisões mais importantes da vida quando saí de Lumberport para voltar a Chicago. Essa decisão me custou uma convivência familiar feliz, uma enorme fortuna em dinheiro e uma vida de relativa facilidade – mas finalmente me levou, embora por um caminho repleto de espinhos e regado por lágrimas, a uma melhor compreensão da minha própria alma, e àquela forma de paz de espírito e contentamento que todos procuram.

Com os meus negócios bem-sucedidos em Lumberport, eu havia chegado à falsa conclusão de que minha tarefa de organizar uma filosofia completa de realização pessoal estava concluída. Mas eu perceberia muito em breve que, longe de ter terminado, meu trabalho tinha apenas começado. Eu apenas havia erguido o esqueleto de uma filosofia, mas esse esqueleto precisava ser coberto com a carne da aplicação e da experiência. Além disso, ele precisava de uma "alma", por meio da qual pudesse inspirar homens e mulheres a enfrentar obstáculos sem serem subjugados por eles.

A "alma" que ainda não havia sido acrescentada, como descobri mais tarde, apenas se revelou após o surgimento do meu "outro eu" nos momentos mais decisivos da minha vida.

Tendo decidido dedicar minha atenção, e quaisquer que fossem meus talentos, ao retorno monetário por meio de novos negócios e canais profissionais – a fim de financiar minhas pesquisas adicionais necessárias –, decidi me aventurar na profissão de publicitário, e me tornei gerente de publicidade da LaSalle Extension University de Chicago.

Minha popularidade nos jornais, devido às minhas atividades em Lumberport, tinha chamado a atenção da administração da universidade de Chicago, e as negociações foram iniciadas; como resultado, tornei-me o primeiro gerente de publicidade daquela instituição.

A LaSalle estava em operação havia apenas alguns anos, e logo após minha admissão descobri que ela precisava muito de um capital de giro adicional. A universidade precisava tanto de dinheiro que percebi que era necessário correr para o banco com meu contracheque a cada mês e sacar o dinheiro antes que os fundos se esgotassem. Ao final de três meses, resolvi fazer uma pesquisa sobre a instituição e descobrir, se fosse possível, por que ela não tinha capital de giro suficiente.

Descobri que a maioria dos funcionários trabalhava no departamento de cobrança, esforçando-se para pressionar os dezoito mil alunos a pagarem suas mensalidades, e que essa política de alta pressão causava descontentamento em muitos deles.

Apresentei à direção da universidade um plano que substituía a política de cobrança sob alta pressão por uma série amigável de cartas de "liquidação", destinadas a fazer as pazes entre a instituição e seus alunos. O plano também previa uma sociedade entre a universidade e os alunos, oferecendo-lhes ações preferenciais e tornando cada um deles um divulgador de todos os cursos da LaSalle.

Esse plano resultou em mais de um milhão de dólares em capital de giro e lançou a LaSalle no caminho para se tornar uma das universidades por correspondência mais bem-sucedidas da América.

Em todas as minhas atividades em Lumberport, assim como na LaSalle, minha principal motivação era não apenas ganhar dinheiro, mas também meu desejo de testar a filosofia de sucesso de Andrew Carnegie por meio de sua aplicação em tantos negócios diferentes quanto possível. Algumas pessoas, no entanto, julgaram mal minhas mudanças de atividades como sendo uma incompetência de minha parte. Acredito sinceramente que uma das principais razões pelas quais essa filosofia de sucesso se espalhou pelo mundo, sem nenhum esforço organizado de promoção definido, consiste no fato de ter sido testada e refinada em tantas circunstâncias diferentes, para que se tornasse praticamente infalível.

Minha experiência seguinte foi com a Betsy Ross Candy Company – que me custou todas as minhas economias, mas me trouxe outra excelente oportunidade de aprender em primeira mão o que geralmente acontece com uma sociedade que não seja devidamente baseada no princípio do MasterMind. O negócio era administrado pelo ex-presidente da universidade LaSalle e por mim, e cada um era dono de um terço da empresa. Logo depois que começamos o negócio, meu sócio contratou um amigo dele, com meu consentimento, a quem cedemos o outro terço da participação em troca de seus serviços, além dos equipamentos remanescentes de sua extinta doceria.

O atrito entre nós teve início quase desde o primeiro dia de nossa sociedade. Em todas as reuniões de diretoria que realizávamos, sempre havia alguma questão problemática para resolver, e a votação era sempre de dois a um – os dois votos deles contra o meu. Tínhamos uma rede de lojas de doces operando em dezoito cidades diferentes, com uma fábrica em Chicago. Os funcionários das lojas e da fábrica logo perceberam a disputa entre os donos do negócio e, como era perfeitamente natural, tomaram partido na briga e escolheram seus lados.

As condições de trabalho logo se tornaram tão desagradáveis que tive de escolher entre passar todo o meu tempo em discussões antagônicas com meus sócios ou sair e deixá-los ficar com o que restava do negócio. Pedi demissão do cargo, e logo em seguida os meus dois sócios fizeram um acordo judicial com os credores e reorganizaram o negócio, esquecendo-se completamente de me incluir na nova estrutura. A transação foi perfeitamente legal, suponho, mas não foi exatamente amigável. Meus sócios, no entanto, haviam se esquecido de um detalhe importante em sua ânsia de me eliminar: eles perderam a marca registrada "Betsy Ross", que era de minha propriedade.

Depois de terem distribuído ações de sua empresa recém-reestruturada, eles novamente se envolveram em dificuldades financeiras. Um dos investidores começou a investigar e descobriu que a marca estava registrada em meu nome. Ele exigiu de forma insistente a devolução do seu dinheiro, alegando que tinha sido enganado quanto ao patrimônio da empresa. Os meus ex-sócios se sentiram na obrigação de fazer algo para acalmá-lo, e começaram a negociar comigo para me convencer a ceder a marca – ou, se não fosse possível, vendê-la por um valor simbólico.

Eu me mantive firme e retive a marca registrada, esperando para ver como aqueles dois homens que haviam sido pegos em uma armadilha, como uma dupla de ratos, conseguiriam se livrar dessa infeliz situação. Não tive que esperar muito. Certa noite, recebi um mandado de prisão acusando-me de ter desviado fundos da então extinta empresa enquanto eu era seu presidente. Dois dias antes de minha audiência no tribunal, meus dois ex-sócios apelaram desesperadamente para que eu entregasse a marca registrada em troca do arquivamento do caso.

Permaneci firme e não cedi a marca registrada. No dia da audiência, não havia ninguém para me confrontar. A meu pedido, meu advogado enviou uma ordem judicial ao investidor reclamante, para que ele testemunhasse em meu favor. Após ele ter falado por alguns minutos, o tribunal arquivou o caso e sugeriu fortemente que eu estava do lado errado da situação: eu deveria ter sido o autor da ação.

Segui o conselho e abri um processo. Ajuizei uma ação de indenização contra meus dois ex-sócios e uma terceira pessoa, sob uma lei de Illinois que me daria o direito, caso houvesse uma sentença, de enviar os réus para a prisão se eles não pagassem a fiança. Quando o caso foi julgado, um dos meus ex-sócios foi eximido de responsabilidade pelos danos que me causaram, mas houve uma pesada sentença contra o outro sócio e a terceira pessoa. A sentença ainda permanece nos autos do tribunal em Chicago, não executada e não paga, e serve como prova de que aprendi algumas das virtudes da caridade durante minha associação com homens como o Dr. Gates e o Dr. Bell.

Na última vez que ouvi falar sobre o ex-sócio que foi condenado, ele estava cumprindo pena na Penitenciária Estadual de Joliet, Illinois, devido às transações fraudulentas relacionadas ao negócio que ajudou a roubar de mim. Pouco tempo depois, soube que a terceira pessoa havia falido e, mais tarde, soube que o ex-sócio que escapou de ser condenado estava no Texas, trabalhando em uma atividade braçal.

## A Regra de Ouro

Assim, os dois primeiros anos de minha experiência em Chicago levaram todas as minhas economias e colocaram diante de mim uma escolha: atacar os inimigos que tentaram me destruir ou aplicar a Regra de Ouro e abandoná-los ao tempo e à própria sorte, para qualquer punição que merecessem. Nunca me arrependi dessa oportunidade de provar a mim mesmo o que sempre esperei que fosse verdade, ou seja, que não havia dentro de mim nenhum desejo profundo de vingança. Essa experiência foi uma das mais proveitosas da minha vida, por causa do que fiz pelo homem dentro de mim, quando me lembrei da oração do Pai-Nosso, "Perdoai as nossas ofensas, assim como nós perdoamos a quem nos tem ofendido", e eu a vivi.

Minha experiência com a Betsy Ross Candy Company rendeu um dividendo de natureza imperecível, que tem mais valor do que o tempo e o dinheiro que perdi, dando-me assim minha primeira evidência convincente de que o Sr. Carnegie estava certo quando disse: "Todo fracasso traz consigo a semente de um sucesso equivalente". O dividendo veio, como geralmente acontece nesses casos, de uma fonte inesperada, como resultado de meu primeiro encontro com o Dr. Frank Crane, um pastor. Ele soube das minhas dificuldades e veio me parabenizar por ter aplicado a Regra de Ouro em meu processo judicial. Nosso encontro se tornou uma amizade que estava destinada a durar até a morte do Dr. Crane e proporcionar bênçãos inestimáveis para nós dois.

Como resultado dessa amizade, a Regra de Ouro foi adotada como um acréscimo à minha filosofia – um ato que por si só serviu não apenas como "a semente de um sucesso equivalente" ao meu fracasso na Betsy Ross Candy Company, mas que também, em vista da melhoria que essa adição fez à minha filosofia, praticamente equivalia a uma flor plenamente desabrochada. Assim, no pequeno livro vermelho em que eu cultivava uma lista das pessoas que haviam feito contribuições valiosas ao meu caráter e ao trabalho da minha vida, escrevi o nome do Dr. Frank Crane e risquei os nomes dos meus dois ex-sócios.

Pouco tempo depois do meu primeiro encontro com o Dr. Crane, ouvi um discurso seu no Rotary Club de Chicago, do qual extraí uma importante descoberta que me permitiu testar e provar a solidez de um dos princípios importantes de minha filosofia, e ao mesmo tempo ajudar meu novo amigo a substituir a pobreza pela opulência. Em várias ocasiões, ouvi o Dr. Crane lamentar por não ser capaz de ganhar a vida de maneira decente como pregador. Discretamente, assumi a tarefa de ajudá-lo a encontrar uma maneira de aumentar sua renda.

A oportunidade que eu procurava se tornou óbvia quando o ouvi falar publicamente pela primeira vez. Resumidamente, sua deficiência consistia em uma personalidade bastante inexpressiva e uma voz quase totalmente sem emoção. Ele claramente não era adequado para o púlpito, embora fosse uma das melhores pessoas que já conheci e tivesse talento para declarar as verdades teológicas em frases curtas e rápidas.

Após seu discurso no Rotary Club, eu disse ao Dr. Crane que acreditava estar preparado para recompensá-lo pelo serviço que ele havia me prestado chamando minha atenção para a necessidade de adotar a Regra de Ouro como um dos princípios essenciais para o sucesso duradouro. Em seguida, expus as deduções decorrentes da minha observação de sua personalidade, enfatizando especialmente minhas conclusões após tê-lo ouvido falar em público, e sugeri que ele se apropriasse e usasse o princípio do MasterMind como um meio de superar suas carências de personalidade. Ele ficou imediatamente interessado e perguntou como isso poderia ser feito. Expliquei que ele poderia facilmente camuflar sua personalidade atrás da página impressa, escrevendo sermões ou ensaios filosóficos e publicando-os em muitos jornais. Isso lhe daria uma audiência diária muito maior do que jamais havia alcançado pessoalmente e lhe daria uma renda maior do que recebia como pregador.

Ele gostou da ideia e prometeu que iria tentar. A notícia mais recente que ouvi sobre meu plano sugerido foi que o Dr. Crane havia sido contratado pela editora King Features Syndicate, que vendeu suas produções com tanto sucesso que sua renda logo atingiu a soma de 75 mil dólares por ano. Seus artigos diários foram publicados por muitos anos em centenas de jornais, e ele desfrutou de uma renda substancial com a venda de seus livros e preleções públicas – tudo isso como resultado de uma vida de acordo com a Regra de Ouro e de ter dedicado tempo para me procurar e me influenciar a fazer um bom uso dessa grande regra de conduta humana.

Depois que a fumaça da batalha da Betsy Ross Candy Company se dissipou e as feridas que recebi durante a luta foram cicatrizadas, adotei outro objetivo intermediário, planejei uma maneira de alcançá-lo e zarpei mais uma vez no mar da fortuna, na esperança de poder escapar das rochas e recifes que encontrei em minha última aventura.

Como estive ligado a alguma forma de trabalho educacional durante toda a vida, suponho que havia algo em meu sangue que tinha afinidade com ideias relacionadas à educação e às atividades pedagógicas. Concebi a ideia de organizar uma faculdade para ensino a distância na área de publicidade e vendas. Planejei cada detalhe, incluindo o orçamento necessário do primeiro ano. Depois de concluído, o projeto ficou muito atrativo para todos que o viram, inclusive para mim, mas havia uma grande mosca na sopa: o projeto exigia cinquenta mil dólares de capital de giro.

Tendo perdido todo o meu dinheiro no empreendimento Betsy Ross – e, com ele, uma parte substancial da minha reputação como homem de negócios –, era quase impossível levantar uma quantia tão grande em uma cidade como Chicago. Mas qualquer pessoa destinada a enfrentar tantas situações difíceis como eu deve ter um trunfo de igual peso, como uma forma de propensão para tomar a iniciativa e se colocar em situações boas e ruins. Ao relembrar minhas experiências, agora percebo que minha capacidade de mergulhar em dificuldades era compensada por uma capacidade igual de escapar delas depois de ter obtido o suficiente.

A dificuldade que então eu enfrentava não era essencialmente diferente das tantas que ajudei outras pessoas a superar, mas sim bastante semelhante a algumas das que superei, com uma importante exceção: agora eu tinha o privilégio de usar o conhecimento que havia adquirido; o conhecimento que os verdadeiros líderes adquirem ao superar dificuldades iguais àquela que temporariamente me impedia. Tive o seguinte raciocínio: se eu havia ajudado a LaSalle a obter dinheiro com tanta rapidez e facilidade, também poderia fazer isso por mim mesmo, empregando as mesmas táticas.

## Nunca perca a esperança

Antes de mencionar os detalhes da experiência que estou prestes a relatar, gostaria de chamar a atenção para uma importante fraqueza humana cuja negligência ou desconhecimento absoluto está na base de praticamente todos os fracassos da vida: o hábito comum de perder a esperança e desistir quando obstáculos difíceis se colocam em seu caminho. Agora sei algo que não entendia até pouco tempo atrás: que nunca houve um problema que não tivesse solução.

Geralmente, a solução de qualquer problema pode ser encontrada em alguma circunstância ou fato intimamente relacionado, se não em parte do problema em si. Assim foi com o meu problema. Ele carregava a semente da qual germinou uma solução adequada e satisfatória, que beneficiou a todos os envolvidos.

Primeiramente, procurei descobrir uma escola local com boa reputação, mas que precisava de um aumento nas receitas com mensalidades. Encontrei exatamente o que procurava no Bryant & Stratton Business College, então localizado na Randolph Street, em Chicago. Fiquei sabendo que a escola era a última remanescente da antiga rede de ensino Bryant e Stratton, que chegou a ter unidades localizadas em várias cidades e estava à beira da falência.

Não era um lugar muito provável para procurar a solução de um problema financeiro de cinquenta mil dólares, alguém pode dizer, mas fiz uma aliança com a escola que deu a ela um rejuvenescimento drástico e, ao mesmo tempo, ajudou-me a financiar minha escola de publicidade e vendas.

Telefonei para os proprietários da escola, e esta foi basicamente a propaganda que ofereci a eles:

> "Cavalheiros, sem dúvida os senhores já ouviram falar da reputação que estabeleci como gerente de publicidade da LaSalle Extension University. Venho até os senhores com um

plano que pode ser ainda mais útil para sua escola do que o meu plano de trabalho com a LaSalle.

Concebi um curso especial de Publicidade e Vendas que estou disposto a colocar à sua disposição, nas seguintes condições: darei pessoalmente uma aula em sua escola, na qual ministrarei meu curso por uma taxa de 150 dólares por aluno. Também estou preparado para ministrar o curso por correspondência, em seu nome, o que certamente trará alunos para muitos de seus outros cursos, de muitas comunidades diferentes. Os senhores receberão todas as mensalidades e, com essas cobranças, pagarão pela publicidade que eu exigir na venda do curso. Após o pagamento da publicidade, dividiremos o lucro líquido em 55%, segundo um contrato que prevê que, ao final de um ano, eu possa assumir meu departamento e tornar-me proprietário dele, desde que todas as despesas de publicidade tenham sido pagas. Ao final, vocês terão ganhado com meu curso um lucro líquido não inferior a dez mil dólares.

Não preciso lembrá-los de que a publicidade incidental ao marketing de meus cursos, em seu nome, proporcionará à sua escola o estímulo adicional de que ela tanto precisa para restaurá-la ao seu status anterior no campo educacional entre as escolas de negócios e administração."

A oferta foi aceita nos exatos termos que eu havia proposto; e, um ano depois, assumi meu departamento, totalmente livre de dívidas, com milhares de alunos matriculados no curso por correspondência, cada um deles pagando uma mensalidade de dez dólares por mês. Meu objetivo tinha sido alcançado com a mesma eficácia que poderia ter sido alcançado se alguém tivesse me dado os cinquenta mil dólares em dinheiro no início do projeto, e dissesse: "Aqui está, pegue e devolva quando puder".

Tive uma experiência interessante enquanto ministrava minha primeira aula – que poderia ter sido desastrosa se não fosse a qualidade de desenvoltura que eu havia adquirido. Quando escrevi o anúncio para atrair estudantes locais para minha aula, eu tinha em mente que a maioria seria de jovens, como aqueles que normalmente frequentam uma faculdade de administração, e na melhor das hipóteses eles saberiam menos sobre publicidade e vendas do que eu. Portanto, eu não teria dificuldade de ensiná-los.

Surpreendentemente, quando a aula começou, descobri, para meu grande constrangimento, que havia atraído muitos alunos que já estavam na área de publicidade e vendas há mais tempo do que eu, e que obviamente poderiam me ensinar muito sobre assuntos que eu não conhecia.

Um desses alunos era membro da equipe de publicidade da Armour & Company, outro trabalhava no departamento de publicidade da grande Marshall Field Store, e ainda havia outro que era gerente de publicidade da loja de departamentos Mandel Brothers, além de uma moça que trabalhava no departamento de publicidade da Commonwealth Edison Company.

Pouco depois do início da minha aula, tive uma ideia que me salvou de um sério embaraço; uma ideia que foi percebida por apenas um aluno dentre os mais de duzentos inscritos, e ele foi gentil o suficiente para não revelar sua descoberta aos demais.

A ideia foi a seguinte: a cada vez que surgia durante as aulas alguma questão que, devido à minha limitada experiência em publicidade e vendas, eu não sabia responder, eu dizia: "Não tenho a pretensão de dizer que sei mais do que alguns alunos ilustres desta turma. Portanto, antes de dar minha resposta, ofereço a vocês o benefício da experiência deles". Então eu chamava os alunos mais experientes da turma, que de bom grado forneciam precisamente as informações necessárias. Depois que eles terminavam, eu fazia um breve resumo de minha autoria, no qual basicamente reiterava o que eles haviam declarado.

Essa experiência me ensinou o grande valor das perguntas bem formuladas e direcionadas na área de vendas. Por intermédio desse método, ajudei a treinar muitos vendedores que se tornaram mestres na arte de vender; não pelo que diziam ao comprador em potencial, mas pelo que conseguiam saber dos clientes por meio de perguntas táticas.

E foi graças a esse método de direcionamento de perguntas táticas que fui auxiliado de forma tão generosa por centenas de homens bem-sucedidos que colaboraram na organização da Filosofia da Realização Pessoal Americana. Quando desejava que essas pessoas colaborassem comigo, eu geralmente iniciava a conversa perguntando se eles gostariam de se juntar a Andrew Carnegie e a mim, para oferecer ao mundo uma filosofia prática de sucesso baseada no *know-how* de homens bem-sucedidos que aprenderam da maneira mais difícil, pelo método de tentativa e erro. Foram raras as recusas que recebi ao longo de todos os anos de pesquisa dedicados a aperfeiçoar essa filosofia.

Com a minha experiência na Bryant & Stratton School, aprendi que as pessoas se sentem lisonjeadas quando abordadas com perguntas inteligentes relacionadas às suas experiências. E tenho certeza de que todos os grandes vendedores adquiriram a arte de vender por meio de perguntas dirigidas de forma inteligente.

A Primeira Guerra Mundial havia estourado dois anos antes, mas os Estados Unidos ainda não tinham sido arrastados para ela. Havia em minha classe um aluno alemão que estava destinado a provar que seria tanto um passivo quanto um ativo. Como soubemos mais tarde, a intenção dele era fornecer informações ao seu país a respeito das fábricas americanas – principalmente aquelas que produziam materiais bélicos, ou onde provavelmente seriam fabricados. Ele estava usando sua participação em minhas aulas como um disfarce para protegê-lo da exposição.

Antes que eu percebesse, ele começou a plantar as sementes da dúvida nas mentes de vários alunos e construiu uma corrente de antagonismo contra mim – o que chamou a atenção dos diretores da escola e causou-lhes grande preocupação. Eles já tinham investido pesado em mim, devido à cláusula de publicidade obrigatória que eu havia estipulado, então começaram a me pressionar de tal forma que a situação atingiu o clímax. O resultado foi o seguinte: eles me ofereceram o privilégio de exercer o meu direito de assumir o meu departamento e devolver em prestações mensais o valor que haviam investido. Obviamente, eles estavam assustados com o que poderia acontecer com seu investimento caso eu falhasse na gestão do meu curso; e, no que dependesse da propaganda secreta do espião alemão, em breve eu estaria arruinado.

Aceitei a proposta deles, assumi o meu departamento, me desliguei da faculdade e continuei a trabalhar de forma independente. Ao final de um ano, havia obtido renda suficiente para pagar tudo o que devia, o que claramente limpou o meu nome perante o negócio. Todos ficaram satisfeitos e ninguém saiu perdendo. Eu havia resolvido o problema relativo ao financiamento da minha escola de forma definitiva, como se tivesse tomado o dinheiro emprestado de um banco.

A ideia opcional que eu havia adotado e aplicado para obter o dinheiro de que eu precisava foi uma combinação de dois princípios de financiamento que aprendi com Henry Ford e Andrew Carnegie. O acordo que fiz com a Bryant & Stratton era muito semelhante ao plano adotado por muitas empresas siderúrgicas menores que foram consolidadas na United States Steel Corporation, e combinava perfeitamente com a política de Henry Ford de obter capital de giro por meio de fontes que naturalmente lucravam com o uso de seu capital.

Cortei os laços com a Bryant & Stratton sem deixar para trás nenhum desafeto; mas a minha história com o aluno alemão estava longe de terminar. Com ele, estava apenas começando. A relação com meus alunos tornou-se cada vez mais tensa até que, finalmente, decidi descobrir de uma vez por todas o que havia por trás daquela mudança de atitude em relação a mim. Chamei os alunos um por um e, por meio de perguntas cuidadosas, logo descobri que, por algum motivo desconhecido, o alemão estava realizando uma campanha sutil para destruir a confiança deles em mim. Eu não conseguia ver nenhuma vantagem que ele ou qualquer outra pessoa pudesse obter com essa campanha contra mim. Dessa forma, comecei a suspeitar que ele queria obter o controle de minha escola para algum propósito que não fosse o ganho financeiro.

Fui diretamente ao Federal Bureau of Investigation (FBI) e pedi que colocassem o aluno sob observação. Eu também ia diariamente ao escritório do inspetor-chefe dos Correios, e juntos examinávamos sua correspondência antes que fosse entregue a ele. Nossa investigação logo revelou que meu aluno era um agente do governo alemão, com a missão de estabelecer-se em algum negócio em Chicago, de onde pudesse realizar sua espionagem secreta sem ser detectado.

Depois que o caso contra ele estava praticamente fechado, os agentes do Departamento de Justiça o chamaram, interrogaram-no longamente e ordenaram que ele se reportasse a eles diariamente. Quando ele descobriu quem estava por trás de sua denúncia, ficou tão furioso que entrou no escritório do procurador-geral, expediu um mandado contra mim (acusando-me de ter vendido a ele uma parte das ações da minha escola, violando a lei de valores mobiliários de Illinois) e fez de tudo para que fosse executado na mesma noite, na esperança de que eu realmente fosse para a prisão e não pudesse pagar fiança.

Antes que eu recebesse o mandado, o aluno foi até um jornal, contou-lhes uma longa história (de como ele havia sido lesado ao investir cem dólares na minha escola), mostrou a eles o mandado que o procurador-geral havia emitido e convenceu o jornal a publicar um artigo totalmente falso e altamente prejudicial sobre mim na manhã seguinte.

Quando o procurador-geral descobriu que havia sido enganado (na verdade, as ações da minha escola tinham sido compradas antes que a lei de valores mobiliários entrasse em vigor), ele arquivou o processo. Juntos expedimos um mandado para que o governo prendesse o alemão sob custódia permanente – o que logo foi concedido.

Minha escola continuou a crescer rapidamente, até que atingi a marca de mais de cem mil dólares em vendas apenas em materiais dos cursos por correspondência. Além disso, eu tinha mais de cem alunos presenciais matriculados, e cada um deles pagava uma mensalidade de 25 dólares. Eu estava não apenas ensinando publicidade e vendas, mas também divulgando em primeira mão muitos conhecimentos valiosos que mais tarde integrariam minha filosofia. A escola, portanto, era não apenas uma fonte lucrativa de renda: era também um laboratório humano, onde eu fazia testes de vital importância para a minha filosofia da realização.

## Servindo ao meu país

Tudo ia muito bem até que os Estados Unidos decidiram entrar na guerra, em 1917. Na ocasião, fui obrigado a devolver mais de cem mil dólares em mensalidades e interromper tanto as aulas presenciais quanto os cursos por correspondência.

Fui convocado para o serviço. Graças às minhas relações com Woodrow Wilson, que eu havia conhecido quando ele era reitor da Universidade de Princeton, fui dispensado de seguir com as tropas para o exterior, e assim fui designado a serviço do presidente.

Minhas tarefas eram as mais variadas. Entre outras atividades, eu escrevia discursos de quatro minutos que eram lidos por oradores em jantares sociais e reuniões sindicais, com o objetivo de inspirar a lealdade e a cooperação com nossas forças militares – bem como execrar o *kaiser* alemão e suas tropas. Eu também escrevia boletins de notícias para divulgação nas áreas industriais, onde eram fabricados os materiais de guerra.

O presidente Woodrow Wilson também me designou para algumas tarefas confidenciais na distribuição de propaganda. Uma dessas designações me colocou a serviço do Sr. Samuel Insull, no Conselho de Guerra Industrial, onde tive ampla oportunidade de servir meu país e, ao mesmo tempo, estudar de perto uma das mentes mais estranhas que já conheci. Ex-secretário do Sr. Thomas Edison (que havia se tornado magnata do setor de energia), o Sr. Insull ajudava a vender milhões de dólares em títulos de guerra.

O Sr. Insull estava então no auge de sua fama e poder, e nunca imaginei que viveria para ver o dia em que ele desistiria de seu império e se tornaria um fugitivo da lei. Mais tarde, descreverei o que aconteceu em sua poderosa aliança de MasterMind, que o fez desmoronar e o levou a um fracasso do qual ele nunca se recuperou; uma falha que não foi inteiramente provocada pela Grande Depressão, como se acredita popularmente, nem por qualquer outra coisa a não ser a própria mente de Insull.

Os benefícios que obtive ao observar o comportamento das pessoas durante a Primeira Guerra foram superados apenas por aqueles derivados da mesma experiência durante a Depressão. Esses dois eventos dramáticos serviram definitivamente ao meu propósito, como se tivessem sido encomendados como parte de meus testes de laboratório, nos quais eu poderia avaliar adequadamente cada princípio de sucesso.

Devido à natureza estritamente confidencial do trabalho de propaganda que realizei para o presidente Wilson durante a guerra, não tenho o privilégio de descrevê-lo mais detalhadamente. Mas sou livre para afirmar que todos os detalhes da guerra, tanto antes quanto depois que os Estados Unidos foram atraídos para ela, indicam claramente que esse conflito desnecessário surgiu da aplicação negativa das leis da natureza que eu havia descoberto.

A natureza do meu trabalho para o presidente Wilson me deu uma oportunidade sem precedentes de testar cada princípio de realização que eu havia descoberto e adotado até então. Tive especialmente a oportunidade de observar o que pode acontecer quando centenas de milhões de pessoas em todo o mundo de repente enlouquecem com o desejo por sangue e liberam de forma combinada a energia de seus impulsos de pensamento, fazendo assim uma aplicação negativa do princípio do MasterMind.

Essa demonstração estupenda do que acontece quando milhões de pessoas têm os mesmos pensamentos negativos também me levou a observar, com benefícios muito maiores, o que ocorreu durante a Grande Depressão, quando milhões de pessoas começaram simultaneamente a liberar os mesmos impulsos de medo – e continuaram fazendo isso em graus variados, até este momento.

Observei individualmente o que aconteceu quando homens ilustres aplicaram o princípio do MasterMind de maneira positiva, e também o que aconteceu com milhares de indivíduos que falharam porque fizeram uma aplicação negativa do princípio. A Guerra Mundial e a Grande Depressão me deram a oportunidade de observar o princípio em ação por intermédio da mente de milhões de pessoas.

De fato, tive uma oportunidade excepcional de aplicar o princípio do MasterMind de maneira eficaz enquanto realizava uma parte do meu trabalho com Samuel Insull. O serviço consistia em uma série de planos para inspirar mais entusiasmo e um espírito de cooperação mais verdadeiro entre os operários das fábricas, especialmente as dedicadas à fabricação de materiais bélicos. Eu organizava orquestras, fanfarras, quartetos e outras formas de entretenimento para os trabalhadores, e com isso animava todos os operários por meio de um programa quase contínuo, organizado de maneira que homens e mulheres pudessem se divertir enquanto trabalhavam. Escolhíamos apenas músicas adequadas, de andamento rápido, tom alegre e letras positivas, para inspirar ação física e mental rápida na mente dos trabalhadores.

Além disso, eu transformava as notícias da guerra em charges e piadas sobre o Príncipe Palhaço da Alemanha, e as dramatizava de forma a inspirar os operários e fazê-los trabalhar com mais agilidade, tanto em pensamento quanto em ação física. As notícias eram impressas em cartazes com letras grandes que poderiam ser lidas com facilidade por qualquer um dos trabalhadores, afixados em pontos estratégicos das fábricas e renovados com frequência.

Na fábrica da Winslow Brothers, em Chicago, onde três mil homens e mulheres fabricavam projéteis de munição pesada, a produção aumentou mais de 40% duas semanas após a implantação do sistema. E não apenas houve um grande aumento na produção de cada trabalhador, como também, e mais importante ainda, criou-se um espírito de cooperação harmoniosa que literalmente inundava a atmosfera do local com um sentimento de camaradagem que penetrava na mente e influenciava cada pessoa na fábrica.

Graças ao trabalho que realizei durante a Primeira Guerra Mundial, tive uma excelente oportunidade de aprender em primeira mão como a opinião pública pode ser manipulada de forma tendenciosa como meio de manter o espírito de combate, essencial para o sucesso na guerra. Com o passar do tempo, após o início da Segunda Guerra Mundial na Europa, reconheci definitivamente o fato de que poderosas influências estavam sendo exercidas sobre o presidente Franklin D. Roosevelt com o objetivo de forçá-lo a somar o poder de seu alto cargo ao poder de outros que também trabalhavam para influenciar a opinião pública contra a Alemanha. Essa é precisamente a tática usada em toda propaganda destinada a preparar as pessoas para a guerra, e é um perfeito paralelo com a psicologia aplicada durante a Primeira Guerra Mundial para inflamar a mente das pessoas contra a Alemanha.

É uma regra bem conhecida da psicologia que qualquer ideia, plano ou propósito mantido na mente por meio da repetição de declarações será finalmente aceito e posto em prática. Todo publicitário entende e usa essa psicologia. As guerras são planejadas, construídas, deflagradas e mantidas por meio de uma propaganda habilmente preparada que promove na mente do público o mesmo efeito de uma campanha publicitária bem planejada e administrada – na qual o nome de uma empresa ou produto é exibido diante das pessoas até que elas o comprem. Tanto na propaganda quanto na publicidade, o mais importante é a repetição. Foi principalmente meu conhecimento de psicologia de vendas e publicidade que me tornou valioso para o presidente Wilson durante a Primeira Guerra Mundial. Por intermédio de todas as abordagens concebíveis à mente pública, vendi a ideia de que estávamos envolvidos em uma guerra para acabar com todas as outras guerras e que a Alemanha era um inimigo perigoso que deveria ser detido, senão a civilização pereceria.

Quando chegou o pedido de armistício dos alemães, eu estava no escritório do presidente Wilson no instante em que o documento foi enviado pelo Departamento de Estado. O presidente o leu bem devagar, depois me entregou e saiu da sala. Ele retornou depois de uns quinze minutos e me entregou sua resposta, que ele havia escrito a lápis, e perguntou se eu tinha alguma sugestão para melhorá-la.

Em sua resposta ele fazia três perguntas, cuja natureza me sugeriu uma quarta.

– Senhor presidente – sugeri –, não seria útil se o senhor acrescentasse uma quarta questão, perguntando se o pedido de armistício é feito em nome das forças militares alemãs ou do povo alemão?

– Sim, sim... claro – respondeu o presidente –, isso os alertará de que devem se livrar de seu *kaiser*.

Logo após o envio da resposta, o *kaiser* abdicou e fugiu do país, e a guerra terminou.

No Dia do Armistício, em 1918, enquanto as multidões comemoravam freneticamente o fim do conflito brutal, sentei-me diante de minha máquina de escrever e redigi um pequeno documento, destinado a fornecer-me um meio drástico para consolidar todos os ganhos em conhecimento e contatos comerciais que fiz – tanto em meu relacionamento confidencial com o presidente Wilson quanto em meu relacionamento público com Samuel Insull e outros homens com quem estive associado no trabalho durante a guerra. O documento provou mais tarde ter sido tão importante para mim quanto o armistício foi para o resto do mundo, pois me trouxe liberdade e um meio de expressão por meio do qual fiz milhares de amigos em todas as partes do país; e ao mesmo tempo, espero, contribuiu muito para ratificar a Regra de Ouro como uma regra prática e desejável de conduta humana.

CAPÍTULO 3

# O NASCIMENTO DA REVISTA *HILL'S GOLDEN RULE*

Tendo aprendido com o Dr. Gates sobre as vantagens psicológicas de colocar no papel uma descrição detalhada de seus propósitos e planos de realização; tendo aprendido com Andrew Carnegie a necessidade de se mover com definição de plano e propósito; e tendo aprendido, observando o método de financiamento de Henry Ford, os benefícios de se obter capital de giro daqueles que retêm uma participação nos lucros sobre o dinheiro que fornecem, redigi meu documento de modo a incorporar nele todas essas vantagens.

Quando me sentei diante da máquina de escrever para redigir o documento, não tinha nenhuma fonte de renda definida, e a pequena quantia de dinheiro que havia restado da escola de publicidade tinha se esgotado durante meu trabalho voluntário de guerra. Financeiramente, eu estava de volta à estaca zero, onde já estivera muitas vezes antes; mas tinha ativos em forma de conhecimento que serviam ao meu propósito de forma tão eficaz quanto o dinheiro. Isso me lembra de enfatizar que, geralmente, as ideias e o conhecimento prático servem aos interesses de alguém muito melhor do que qualquer quantia de dinheiro sem o conhecimento ou as ideias.

Vamos agora para Chicago, em 11 de novembro de 1918, e olhe por cima do meu ombro enquanto datilografo esse documento que me proporcionou a primeira oportunidade de contato em âmbito nacional com a mente de homens e mulheres em todas as esferas da vida, sob circunstâncias que me permitiram entrar e explorar os locais mais recônditos da mente deles, numa época em que quase ninguém sabia para onde ir, o que fazer ou em quem confiar.

> **EU TAMBÉM DECLARO UM ARMISTÍCIO!**
> A matança em massa de seres humanos cessou; e o mundo agora precisa curar com a Regra de Ouro os danos que causou com a regra "do" ouro. Portanto, o tempo é oportuno para a publicação de uma revista inteiramente dedicada a uma interpretação popular do *Sermão da Montanha*. Tendo aprendido com a observação de homens bem-sucedidos que o melhor momento para começar qualquer coisa é o presente, e que qualquer tarefa bem iniciada já é meio caminho andado, eu aqui e agora dedico meu tempo e comprometo meus recursos de corpo, mente e alma para fundar e publicar uma revista, sob o nome de *HILL'S GOLDEN RULE*.
>
> O plano segundo o qual financiarei e publicarei minha revista é o seguinte:
>
> (a) Tendo em vista que George B. Williams tem uma gráfica com capacidade suficiente para imprimir uma revista mensal; tem capital o bastante para financiar a impressão; e está familiarizado com minha capacidade de editar o tipo de revista que pretendo publicar, darei a ele o privilégio de apoiar minha publicação até que ela se torne autossustentável.

(b) Para proteger o Sr. Williams contra perdas e compensá-lo adequadamente por seu risco, darei a ele o direito de reimprimir e vender editoriais inspiradores, artigos sobre publicidade e vendas e outros ensaios adequados para distribuição por atacado em forma de panfleto, que vou escrever e publicar na revista. Além disso, darei a ele a liberdade de receber e controlar todas as receitas em dinheiro provenientes da venda de publicidade e das assinaturas, metade das quais ele poderá reter e aplicar no custo de impressão da revista.

(c) Para garantir um número grande e imediato de assinantes da revista, vou oferecê-la a preço de assinatura por atacado aos chefes de empresas industriais e comerciais com quem entrei em contato durante minha pesquisa, para que seja apresentada por eles a todos os seus funcionários. Posso garantir a aceitação imediata e certeira da minha oferta, ministrando palestras (sem custo adicional) sobre a filosofia da realização pessoal, disponíveis para todos os funcionários para os quais as assinaturas foram adquiridas.

(d) Por meio do serviço que prestarei com a publicação da minha revista, limparei as manchas de qualquer dano que possa ter sido causado por meio da humilde tarefa que me foi designada pelo presidente Wilson na guerra.

Tirei o documento da máquina de escrever, inseri outra folha em branco e comecei ali mesmo a escrever o primeiro artigo a ser publicado no periódico ainda inexistente, tão certo eu estava da aceitação de meu plano pelo Sr. Williams. Durante vários dias, continuei a preparar o material para a primeira edição da revista. Não tendo recursos para contratar outros escritores, redigi cada palavra do material para a primeira edição, mudando meu estilo em cada artigo e usando vários pseudônimos para disfarçar minha identidade.

Quando todo o material da primeira edição estava pronto, levei-o ao Sr. Williams. Antes de abordá-lo, no entanto, comprei um belo terno cinza e um conjunto completo de roupas e acessórios apropriados: camisa, gravata, sapatos e uma bengala de cabo dourado, daquelas que podem ser penduradas pelo braço. Vesti minha roupa nova e coloquei um botão de rosa na lapela do paletó. Então, fui passear "casualmente" pela Michigan Avenue, em frente ao Illinois Athletic Club, no momento exato em que eu sabia que o Sr. Williams iria almoçar no clube.

Eu o avistei à distância de meio quarteirão, sem que ele me visse, e de alguma forma "aconteceu" de eu ficar bem no caminho dele, onde ele não poderia deixar de me ver. E com certeza ele me viu, aproximou-se e estendeu a mão. Ele me olhou cuidadosamente da cabeça aos pés e exclamou:

– Bem, eu não sabia que você era um daqueles homens de um dólar por ano![*] Mas você deve ter sido, a julgar pelas suas belas roupas. O que tem feito?

– O senhor não soube? – respondi. – Estou fazendo os preparativos para lançar uma nova revista nacional, que se chamará *Hill's Golden Rule*.

– Que interessante! – disse o Sr. Williams. – Você sabe que eu sou do ramo editorial. Então por que não me dá a chance de fazer sua impressão? Quer entrar e almoçar comigo enquanto conversamos sobre seu novo projeto?

Bem, antes que eu pudesse graciosamente recusar o convite, encontrava-me sentado com ele à mesa do restaurante do clube, e eu

---

* No original: *dollar a year men*. Nos Estados Unidos, executivos de grandes empresas e governos trabalham e recebem um salário de um dólar, usado em situações em que o indivíduo deseja trabalhar sem remuneração direta, mas por motivos legais deve receber um pagamento acima de zero para diferenciá-lo de um voluntário. O conceito surgiu em 1900, quando vários líderes da indústria americana ofereceram seus serviços ao governo em tempos de guerra. (Nota da Tradutora.)

falava enquanto ele comia. Comecei minha história pelo início, e expus os motivos pelos quais tinha certeza de que era o momento certo para a publicação de uma revista como aquela. Chamei a atenção para o fato de que, por meio de palestras públicas, poderia formar uma grande lista de assinantes. Além disso, com meu amplo conhecimento da administração industrial e comercial, eu poderia obter pedidos em massa de assinaturas corporativas para os trabalhadores do comércio e da indústria.

Quando terminamos o almoço, o Sr. Williams já tinha ouvido toda a minha história, que eu havia dramatizado da melhor forma que pude. Chegou então a hora do clímax. Enfiei a mão no bolso, saquei o editorial que havia escrito para a primeira edição da minha revista, entreguei-o ao Sr. Williams e aguardei, enquanto ele o lia.

Ao terminar a leitura, ele me devolveu o editorial e disse:

– Vou fazer-lhe uma proposta: você fornece o material para a revista e eu vou imprimi-la e distribuí-la nas bancas. Se ela vender bem, eu tiro o custo da impressão das receitas e você pode ficar com o saldo. Temos um acordo?

Em resposta, estendi minha mão e acenei com a cabeça.

O que o Sr. Williams não sabia naquele momento, e talvez nunca tenha descoberto depois, era que sua proposta (com quase todas as palavras exatas que ele havia dito) já tinha sido anotada por mim em meu pequeno caderno preto onde eu criara o hábito de anotar cuidadosamente meus objetivos e propósitos antes de buscar realizá-los. Eu havia aprendido esse hábito com Andrew Carnegie como parte da regra número um da Filosofia da Realização Americana. É a chamada definição de propósito.

Pela forma como descrevi a negociação com o Sr. Williams, ficou óbvio que cada parte dela fora cuidadosamente preparada e "encenada". As roupas novas e a bengala de cabo dourado destinavam-se não apenas a denotar ao Sr. Williams que eu estava em uma condição próspera, mas também para lembrar a mim mesmo da necessidade urgente de manter minha mente positiva enquanto executava uma transação tão importante.

Eu não tinha a intenção de enganar o Sr. Williams em relação ao potencial do plano que apresentei a ele, mas aprendi que o sucesso atrai o sucesso, enquanto o fracasso atrai o fracasso. Qualquer *expert* em vendas sabe o que teria acontecido se minha abordagem tivesse sido "negativa" em vez de "positiva".

Por exemplo, imagine qual seria o resultado se eu tivesse ido ao escritório do Sr. Williams vestindo roupas de aparência surrada e tivesse feito uma proposta da seguinte forma: "Sr. Williams, há muito tempo desejo publicar uma revista baseada na Regra de Ouro, que é o fundamento mais sólido de todas as relações humanas. O problema é que não tenho capital para realizar o empreendimento, então lhe pergunto: o senhor se importaria de financiá-lo para mim?".

Se eu tivesse feito esse tipo de abordagem, teria sido definitivamente rejeitado. Há uma característica estranha presente em toda a humanidade, que consiste no fato de que, quando um homem tem tudo de que precisa em abundância, todo mundo deseja fazer algo por ele. Mas se ele está obviamente em necessidade, dificilmente alguém fará algo por ele.

Acredito que a lei por trás dessa verdade está declarada na Bíblia, nestas palavras: "Porque ao que tem, ser-lhe-á dado; e, ao que não tem, até o que tem lhe será tirado" (*Marcos* 4:25).

Ao sentar-me à mesa para almoçar com o Sr. Williams enquanto descrevia meu projeto, minha mente estava positiva; e isso se refletia no tom da minha voz, na expressão do meu rosto e nos pensamentos que liberei; e obviamente ele aceitou e agiu em meu favor. Isso se evidencia pelo fato de que sua proposta foi feita quase com as mesmas palavras que eu havia escrito nos meus planos, em meu caderninho preto.

Eu havia conseguido um meio de imprimir a revista *Hill's Golden Rule* sem dificuldades, mas agora me deparava com outro problema: financiar escritores para conseguir o material de que eu precisava. Novamente, o senso de desenvoltura que adquiri com o Sr. Carnegie veio em meu socorro. Decidi continuar escrevendo sozinho, mudando meu estilo a cada artigo e usando vários pseudônimos. Executei esse plano por um ano inteiro, e apenas um dos meus leitores descobriu o que eu estava fazendo.

Certo dia, um médico de Portland, no Maine, veio até o meu escritório e anunciou que tinha vindo de Portland para Chicago apenas para conhecer o homem que conseguia escrever uma revista inteira, de capa a capa, mês após mês, sem se repetir, e ainda manter o conteúdo interessante. Confessei minha culpa e disse-lhe que era como a fábula do coelho e do cachorro. "Coelhos", disse eu, "não podem subir em árvores; mas certa vez conheci um coelho que tinha que subir em uma árvore, porque o cachorro estava tão perto de seus calcanhares que não havia mais nada a ser feito". E eu era o coelho.

Além de escrever todo o material que saía na revista *Hill's Golden Rule,* eu dava uma série de palestras, durante as quais os meus assistentes coletavam os pedidos de assinaturas. Além disso, devido à natureza do material que era publicado na revista, vendíamos grandes quantidades para empresas e indústrias, para distribuição entre seus funcionários.

Eu realmente acertei em cheio quando, em minha "Declaração de Armistício", afirmei minha crença de que o mundo estava pronto para suplantar a regra do ouro pela Regra de Ouro. Uma após a outra, as maiores empresas começaram a comprar a revista em grandes quantidades para oferecê-la a seus funcionários; e meu plano de dar palestras gratuitas em todas as empresas que faziam assinaturas anuais do periódico tornou-se tão popular que consumia cada minuto do meu tempo livre.

Em uma das primeiras edições da revista, dei meu primeiro passo para compensar o Sr. Williams por sua fé em mim, escrevendo um artigo intitulado "O que fazer com seus filhos e filhas". O artigo era uma forte recomendação para que todos os meninos e meninas recebessem um treinamento preparatório em uma faculdade de administração antes de qualquer profissão que pudessem seguir posteriormente. O artigo foi reimpresso em forma de panfleto e distribuído em faculdades por todo o país, com o privilégio de permitir que cada instituição imprimisse sua publicidade na contracapa.

As faculdades de administração distribuíram dezenas de milhares de folhetos para os formandos do ensino médio, que eram potenciais futuros alunos. Algumas faculdades continuaram a reeditar o livreto ano após ano, por mais de dez anos.

O último relatório que recebi sobre o número de livretos impressos e vendidos pelo Sr. Williams totalizava mais de dez milhões de cópias. Ele tinha um lucro líquido de três dólares por milheiro. Não é difícil perceber a natureza e a extensão das fontes de ganho monetário que ele usufruiu devido ao negócio incomum que fez comigo. Também escrevi e publiquei uma série mensal de artigos sobre vendas que foram, da mesma forma, encadernados e vendidos em forma de folhetos aos milhares, rendendo ao Sr. Williams outro belo lucro.

## Uma palavra de cautela

Escrevi e publiquei uma reportagem sobre um homem do petróleo do Texas, e ele gostou tanto que ordenou a reimpressão de uma edição extra de cem mil exemplares da revista – uma transação que, para minha total surpresa, estava destinada a me causar muitos problemas pessoais e uma considerável perda de reputação.

O homem sobre quem escrevi era S. E. J. Cox. Sua conduta posterior em seus negócios o envolveu em um processo federal, e posteriormente o levou a cumprir pena em Leavenworth. Descrevo brevemente minhas experiências com o Sr. Cox como um meio apropriado de enfatizar a necessidade de termos cautela ao lidar com pessoas de quem pouco ou nada sabemos.

Observando milhares de indivíduos de idades variadas que estavam em dificuldade com a lei, pude provar de forma conclusiva que todas essas circunstâncias, assim como a situação com o Sr. Cox – que causou danos quase irreparáveis à minha reputação –, são resultado da falta de cautela. A minha fraqueza pessoal de ser generoso com todos, sem que me dessem alguma garantia de honestidade, me levou inúmeras vezes a arriscar o pescoço e colocar a mão no fogo por muitas pessoas erradas.

Uma das condições para que o Sr. Cox comprasse as cem mil cópias extras da revista que trazia sua história era a minha obrigação de visitar os campos de petróleo do Texas (durante o *boom* de 1919), para estudar em primeira mão a psicologia dos homens do petróleo – alguns dos quais haviam enriquecido muito rápido –, e escrever para ele uma série de artigos com as minhas impressões. Escrevi os artigos, e eles foram utilizados com tanta eficácia que o Sr. Cox os converteu em mais de quatro milhões de dólares – dos quais não recebi nada, exceto alguns certificados de ações de aparência pomposa e impressionante. A única coisa que me salvou de problemas mais sérios foi ter descoberto casualmente que o Sr. Cox estava desviando o dinheiro de seus acionistas, o que me levou a ajudar voluntariamente o governo federal a interromper suas operações. Ele foi preso e julgado, mas escapou da condenação; logo depois, o governo o apanhou em uma acusação posterior e conseguiu prendê-lo por muitos anos.

Após ter cumprido sua pena em Leavenworth, ele apareceu um dia em meu escritório na cidade de Nova York, com uma história convincente de que havia quitado sua dívida com a sociedade e estava pronto para começar de novo, com uma ficha limpa, uma consciência limpa e uma filosofia totalmente nova baseada estritamente na Regra de Ouro. Ele me impressionou, demonstrando ser alguém que havia passado por uma mudança sincera de coração; então estendi novamente a mão amiga, apresentei-o ao meu banco e a muitos de meus parceiros de negócios, escrevi uma carta de recomendação para ele e desejei-lhe boa sorte.

Ele abriu um negócio na cidade de Oklahoma e, por vários meses, escreveu-me cartas bastante inspiradoras, informando-me do maravilhoso progresso que estava fazendo e expressando sua gratidão por eu ter aberto seus olhos para todas as bênçãos concedidas àqueles que adotam a Regra de Ouro como base de suas transações comerciais. Eu respondia às suas cartas com o entusiasmo de um profeta que se comunica com um recém-convertido, sentindo no fundo do coração uma grande satisfação por ter ensinado um de meus semelhantes a viver de acordo com a Regra de Ouro.

Antes que eu tivesse tempo de descobrir a verdadeira natureza do que estava acontecendo nas operações comerciais do meu "convertido", alguns inspetores postais entraram em meu escritório com todas as minhas cartas em mãos, exigindo que eu explicasse minhas relações com o Sr. Cox. Expliquei a eles tudo o que acabei de relatar aqui.

Na última vez em que ouvi falar do meu "amigo" da Regra de Ouro, no início de 1931, ele havia sido condenado e enviado para Leavenworth para uma segunda "estadia". Desempenhar o papel do bom samaritano pode ter suas virtudes, mas aprendi por experiência própria que também tem seus perigos. Agora também sei que o homem com um talento apaixonado para ajudar os outros está sujeito a ser explorado por qualquer pessoa mal-intencionada que deseje usá-lo.

Acredito que entendi, pela experiência que tive com aqueles que sutilmente me exploraram em prol de seus próprios objetivos, por que Henry Ford tinha uma regra inviolável em relação a todas as formas de caridade. Ford sem dúvida aprendeu, assim como eu deveria ter aprendido muito antes, que a única forma prática de caridade é aquela conduzida pelos Rockefeller, baseada na organização e distribuição de conhecimento útil; uma caridade que consiste em ajudar os outros a se ajudarem.

Quando escrevi a reportagem sobre as operações de petróleo do Sr. Cox, alguns repórteres afirmaram que eu era associado a ele, e que o governo federal havia me acusado, junto com ele, de fraudar os acionistas da minha revista *Golden Rule*. Mas não havia acionistas na revista *Golden Rule*. Meu único relacionamento com o Sr. Cox foi exatamente como declarei. No entanto, as evidências do dano causado à minha reputação por esse encontro perfeitamente natural e totalmente inocente com o Sr. Cox ainda jazem nas colunas de jornais por todo o país, e saltam de vez em quando para me atingir – tudo porque não tive cautela suficiente. Insisto em acrescentar que desde então superei essa fraqueza, mas deveria tê-la detectado na primeira vez em que me analisei pela lista das trinta principais causas do fracasso – e uma das mais importantes é a falta de cautela.

Confirmando novamente a solidez do princípio de que "toda adversidade traz consigo a semente de um sucesso equivalente", houve uma circunstância relacionada com a ajuda que dei ao Sr. Cox que compensou totalmente o dano causado pela associação do meu nome ao dele. Enquanto eu reunia os dados necessários para escrever as histórias do *boom* do petróleo, passei por uma cidade onde o Sr. Cox estava negociando a compra de uma refinaria de petróleo local. Os donos da refinaria tiveram a impressão de que uma palavra favorável minha os ajudaria a fechar a venda. Assim, um deles me abordou sobre o assunto e ofereceu um "bônus" substancial se eu desse uma olhada em sua refinaria e depois recomendasse sua compra.

Dei uma olhada e enviei um telegrama ao Sr. Cox, aconselhando-o a desistir da compra. Vários meses depois, ignorando totalmente meu conselho, ele comprou a refinaria por um preço pelo menos cinco vezes maior que seu valor real. O principal motivo para isso foi o fato de que, naquela época, eu havia descoberto sua conduta em negócios escusos e o pressionava fortemente para proteger o patrimônio daqueles que haviam investido em sua empresa, por causa do que eu havia escrito sobre ele.

Pouco depois de começar a publicar a revista *Golden Rule*, fui convidado a fazer uma palestra para os alunos da Palmer School, em Davenport, Iowa. Aceitei, nos termos em que costumava dar palestras naquela época, por uma taxa de cem dólares e despesas de viagem. Chegando a Davenport, fui recebido calorosamente pelos alunos e pela administração da escola. A viagem forneceu um material tão excelente para minha revista que me recusei a aceitar o pagamento pela palestra. Voltei para Chicago no dia seguinte, sentindo que era eu quem deveria ter pagado pelo privilégio de receber o conhecimento adquirido naquela viagem.

Na manhã seguinte à minha partida, o diretor da escola reuniu seus dois mil alunos, contou-lhes sobre minha recusa em aceitar a taxa e o motivo; então solicitou a todos que comprassem pelo menos um número da minha revista. Durante o restante daquela semana e nas semanas seguintes, recebi desses alunos mais de seis mil dólares em assinaturas. Além disso, centenas deles continuaram a ser assinantes por conta própria e permaneceram como leitores assíduos muito depois de se formarem.

Foi um bom ponto de partida, e uma enorme compensação por uma mera palestra; e também foi o início de uma série de benefícios que recebi mais tarde, e continuo a receber hoje em dia por intermédio desses mesmos alunos. Entre outros benefícios inestimáveis, tive uma demonstração muito prática da solidez do princípio de Fazer Mais do que Somos Pagos para Fazer. A partir de então, esse princípio ganhou posição de destaque em minha filosofia e foi enfatizado em praticamente todas as palestras que proferi.

Fiquei sabendo mais tarde que o diretor da Palmer School (que também era filósofo e psicólogo clínico) organizou a campanha de assinaturas entre seus alunos com o propósito de fixar indelevelmente na mente deles o valor de fazer mais do que eram pagos para fazer, e para provar para mim a solidez da minha própria filosofia.

Dois anos depois, recebi nessa mesma escola uma demonstração ainda maior sobre a importância de fazer um esforço extra. Fui um dos palestrantes convidados na convenção anual dos ex-alunos, à qual compareceram mais de dez mil pessoas. Na programação do evento estavam Arthur Frederick Sheldon (o pai da arte de vender), o governador de Iowa e mais uma dezena de outros homens ilustres, incluindo Bernarr Macfadden. A convenção durou uma semana, durante a qual ocorreu um fato que não somente me rendeu mais uma compensação pela palestra gratuita que eu havia feito em minha primeira visita, mas também gerou minha grande amizade com Bernarr Macfadden.

O Sr. Macfadden se interessou por mim devido ao espaço que os jornais locais tinham atribuído a cada um dos palestrantes da convenção. O Sr. Sheldon, que já era um excelente orador antes de eu nascer, recebeu um espaço de vinte linhas para escrever sua coluna. O Sr. Macfadden recebeu aproximadamente o mesmo espaço, junto com sua foto. O governador ganhou meia página, e todos os outros palestrantes não excediam um quarto de página cada um – enquanto meu discurso foi distribuído em três páginas inteiras do jornal, palavra por palavra, como eu o havia feito.

Esse acontecimento causou consternação entre alguns de meus contemporâneos, especialmente o Sr. Sheldon, que foi ao editor do jornal e queixou-se amargamente da preferência dada a mim. Mas a reação do Sr. Macfadden foi totalmente diferente. Ele imaginou que, se o homem mais jovem do grupo era digno de tamanha honra, poderia haver algo nele que beneficiasse um editor. Então imediatamente me procurou e tomou providências para que eu escrevesse regularmente para uma de suas revistas, por um valor contratual muito mais alto do que estava acostumado a pagar.

Alguns anos mais tarde, tive o privilégio de escrever uma coluna diária no jornal do Sr. Macfadden em Nova York, baseada na filosofia da realização pessoal, e meus recebimentos diários frequentemente chegavam a 750 dólares. Portanto, considerando que tudo isso surgiu de uma palestra gratuita que eu havia dado alguns anos antes, os benefícios que recebi foram uma prova cabal de que vale a pena fazer mais do que somos pagos para fazer.

Pela primeira vez, vou revelar ao Sr. Macfadden e aos outros um segredo que pode fazer alguns deles rirem, e outros morderem a língua. O espaço privilegiado que recebi na convenção de Davenport não foi exatamente porque meu discurso era muito melhor do que qualquer um dos outros. Por um lado, eu era mais conhecido do público por causa do evento da palestra gratuita, dois anos antes. Mas o mais importante foi porque eu tinha tomado a precaução de enviar meu secretário a Davenport uma semana antes de minha chegada, e, graças a uma negociação diplomática com o editor do jornal, meu discurso foi impresso antes mesmo de ter sido proferido.

O Sr. Macfadden entenderá e apreciará essa pequena estratégia, mesmo que nenhum dos outros o faça. Mas minha principal razão ao mencionar isso não tem nada a ver com os que estavam preocupados. Destaquei o ocorrido como uma forma de reforçar a importância de fazer tudo com definição de propósito. Meu discurso pode ter feito jus às três páginas que recebeu por puro mérito; mas desde então aprendi que o mérito, por si só, não é suficiente para garantir o sucesso. É preciso traçar planos definidos para propósitos definidos e, então, certificar-se de que nada atrapalhe sua execução. Foi exatamente isso que fiz na convenção de Davenport.

Enquanto ainda tenho em mente o nome do Sr. Sheldon, gostaria de relatar uma experiência que tive com ele logo depois que deixei a Betsy Ross Candy Company, que traz muito o que pensar para todos os que estão tentando encontrar o seu lugar ao sol. Tendo conhecido o Sr. Sheldon como sócio do Rotary Club original em Chicago, aprendi a admirá-lo. Após minha infeliz experiência com meus dois sócios no ramo de doces, decidi associar-me ao Sr. Sheldon por alguns meses, com o propósito de adquirir com ele todo o conhecimento possível, e algo que pudesse ser benéfico à filosofia da realização pessoal.

Enquanto eu estava com ele, escrevi um livreto no qual citava um dos editoriais do caderno de domingo do jornal de Arthur Brisbane, sem incluir as aspas necessárias. Quando meu erro foi notado pelo Sr. Sheldon, ele me chamou e habilmente me fez confessar que eu havia deixado de fora as aspas. Depois ele desatou a falar e me deu o sermão mais embaraçoso que já recebi na vida, que terminava dizendo:

– Existe apenas um crime entre os escritores. Não é o roubo, nem o assassinato; é o crime de usar as ideias de outra pessoa sem lhe dar o devido crédito, que é conhecido na linguagem dos literatos como plágio. Você não precisa copiar o Sr. Brisbane, porque você sabe escrever tão bem quanto ele! Mas, mesmo que não soubesse, você nunca aprenderia a fazer isso por meio da cópia. A parte mais valiosa das ferramentas de qualquer escritor consiste nas ideias que ele tem, não em sua capacidade de fazer uma descrição dessas ideias. Você nunca terá ideias próprias se tiver o hábito de pegar emprestadas as ideias de Brisbane, ou de qualquer outro.

Se houvesse um buraco no chão grande o suficiente para mim, eu teria me enfiado nele, de tão envergonhado que fiquei. Mas realmente mereci esse tratamento rude do Sr. Sheldon; tanto que comecei imediatamente a procurar uma oportunidade de provar a ele que eu apreciara o conselho que ele havia me dado.

A grande chance surgiu logo depois, quando o Sr. Sheldon teve a ideia de criar uma escola para rapazes em sua propriedade, em Illinois, e precisava desesperadamente de capital para o projeto. Ali estava a oportunidade que eu esperava. Fazendo bom uso de minhas relações favoráveis com Frank A. Vanderlip, famoso banqueiro e fundador do Federal Reserve System, entrei em contato com ele imediatamente, relatei todo o plano do Sr. Sheldon e minha concepção sobre os seus aspectos práticos, e pedi sua cooperação em relação ao financiamento.

A resposta do Sr. Vanderlip veio por telegrama, dizendo: "Gostei muito do plano educacional do Sr. Sheldon. Se você puder trazê-lo para Nova York imediatamente, cooperarei com ele em espírito e em ações".

Quando o telegrama chegou, o Sr. Sheldon estava dando uma palestra em Milwaukee. Então o enviei a ele como uma entrega especial, com uma nota escrita a lápis no final: "Por favor, responda ao Sr. Vanderlip e informe a ele quando poderemos nos encontrar em Nova York".

Para minha grande surpresa, a reação do Sr. Sheldon ao telegrama e à breve nota que escrevi foi de muita raiva. Ele não respondeu ao telegrama, mas o enviou de volta para mim com uma nota logo abaixo da minha, dizendo: "Desde quando você se tornou meu agente?". Ele ficou profundamente irritado porque agi por iniciativa própria e sem consultá-lo – embora isso o tenha colocado nas boas graças de um homem que estava disposto a ajudar, e ansioso para aliviá-lo de seu fardo financeiro.

Quando o Sr. Sheldon retornou, eu já havia partido de Chicago, deixando o dossiê completo sobre a escola para rapazes em cima da mesa dele, sem comentários de qualquer natureza. Quando ele se deu conta do que tinha feito e percebeu todo o dano que havia causado a si mesmo por sua falta de autocontrole, teve um colapso nervoso e foi parar em um hospital, onde ficou internado por várias semanas. Com esse incidente, aprendi muitas lições; entre elas, uma apreciação renovada da importância do princípio do autocontrole. A falta desse princípio custou ao Sr. Sheldon uma grande oportunidade, dessas que só aparecem uma vez na vida.

Em vista dessa experiência, é fácil entender por que o Sr. Sheldon ficou contrariado ao me ver recebendo três páginas de espaço no jornal em que ele havia recebido apenas algumas linhas.

Antes de encerrar meu relato sobre o Sr. Sheldon, sinto que é um dever e um privilégio dizer que tanto ele quanto sua filosofia, no geral, foram consideravelmente benéficos para mim. Quando o conheci, em 1914, ele era praticamente a única pessoa nos Estados Unidos empenhada em investigar as causas do sucesso e do fracasso; e os princípios que ele descobriu e incluiu em sua filosofia estabeleceram algumas bases que trouxeram benefícios tangíveis para o meu trabalho. Também não tenho dúvidas de que, daqui a 25 anos (ou talvez antes), outro filósofo poderá dizer exatamente a mesma coisa sobre a minha filosofia.

A evolução é uma das realidades inevitáveis da vida. O mundo avança, e em todas as eras o homem continua a desvendar fatos novos e até então desconhecidos. A natureza, em sua grande sabedoria, não nos entrega de uma vez todos os seus segredos; ela os revela um de cada vez, na mesma medida em que fazemos por merecê-los.

As vendas mensais da revista *Golden Rule* iam crescendo, aos trancos e barrancos; e eu continuava a escrever praticamente todo o seu conteúdo, conduzindo ao mesmo tempo uma série quase contínua de palestras sobre minha filosofia em várias empresas. Levava comigo uma máquina de escrever e aproveitava o tempo de viagem entre uma cidade e outra para fazer o meu trabalho editorial. Eu trabalhava em média dezesseis horas por dia; mas também me sentia gloriosamente bem, como qualquer indivíduo que está comprometido com o trabalho que ama.

Certo dia, recebi um telegrama de meu escritório em Chicago, informando que eu deveria parar em Janesville, Wisconsin, a convite de George S. Parker (sim, o homem da caneta-tinteiro), para dar uma palestra a alguns de seus parceiros comerciais. Enquanto eu estivesse lá, ficaria hospedado na casa dos Parkers.

Naquela noite, eles convidaram um de seus vizinhos: um homem que havia sido engenheiro-chefe de Henry Ford pouco tempo depois que eu o conheci. Com ele, obtive algumas informações privilegiadas de valor inestimável sobre o verdadeiro "eu interior" do Sr. Ford – informações que Samuel Crowther omitiu totalmente na biografia de Henry Ford *My Life and Work*. Eram informações que, até aquele momento, eu também ignorava.

Ele fez uma descrição que disse ser típica do comportamento da Ford: muito antes que as vendas da Chevrolet começassem a afetar fortemente os negócios da empresa, um grupo de técnicos, incluindo o engenheiro-chefe e seus assistentes, uniu suas mentes em uma pequena reunião particular de MasterMind para elaborar novos planos e projetos com o objetivo de melhorar a aparência do antigo modelo Ford T. Eles haviam percebido que logo chegaria o tempo em que as pessoas desejariam ter um automóvel com mais beleza no design, assim como uma maior confiabilidade de desempenho mecânico.

Assim que os projetos foram meticulosamente desenhados e colocados no papel, representando uma sofisticação avançada para aquela época, eles convidaram o Sr. Ford para avaliar os resultados de sua iniciativa e de suas ideias e, se possível, dar sua aprovação aos novos projetos. Quando o Sr. Ford chegou, ele se sentou e ouviu tudo, até que o último homem falasse. Então ele se levantou, caminhou até a mesa onde estavam os projetos recém-desenhados, pegou-os, examinou-os por um momento, depois voltou-se para o grupo e perguntou:

– Os senhores por acaso não sabem que hoje em dia vendemos mais carros do que realmente conseguimos fabricar?

– Sim – eles murmuraram em uníssono –, mas...

– Nada de "se" nem "mas" – retrucou Ford. – Enquanto vendermos mais carros do que conseguimos produzir, exatamente como estamos agora, não faremos alterações no modelo.

Depois de fazer esse breve discurso, ele se virou e saiu lentamente da sala. A equipe, perplexa, se dispersou, e todos voltaram ao trabalho.

Andrew Carnegie não teria lidado com a situação dessa maneira. Como sei disso? Porque perguntei diretamente a ele, enquanto analisávamos juntos a filosofia da Ford. Ele afirmava que seu próprio método de obter os melhores resultados junto aos seus parceiros comerciais era dar a eles todo o incentivo possível, mas também acrescentar algo mais tangível do que meras palavras, em forma de recompensa financeira. Ele se esforçava para ajudar seus parceiros a ficarem ricos, proporcionando que alguns deles ganhassem, em bônus e salários, mais de um milhão de dólares em um único ano.

O Sr. Ford parecia não estar interessado em ajudar seus associados a ficarem ricos. Na verdade, enquanto os irmãos Dodge e James Couzens chegavam ao ponto de receber dividendos que o Sr. Carnegie pagava voluntariamente, Ford estava rompendo com eles. No entanto, eles saíram do negócio com uma grande soma em dinheiro – prova de que o Sr. Ford honrava seus compromissos, mesmo quando rompia com alguém.

Quando parti de Janesville, o Sr. Parker me levou até a pequena estação ferroviária e sentou-se comigo por alguns minutos antes que o trem chegasse. Quando eu ia embarcar, ele segurou minha mão, colocou o braço em volta do meu ombro e disse:

– Eu o convidei até aqui para que pudesse ver com meus próprios olhos se a sua crença na Regra de Ouro era sincera. Agora que conheço as intenções do seu coração, tenho apenas uma coisa a dizer: enquanto viver, você nunca saberá o tremendo bem que está fazendo por meio de sua pequena revista.

Em meu caminho de volta para Chicago, essas palavras ecoavam em minha alma! Eu me perguntava se o Sr. Parker estava certo. Ao longo dos anos, suas palavras sempre reapareciam e me saudavam, geralmente quando eu estava em algum tipo de conflito com alguém, ou sofrendo outro revés nos negócios.

Sua gentileza foi outra experiência que me convenceu de que nenhuma filosofia de relacionamento humano poderia ser completa a menos que abraçasse definitivamente a Regra de Ouro. Devido à influência daquele breve discurso, revisei completamente meu método pessoal de me relacionar com os outros, de tal forma que adotei uma política definitiva de nunca revidar aqueles que me caluniavam.

O Sr. Parker, mais do que qualquer outra pessoa, me fez chegar à seguinte conclusão: o tempo que um homem gasta revidando os caluniadores seria mais bem aproveitado se ele o dedicasse a alguma forma de ajudar os outros. Aqueles que se destacam na multidão, em qualquer forma de empreendimento, sempre estão sujeitos a ser alvo de palavras caluniosas; mas revidar é algo que leva tempo, e não nos leva a nada. Essa foi uma verdade que tive de aprender a duras penas e de forma bastante eficaz, enquanto publicava, editava, vendia, distribuía e administrava a revista *Golden Rule*.

Logo após o lançamento da primeira edição da revista, ouvi falar de um alfaiate em Cincinnati chamado Arthur Nash, que tinha literalmente arrebatado o negócio das mãos do xerife, quase irremediavelmente falido, e o convertera em um negócio lucrativo. Ele conseguiu fazer isso apenas mudando a estratégia comercial, de modo a obter de seus funcionários algo mais do que as horas reais que eles dedicavam ao trabalho.

Fui até Cincinnati e fiquei com o Sr. Nash por uma semana inteira, para estudar esse "milagre": como ele tinha definitivamente ressuscitado uma empresa falida, fazendo com que ela gerasse lucro? O "milagre" consistia apenas no fato de envolver seus funcionários no negócio. Isso mudou tanto a atitude mental deles em relação a si mesmos e ao trabalho que cada um deles produzia quase três vezes mais do que antes.

Percebi claramente que o Sr. Nash havia aplicado o princípio do MasterMind e, ao fazê-lo, havia recrutado o espírito, bem como a cooperação física, de todas as pessoas que trabalhavam em sua alfaiataria. A união de seus esforços foi exatamente o que fez a diferença entre um negócio lucrativo e um negócio que perdia dinheiro.

Escrevi uma matéria sobre a conquista de Nash, enfatizando o conceito da Regra de Ouro, que mencionei como o verdadeiro poder que provocou a mudança em seus negócios. Eu me referi a ele ao longo do artigo como "o Nash da Regra de Ouro". O apelido "pegou" e o acompanhou pelo resto da vida. A imprensa soube da história, e todas as revistas começaram a publicar matérias sobre o milagre de Nash. Estimava-se que o Sr. Nash havia recebido publicidade gratuita em jornais e revistas no valor de milhões de dólares. Minha pequena revista *Golden Rule* havia tornado o Sr. Nash famoso, algo que me deixava realmente orgulhoso; mas meu ato estava destinado a me causar uma grande dor de cabeça durante os dez anos seguintes.

## Surge a minha "nêmesis"

Meu rival era um velho homem chamado Bob Hicks, que havia começado a publicar uma pequena revista sob o nome de *Specialty Salesman,* dedicada aos interesses de pessoas que vendem quinquilharias de porta em porta. Parece que o Sr. Hicks tinha um complexo de superioridade, ou talvez fosse um complexo de inferioridade. De qualquer forma, ele parecia estar obcecado com a crença de que tinha o privilégio de usar o termo *Regra de Ouro,* e se ressentiu profundamente por eu publicar uma revista com esse nome. Assim que a história de Nash saiu na minha revista *Golden Rule,* o Sr. Hicks correu até Cincinnati, formou algum tipo de aliança com o Sr. Nash e começou a explorá-lo como uma descoberta sua.

Nos anos seguintes, sempre que possível, ele fazia a mesma coisa em relação a todas as pessoas proeminentes que eu apresentava na revista *Golden Rule.* Ao mesmo tempo, realizava uma campanha contínua de difamação da minha pessoa, quase me pintando como aquele sujeito com cascos, chifres e cauda pontiaguda. Lembrando-me das palavras do Sr. Parker, prossegui com o meu trabalho como se não existisse nenhuma pessoa chamada Bob Hicks, pretendendo assim não apenas pregar a Regra de Ouro, como também aplicá-la.

Ao mesmo tempo, o espião alemão que eu tinha ajudado a deter durante a Primeira Guerra se aliou a um dos funcionários da minha própria revista. Eles formaram uma aliança profana e iniciaram uma campanha com o objetivo de me aniquilar. O funcionário da minha revista era um jovem que eu havia tirado de um emprego como folguista em uma siderúrgica, colocando-o para trabalhar em nosso escritório para ajudar minha secretária enquanto eu estava fora, dando palestras. Ele aproveitava a minha ausência como uma oportunidade favorável para envenenar a mente do Sr. Williams, o responsável pela impressão da revista, dizendo-lhe que não era minha habilidade que fazia a revista vender tão rapidamente, mas sim o nome da publicação em si.

Com esse jovem chamado Benedict Arnold causando intrigas do lado de dentro, e meu novo rival, Sr. Hicks, semeando propagandas venenosas do lado de fora, o velho Sr. Williams teve um acesso de raiva e praticamente me escorraçou, embora eu já tivesse voluntariamente dado a ele metade da participação nos lucros da revista. Ele se tornou uma pessoa tão difícil de lidar que comecei a ficar muito infeliz com o nosso relacionamento. A gota d'água veio quando meu jovem e desleal protegido, que mal sabia ler e escrever, induziu o Sr. Williams a alterar meus editoriais e publicar outros escritos sem meu conhecimento ou consentimento prévio.

A revista estava então em seu segundo ano e ia muito bem, tendo obtido um grande lucro líquido no primeiro ano. Mas eu não estava feliz com as pessoas à minha volta, e comecei a perceber com mais clareza por que o Sr. Carnegie havia enfatizado a importância da perfeita harmonia entre as pessoas como uma condição primordial para o sucesso. Meu trabalho não era mais um ato de amor, mas sim uma labuta na qual eu já não tinha mais interesse.

Num belo dia, no ano de 1921, coloquei meu chapéu, vesti o casaco, saí do escritório sem me despedir e entreguei ao Sr. Williams a outra metade de meu querido rebento cerebral.

Pouco tempo depois, ele achou conveniente dispensar os serviços do empregado que destruíra aquele bom negócio, bem como uma amizade ainda mais nobre. Soube que o segundo ano da revista fechou com grande prejuízo. Ele continuou a publicar a revista por mais onze anos, mas a única menção elogiosa que recebi dele foi uma declaração feita a Stuart Austin Wier, vários anos depois: "Quando Napoleon Hill saiu da minha vida, algo insubstituível foi embora com ele".

Há pouco tempo, eu andava pela rua em Nashville, Tennessee, quando avistei à minha frente uma criatura de aparência estranha, pesando aproximadamente 130 quilos, usando uma cartola e um terno dois tamanhos acima, com um cabelo que caía até os ombros. Quando o alcancei, fiquei surpreso ao ver que era o meu ex-funcionário. Ele tinha decorado algumas lições sobre psicologia aplicada que eu havia escrito e publicado na revista *Golden Rule*, e na ocasião estava "palestrando" em Nashville, apresentando-se como psicólogo especialista e licenciado. Enquanto eu seguia em frente, depois de conversar com ele por tempo suficiente para ouvir sua história, eu murmurava comigo mesmo: "Mundo estranho, pessoas estranhas".

A revista *Golden Rule* acabou sendo incorporada a outra publicação no campo religioso cristão. George B. Williams e Bob Hicks seguiram para a terra dos pés-juntos, o ex-funcionário de 130 quilos floresceu como um "especialista" na ciência da mente, e eu ainda estou lutando para entender por que as pessoas tornam a vida muito mais pesada do que deveria ser, seja por negligência, seja pela recusa em se relacionar harmoniosamente com os outros.

Acredito ter encontrado a resposta na lei natural que descobri recentemente; mas, quanto a isso, você poderá julgar por si mesmo depois de ler a minha análise sobre ela. Agora estou tentando dar a você uma imagem precisa dos fracassos, adversidades e experiências desagradáveis por que passei antes que pudesse reconhecer e fazer uso dessa lei natural à qual me refiro.

Depois de romper meu vínculo com a revista *Hill's Golden Rule*, mudei-me para a cidade de Nova York e, com o dinheiro que havia economizado, além de uma pequena quantia fornecida por vários amigos, comecei a publicação da *Napoleon Hill's Magazine.*

Foi nessa ocasião que ouvi de Bernarr Macfadden que eu tinha feito o "impossível", lançando uma revista nacional sem nenhum capital de giro e fazendo com que ela desse lucro no primeiro ano. Contei a ele sobre minha experiência em relação à *Hill's Golden Rule* e expliquei que tinha feito o projeto gerar um lucro líquido de cerca de três milhões de dólares no primeiro ano. Então ouvi algo que me deixou terrivelmente assustado.

– Isso seria impossível – disse o Sr. Macfadden. – Quando lanço uma nova revista, preciso ter um milhão de dólares para custeá-la, e as chances de receber meu dinheiro de volta ou perdê-lo são as mesmas.

– Bem – respondi –, então devo ter feito o impossível.

Grandes gotas de suor brotaram em minha testa. Comecei a pensar como teria sido terrível se eu soubesse de antemão que não era possível começar uma revista nacional sem ter um capital de giro, e muito menos fazê-la dar lucro. Eu tinha sido muito ingênuo: não sabia que aquilo era impossível; apenas fui em frente e fiz.

Muitas vezes me perguntei, desde a minha conversa com o Sr. Macfadden, se a maioria das grandes conquistas não foi obra daqueles que não sabiam de antemão os problemas que encontrariam na realização de seus objetivos. Muitas vezes me perguntei se teria coragem de assumir a tarefa de vinte anos que Andrew Carnegie me designou se soubesse de antemão os perigos e dificuldades que estava destinado a enfrentar antes de atingir meu objetivo.

*"A mão do destino escreve, e, tendo escrito,*
*Ela segue em frente. Nem toda a sua piedade ou sagacidade*
*Pode fazê-la recuar para apagar meia linha,*
*Nem todas as suas lágrimas lavam uma palavra sequer."*
(Omar Khayyam)

Meu destino ainda não estava traçado. E algo dentro de mim, um eterno espírito de inquietação, me conservava internamente consciente de que o meu futuro ainda estava diante de mim, e não atrás.

A Filosofia da Realização Americana ainda não havia sido compilada, e eu ainda não tinha provado que ela seria capaz de resolver meus próprios problemas. Reconheci que eu não atingira o sucesso nem o fracasso, mas estava em algum lugar perdido na selva entre esses dois extremos, e estava determinado a encontrar uma saída sem pedir ajuda a ninguém. Essa foi uma batalha entre mim e meu "outro eu".

Enquanto eu passava por essa "prova de fogo" na vida, muitas vezes ponderei sobre uma lição que aprendi com meu avô quando eu era menino. Certo dia, encontrei um gafanhoto tentando sair do casulo. Ele abriu caminho pelo solo e prendeu os pés na casca de uma macieira, onde o encontrei lutando para se libertar. O casulo havia se rompido, deixando o dorso do inseto à mostra, e eu podia vê-lo tentando sair; então decidi quebrar a casca e ajudá-lo a nascer, quando meu avô gritou: "Não faça isso! Se você ajudá-lo a sair, ele nunca poderá voar".

Percebi mais tarde na vida o quanto essa lição que aprendi com o inseto simbolizava a experiência do homem. Devemos crescer, nos desenvolver e adquirir visão não por meio da ajuda e da comodidade oferecidas pelos outros, mas sim pela luta em nossas próprias experiências.

Alguns anos depois de minha experiência com o gafanhoto, aprendi outra lição com meu avô, que me deixou uma impressão profunda e duradoura quando comecei a observar como o homem se torna forte apenas por meio da luta. Certo dia, meu avô me perguntou se eu gostaria de ir com ele até a ferraria para bombear o fole, enquanto ele fazia algumas ferraduras. Fiquei animado com a ideia, pois sempre desejara colocar as mãos naquela ferramenta.

Quando a fornalha estava quente, meu avô pegou uma barra de metal, colocou-a no fogo até ficar vermelha, depois tirou-a e começou a batê-la na bigorna, com um martelo pesado.

"Que maneira estranha de fazer uma ferradura", pensei comigo mesmo. "Primeiro ele queima o metal, depois pega um martelo e o transforma em uma forma estranha." Mas depois que ele colocou o metal de volta na fornalha várias vezes e bateu nele várias vezes, ele começou a tomar a forma de uma ferradura. Sem o fogo e sem o martelo, não haveria ferradura.

Ao olhar para trás em minha carreira, posso ver agora que qualquer sabedoria que eu possa ter adquirido veio das queimaduras e pancadas que levei ao longo do caminho. Sem essas queimaduras e pancadas, o desfecho da minha história teria sido diferente (e você ainda não o leu). Sem a ajuda da luta, eu nunca teria revelado a fórmula pela qual os obstáculos da vida podem ser convertidos em trampolins, como descrevi em tantos livros que escrevi.

Quando o Sr. Macfadden me informou que o lançamento de uma nova revista exigia um orçamento de pelo menos um milhão de dólares para seu custeio, com chances de não receber esse dinheiro de volta, minha capacidade, fé e perseverança foram novamente colocadas à prova. Sempre lamentei que ele tivesse me dado essa informação, pois acredito que isso teve alguma coisa a ver com o fracasso do meu novo projeto.

## Uma experiência na prisão

Um dia, pouco depois que a primeira edição da minha nova revista tinha chegado às bancas, recebi uma das cartas mais estranhas que já tinha visto. Veio de um jovem que cumpria uma pena de vinte anos por falsificação, na penitenciária estadual de Ohio, em Columbus. Ele relatava os fatos interessantes do caso que o levou à sua condenação, e dizia que era graduado em uma famosa universidade.

A parte de sua história que mais me interessou foi um plano engenhoso que ele elaborou desde seu confinamento na prisão, pelo qual ele estava dando o que chamou de "curso por correspondência atrás das grades" para cerca de 1.500 detentos então encarcerados na prisão de Ohio. Ele pedia que eu visitasse a prisão e inspecionasse seu sistema, e foi o que fiz. Na verdade, fiquei tão profundamente interessado no serviço prático e benéfico que ele estava prestando que comecei imediatamente a buscar meios para obter sua liberdade, para que ele pudesse continuar seu trabalho em condições mais favoráveis.

Depois de quase um mês de esforço contínuo, em que tive a simpática cooperação do diretor P. E. Thomas, finalmente consegui convencer o governador Victor Donahey (mais tarde senador dos Estados Unidos por Ohio) de que o jovem condenado seria mais útil para a prisão e para si mesmo se estivesse em liberdade. Enquanto isso, organizei uma instituição de ensino legalmente constituída com o objetivo não apenas de intensificar o sistema educacional iniciado pelo meu novo protegido, mas também de estender o sistema a todos os outros presídios, estaduais e federais, por todo o país.

O governador Donahey analisou o plano e concedeu ao meu protegido um perdão condicional, colocando-o sob minha responsabilidade. No dia em que ele deixou a penitenciária, os representantes da imprensa estavam à minha disposição para escrever a história sobre os seus antecedentes e o propósito de sua libertação; e os representantes do cinejornal também estavam ali para tirar fotos do acontecimento. No dia seguinte, e durante mais de um mês, a história ganhou espaço em praticamente todos os jornais do país – alguns deles em primeira página, com espaço de uma coluna inteira e manchetes em letras garrafais.

Quando meu protegido passou pelo portão principal da penitenciária, peguei-o pela mão e disse:

– Espero que você perceba que, apesar de ter a marca da prisão em você, esta oportunidade será um novo começo para sua vida, melhor do que no dia em que se formou na faculdade. Espero que a aproveite ao máximo.

E isso era verdade. Ele tinha a faca e o queijo nas mãos; bastava apenas cortar.

Todos que o viam sempre estavam prontos para ajudar. O mundo é assim, quando alguém – por acaso ou por escolha – se relaciona com outras pessoas de maneira adequada. A verdade é que meu protegido destrancou a porta da prisão e conquistou a própria liberdade pela maneira construtiva como se relacionava com os funcionários da prisão e os outros detentos. Meu papel em sua libertação foi irrelevante – um fato que eu soube muito bem quando o governador Donahey declarou, ao me entregar o indulto: "Eu não teria feito isso se o jovem não o merecesse".

No dia seguinte, levei meu protegido para Scranton, Pensilvânia, onde nos encontramos com Ralph Weeks, presidente da International Correspondence Schools. Depois de ouvir nossa história, ele presenteou nossa recém-criada escola prisional com 35 mil dólares em livros didáticos, e nos ofereceu uma ajuda mensal de quatrocentos dólares para as despesas administrativas. Tudo isso ocorreu poucas horas depois de nossa chegada a Scranton.

Voltamos para Columbus, e comecei imediatamente a trabalhar aplicando as regras do princípio da realização que havia aprendido com o Sr. Carnegie e os outros. Em duas semanas, criamos um plano de financiamento suficiente para cuidar de nossas necessidades imediatas de ensino de forma permanente e, ao mesmo tempo, levantar fundos suficientes para estender nossa escola a outras prisões.

O plano era muito simples: consistia em fazer uma análise completa do caráter pessoal de cada detento, com a ajuda do questionário que eu já havia utilizado na organização de minha filosofia;

em seguida, vários membros de nossa equipe fariam discursos nos Rotary Clubs, nas câmaras de comércio, em igrejas e outros lugares, e "venderiam" a imagem desses prisioneiros para os membros da plateia. Ou seja, o plano era induzir as pessoas a examinarem o perfil (elaborado de acordo com o questionário) de pelo menos cem prisioneiros, e escolher um deles ou mais para ser apadrinhado. A taxa fixa era de cinquenta dólares por homem, destinada a cuidar de sua educação.

Na pequena cidade de Shelby, Ohio, onde colocamos o plano em prática pela primeira vez, os membros da câmara de comércio local "apadrinharam" dezesseis prisioneiros e nos pagaram oitocentos dólares. Mais tarde, soube que o investimento havia sido tão efetivo que oito deles já haviam conquistado o direito à liberdade, e os demais estavam em vias de fazê-lo.

A psicologia do plano era maravilhosa. Mudou toda a atitude dos prisioneiros que participavam do programa educacional, encorajando-os a se preparar para sair da prisão por meio da transformação de seus sentimentos e mentalidade.

Mas como quase todos os planos já realizados em associação com políticos, esse belo projeto, tão rico em possibilidades de beneficiar o próximo, estava destinado a ir por água abaixo. E esta foi a razão: eu ainda não tinha aprendido a ter cautela ao me relacionar com os outros. Quando organizei a estrutura legal do empreendimento, ele foi constituído como uma instituição educacional sem fins lucrativos, com um quadro societário de três diretores: um era o capelão da prisão, outro era seu amigo pessoal (um político), e eu era o terceiro.

A escola mal havia começado a funcionar quando se tornou óbvio que seria convertida em um esquema político dos mais mesquinhos. Discretamente, escrevi para Ralph Weeks, presidente da International Correspondence Schools, dando-lhe uma descrição detalhada do que realmente estava acontecendo com o meu projeto, e então levantei acampamento e voltei para Nova York. O Sr. Weeks interrompeu o pagamento das despesas mensais, e os dois políticos assumiram o que restava da escola. Pouco tempo depois, meu protegido voltou a ter problemas com a lei e foi mandado de volta para a prisão.

Mas os meus problemas não haviam terminado! Na verdade, eles estavam apenas começando. Quando os responsáveis pelo fracasso da escola prisional souberam que eu havia cortado a sua fonte principal de renda, por meio de meu relatório ao Sr. Weeks, recorreram imediatamente à estratégia mais antiga (e creio que seja a mais nefasta) com a qual os seres humanos frequentemente se degradam. Eles uniram forças com meu autoproclamado rival, Bob Hicks, e juntos fizeram o mais amargo e calunioso ataque já feito contra mim, por meio de sua revista – um feito pelo qual ele já havia sido processado e condenado.

E isso não foi tudo. Enquanto eu estava fora de Nova York, Bob Hicks matriculou um de seus subordinados em um de meus cursos, com instruções para envenenar a mente de todos os alunos e iniciar uma rebelião contra mim. Para completar o trabalho que havia começado, ele também comprou a hipoteca da minha nova revista (que tinha sido oferecida como garantia pela gráfica), e, quando sua caluniosa história foi divulgada, isso perturbou tanto minhas relações comerciais que foi impossível salvar minha propriedade.

Não satisfeito com a quantidade de sangue que havia tirado de mim, ele fez exigências tão insistentes ao Departamento dos Correios que eles finalmente fizeram uma investigação abrangente sobre a falência da minha revista, cujo resultado pode ser resumido nas palavras do Sr. Battle, o inspetor-chefe dos Correios de Nova York: "Depois de uma investigação completa do Sr. Hill e de seus negócios, é evidente que o que seus inimigos querem é uma perseguição, não um processo". O caso terminou com um atestado de idoneidade para mim, mas isso não desfez os danos que eu já havia sofrido.

Se os anos não tivessem me ensinado melhor, eu estaria aqui inclinado a angariar simpatia e oferecer uma desculpa legítima para justificar minhas dificuldades. Mas a verdade é esta: minha falta de cautela ao me relacionar com os outros foi a causa dessas dificuldades. Alguns métodos simples de precaução, como Andrew Carnegie ou Henry Ford certamente teriam empregado se estivessem em meu lugar, teriam me poupado todo esse trabalho, sem mencionar que salvariam minha propriedade e o dinheiro investido na revista por meus amigos.

Não tenho justificativas, e não ofereço álibis. Falhei porque mereci fracassar, mas me alegro em poder dizer com sinceridade que o meu fracasso foi devidamente compensado pelas mudanças que fui obrigado a fazer em meu método de me relacionar com os outros a partir de então.

A semente de uma vitória equivalente que surge de cada adversidade, que germinou com a minha primeira e última tentativa de ajudar alguém a sair da cadeia, produziu frutos de benefícios duradouros para milhares de pessoas que hoje estão confinadas na prisão. O plano deu a Ralph Weeks uma nova ideia: ele abriu para sua escola uma nova fonte de captação de alunos entre os presidiários. Até então ele nunca havia pensado na possibilidade de vender cursos por correspondência em presídios.

E ainda chegará o dia, espero, em que uma pessoa qualificada para fazer esse trabalho da forma adequada assumirá o plano que tracei e o estenderá a todas as prisões estaduais e federais do país, e especialmente às instituições correcionais para meninos e meninas.

Minha revista tinha sido roubada de mim, meu dinheiro estava perdido e minha reputação estava gravemente prejudicada. Mais uma vez eu estava de volta à estaca zero, e aparentemente não estava mais perto de meu objetivo do que quando comecei. No entanto, a condição era apenas aparente. Na verdade, eu estava mais perto do meu objetivo do que nunca, embora ainda tivesse que passar por um trecho muito mais perigoso do "vale da sombra da morte".

Eu começava a entender muito mais claramente alguns dos conselhos que os homens de sucesso haviam me dado, e sinto-me no dever de dizer uma coisa: duvido que teria coragem de continuar se eles não tivessem me ensinado a procurar um bem equivalente em todo mal. Enfatizo esse pensamento pois sei muito bem que muitas pessoas desistem quando estão a apenas um ou dois passos de alcançar o sucesso, apenas por terem perdido a esperança. Se as pessoas entendessem que todo fracasso traz consigo, de uma forma ou de outra, a semente de um sucesso equivalente, teriam um incentivo para continuar.

Nunca penso em Samuel Insull – o homem público e magnata das ferrovias mencionado anteriormente, que ajudou a vender títulos de guerra para o presidente Wilson e mais tarde foi acusado de fraudar investidores, mas foi inocentado – sem que me lembre desse princípio. A principal causa de sua queda foi ter se perdido e ficado à deriva quando veio a Grande Depressão. Isso causou a ele sequelas físicas e espirituais que sua mente não estava preparada para enfrentar.

De certa forma, tanto o Sr. Insull quanto eu cometemos o mesmo tipo de erro. Eu fiquei vulnerável à derrota ao me desviar para o projeto da escola prisional, deixando de dedicar o tempo necessário à minha revista. Insull se tornou vulnerável à derrota muito antes da emergência criada pela Grande Depressão, aceitando ser bajulado por um bando de vigaristas que o persuadiram a dar livremente tanto seu tempo quanto seu dinheiro.

Já que estamos falando sobre o Sr. Insull, acredito que seja apropriado reconhecer aqui um dos muitos favores que ele me concedeu. Quando vi que minha revista tinha sido destruída sem dó nem piedade, voltei a atenção mais uma vez para Ohio – pois o lugar onde se perde algo de valor é o lugar mais apropriado para voltarmos e procurá-lo.

Meu dinheiro tinha acabado. Portanto, fui visitar o Sr. Insull em Chicago, expliquei minhas circunstâncias e a causa de meu constrangimento, e pedi a ele mil dólares emprestados. Ele me deu o dinheiro sem hesitar, comentando enquanto o entregava: "Mesmo que você não possa devolver, ainda assim sentirei que serviu a um propósito merecido".

Em uma ocasião anterior, eu havia apelado para o Sr. Insull em nome de A. F. Sheldon, um grande amigo meu em Chicago, notável autor e palestrante na área comercial. No final de 1915, Sheldon estava prestes a perder sua propriedade em Illinois, e o Sr. Insull emprestou a ele cinco mil dólares, dizendo: "Enquanto você precisa de milhares de dólares, preciso de milhões; mas vou emprestar os cinco mil de que precisa, pois você está fazendo o bem, mais do que qualquer outra pessoa em Lake County, Illinois".

Apesar de tudo, ainda havia traços de genuína generosidade no Sr. Insull; e pelo que sei, essa pode ter sido uma das principais causas de sua queda. Não consigo imaginar Henry Ford ou Andrew Carnegie deixando sua generosidade falar mais alto, e talvez por isso ambos tenham resguardado suas fortunas.

Durante minha estada em Chicago para pedir os mil dólares emprestados ao Sr. Insull, eu planejava embalar e despachar alguns de meus preciosos pertences pessoais que ainda estavam guardados, por segurança, na gráfica da minha antiga revista. No lote, havia um retrato autografado do presidente Wilson, no qual ele havia escrito: "Para um dos meus trabalhadores silenciosos mais confiáveis – Woodrow Wilson". Havia também muitas cartas e anotações do "Presidente da Guerra", algumas escritas enquanto ele ainda era reitor da Universidade de Princeton, outras enquanto era governador de Nova

Jersey, e outras depois que ele entrou na Casa Branca. Muitas de suas anotações eram rabiscadas em folhas de papel comum, a lápis, e apenas assinadas com suas iniciais "W. W.". Eu apreciava particularmente uma que foi escrita logo depois que enviei a ele uma sugestão que resultou na criação do programa Four-Minute Speech (Discurso de Quatro Minutos), realizado em todo o país como um meio de estimular a compra dos títulos de guerra da Liberty. Nessa nota, ele escreveu: "Sua ideia é tão obviamente prática que será executada imediatamente. Isso economizará tanto tempo quanto dinheiro".

Eu também tinha guardado fotos autografadas do Dr. Bell e do Dr. Gates, junto de uma correspondência pessoal inestimável de ambos, e muitas cartas do banqueiro Frank A. Vanderlip – uma das quais eu nunca poderia dispor por preço algum: a primeira carta que recebi do Sr. Vanderlip. Duvido que qualquer um tenha escrito em três páginas um material tão inspirador e instigante quanto o daquela carta.

Minha coleção incluía, também, as cartas de recomendação escritas para a LaSalle Extension University em meu nome, quando eu era candidato ao cargo de gerente de publicidade. Entre elas estava a carta mais incomum que um presidente já escreveu em nome de um cidadão comum. Foi essa carta do presidente William Howard Taft, mais do que qualquer outra, que influenciou a diretoria da LaSalle a colocar um homem tão jovem como eu no comando de sua área de publicidade e vendas.

Havia também uma série de cartas e uma fotografia autografada do *Señor* Manuel L. Quezón, então comissário residente das Filipinas, que mais tarde se tornou o primeiro presidente das Ilhas.

Além de todos esses itens, havia milhares de respostas confidenciais aos meus questionários, que recebi enquanto fazia minhas pesquisas sobre a filosofia da realização. Eram de homens como o botânico Luther Burbank, Thomas A. Edison, o magnata da navegação Robert Dollar, o varejista John Wanamaker e outros de igual fama e sucesso. Eu também tinha uma coleção de cópias dos curtos editoriais diários do Sr. Wanamaker. Ele os escrevia para a propaganda de sua loja, assinava e depois me enviava com seus cumprimentos, juntamente com muitas notas e comentários.

Dirigi-me até o local onde meus preciosos pertences estavam guardados, preparado para levá-los comigo. Ao chegar, descobri que o local tinha sido destruído pelo fogo. Meus tesouros inestimáveis se foram! Meu coração ficou apertado; caí de joelhos na calçada diante do prédio carbonizado, que havia sido fechado com tapumes.

A perda da minha segunda revista me custara todo o dinheiro que eu tinha e muito sofrimento. Minha confiança no ser humano havia sido terrivelmente abalada pela perfídia dos políticos de Ohio, que destruíram a escola prisional que eu havia idealizado. Mas essas perdas não eram nada se comparadas à destruição de coisas que nunca poderiam ser restauradas; coisas associadas às lembranças dos meus maiores benfeitores, numa época da minha vida em que o reconhecimento deles era praticamente o único bem real que eu tinha.

Eu me recompus, como sempre fazia quando o infortúnio me atingia. Naquele momento, cheguei à conclusão de que nunca mais daria tanta importância a qualquer coisa material. Essa foi uma das decisões mais benéficas que já tomei, porque me preparou para suportar a Grande Depressão, ver minha bela propriedade de seiscentos acres ser perdida para sempre e ver cada dólar que eu tinha no mundo se esvair na falência de bancos sem me causar a menor dor no coração.

Ainda tenho alguns documentos muito valiosos, como os que perdi no incêndio de Chicago; mas estão espalhados por aí, como se não tivessem valor. Agora sei que os verdadeiros valores que recebi das pessoas não estão nas cartas que me escreveram, mas sim naquela porção que ofereceram de si mesmas: a cooperação amigável, o privilégio de aprender com elas e usufruir de bom grado a sua experiência.

Assim, embarquei no trem de volta para Ohio com o coração pesado pela perda de meus pertences pessoais, mas sem saber que ia em direção a outro perigo que quase custou a minha vida; um perigo que acabaria com as bases do meu trabalho de uma vida inteira e, por fim, custou-me a perda de um grande amigo e parceiro de negócios – Don Mellet, editor do *Daily News* de Canton, Ohio. Mas antes dessa desventura em Canton, fiz algumas paradas em Columbus e Cleveland.

## CAPÍTULO 4

# OUTRA IDEIA PARA GANHAR DINHEIRO

No final do outono de 1923, o destino forçou outro desvio brusco no curso da minha vida quando me vi encalhado e sem dinheiro em Columbus, Ohio; e pior ainda, sem um plano para sair daquela dificuldade. Foi a primeira vez na vida que realmente fiquei preso por falta de dinheiro. Muitas vezes antes, já havia ficado na "pindaíba"; mas nunca ficara desprovido do necessário para minhas despesas pessoais. Aquela experiência me surpreendeu.

Eu estava totalmente perdido quanto ao que poderia ou deveria fazer. Pensei em uma dúzia de planos para resolver meu problema, mas descartei todos eles por serem impraticáveis ou impossíveis de realizar. Senti-me como alguém perdido em uma selva sem bússola. Cada tentativa que eu fazia para sair me levava de volta ao ponto de partida.

Por quase dois meses, sofri com a pior de todas as doenças humanas – a indecisão. Eu sabia quais eram os princípios de realização pessoal que já havia descoberto, mas o que eu não sabia era como aplicá-los! Sem saber, eu estava enfrentando uma daquelas urgências da vida por meio das quais, segundo o Sr. Carnegie, um homem às vezes descobre seu "outro eu".

Minha aflição era tão grande que, por muito tempo, não me detive para analisar as causas e buscar a sua cura.

Numa bela tarde, tomei uma decisão, por meio da qual encontrei o caminho para sair da minha dificuldade. Senti uma vontade incontrolável de caminhar até um espaço aberto no campo, onde pudesse respirar um pouco de ar fresco e pensar.

Comecei a andar, e já havia percorrido uns doze ou treze quilômetros quando subitamente parei. Por vários minutos fiquei ali, como se estivesse com os pés grudados no chão. Tudo ao meu redor escureceu. Pude sentir alguma forma de energia vibrando muito forte, semelhante ao som que se ouve quando estamos perto de um gerador elétrico.

Então meus nervos se aquietaram, meus músculos relaxaram e uma grande calma tomou conta de mim. A atmosfera começou a clarear, e ouvi um chamado interior que veio na forma de um pensamento; é o máximo que posso fazer para descrevê-lo.

O chamado era próximo, distinto e inequívoco. Em essência, dizia: "Chegou a hora de completar a filosofia de realização que você começou por sugestão do Sr. Carnegie. Volte para casa imediatamente e comece a escrever todos os dados que você coletou". Meu "outro eu" havia despertado!

Voltei para casa, sentei-me diante de minha máquina de escrever e comecei imediatamente a redigir todas as descobertas que tinha feito sobre as causas do sucesso e do fracasso. Ao colocar a primeira folha de papel na máquina, fui interrompido pela mesma sensação estranha que me acometera no campo algumas horas antes, e este pensamento passou pela minha mente:

> SUA MISSÃO NA VIDA É COMPLETAR A PRIMEIRA FILOSOFIA DE REALIZAÇÃO PESSOAL DO MUNDO. VOCÊ ESTÁ TENTANDO EM VÃO FUGIR DE SUA TAREFA, E CADA ESFORÇO SEU TEM LEVADO AO FRACASSO. VOCÊ

BUSCA A FELICIDADE? ENTÃO APRENDA ESTA LIÇÃO, DE UMA VEZ POR TODAS: VOCÊ SOMENTE ENCONTRARÁ A FELICIDADE AJUDANDO OS OUTROS A ENCONTRÁ-LA!

VOCÊ FOI UM ESTUDANTE TEIMOSO. VOCÊ PRECISA SER CURADO DE SUA TEIMOSIA POR MEIO DA DECEPÇÃO. DENTRO DE ALGUNS ANOS, O MUNDO INTEIRO PASSARÁ POR UMA EXPERIÊNCIA QUE CAUSARÁ EM MILHÕES DE PESSOAS A NECESSIDADE DA FILOSOFIA QUE VOCÊ FOI DIRECIONADO A COMPLETAR. SERÁ A SUA GRANDE OPORTUNIDADE DE ENCONTRAR A FELICIDADE PRESTANDO SERVIÇOS ÚTEIS. VÁ TRABALHAR E NÃO PARE ATÉ TER COMPLETADO E PUBLICADO OS MANUSCRITOS QUE COMEÇOU!

Eu tinha consciência de ter encontrado, enfim, o propósito dourado da minha vida – e estava feliz!

A "magia" passou, se assim podemos chamar essa experiência. Comecei a escrever. Pouco tempo depois, minha "razão" me sugeriu que eu estava embarcando em uma missão tola. A ideia de uma pessoa deprimida e quase esgotada pretendendo escrever uma filosofia de realização pessoal parecia tão ridícula que ri de forma hilária, talvez com desdém.

Remexi-me na cadeira, passei os dedos pelos cabelos e tentei criar um álibi que justificasse em minha própria mente tirar a folha de papel da máquina de escrever; mas o desejo de continuar foi mais forte do que o desejo de desistir. Reconciliei-me com minha tarefa e segui em frente.

Olhando para trás agora, à luz de tudo o que aconteceu, percebo que aquelas pequenas experiências de adversidade pelas quais passei foram as mais afortunadas e proveitosas de todas as minhas experiências. Elas foram bênçãos disfarçadas, porque me forçaram a continuar um trabalho que finalmente me trouxe a oportunidade de me tornar mais útil ao mundo do que eu poderia ter sido se tivesse tido sucesso em qualquer plano ou propósito anterior.

## O típico jogo americano dos negócios

Por quase três meses, vivendo com dinheiro emprestado, trabalhei nesses manuscritos, e os completei no início de 1924. Assim que terminei, senti-me novamente atraído pelo desejo de voltar ao grande jogo americano dos negócios. Sucumbindo à tentação, decidi comprar uma nova escola de negócios e imediatamente comecei a fazer planos para monetizá-la e aumentar sua capacidade.

Percebi que o tipo de escola de negócios que eu desejava custaria cerca de cem mil dólares. Todo o meu capital eram os trocos que me restavam dos mil dólares que pegara emprestado com Samuel Insull. Então, apelei mais uma vez para o princípio de financiamento de Henry Ford para solucionar meu problema.

Descrevo meu plano nos mínimos detalhes pois, durante décadas observando outras pessoas, percebi que muitos poderiam ter tido ideias sólidas para alcançar a independência financeira se soubessem como obter o capital de giro necessário.

Tendo decidido o que desejava fazer, o passo seguinte foi escolher a localidade em que queria atuar. Escolhi Cleveland, Ohio, devido ao seu tamanho e a sua proximidade com um grande número de escolas e instituições culturais. Finalmente concluí minha busca de escolas de negócios com a Metropolitan, localizada na região oeste de Cleveland, que na época era propriedade da Sra. A. Admire. Ela tinha um prédio recém-construído muito bom, no qual a faculdade estava instalada, e o preço que ela estabeleceu pelo prédio e pela escola foi de 125 mil dólares – a quantia exata que ela havia investido no edifício, sem contar o equipamento. O preço era razoável, então aceitei e assumi a escola logo após nossa primeira conversa sobre a compra.

Você deve estar curioso para saber, é claro, como um homem que havia passado recentemente por um colapso espiritual e perda financeira poderia comprar uma propriedade de 125 mil dólares sem ter um centavo e sem assinar qualquer nota promissória – e diga-se de passagem, sem enganar a pessoa de quem a propriedade foi comprada.

Se parece que estou exagerando nos detalhes dessa transação, é com o objetivo de enfatizar um fato importante, cuja negligência ou falta de compreensão está na base de praticamente todos os fracassos: para todo problema existe uma solução.

Eu queria o Metropolitan Business College, decidi adquiri-lo e criei um plano pelo qual eu tinha o direito de comprá-lo sem enganar a Sra. Admire ou arriscar indevidamente minhas próprias chances de sucesso. Voltei-me para minha filosofia com Carnegie e Ford, apliquei dois dos mais apropriados princípios de realização e meu desejo foi manifestado fisicamente com a mesma facilidade e rapidez com que eu poderia ganhar e comer uma refeição.

O plano pelo qual assumi a escola era tão simples quanto sólido. Procurei a dona da escola, soube que ela estava disposta a vendê-la e pedi a ela que fixasse o preço; então, fiz a seguinte oferta:

1) Concordei em comprar a escola por 125 mil dólares em um contrato opcional de três anos, dando-me o direito de operá-la nesse período, de acordo com um plano que criei para aumentar a capacidade total de matrículas de alunos, com o privilégio de comprá-la a qualquer momento dentro desse período e pagando em dinheiro, ou então devolvê-la.
2) O contrato previa que eu chamaria um especialista em finanças para lidar com as receitas e desembolsos de todo o dinheiro. Os lucros líquidos da operação da escola durante os três anos, se houvesse lucros, deveriam ser divididos igualmente e mensalmente entre mim, o proprietário da escola e o gerente

financeiro, após conceder à proprietária da escola uma quantia nominal a título de aluguel do prédio e dos equipamentos.

3) O contrato também previa a organização de um programa de palestras no qual eu daria um curso regular de uma semana sobre a minha filosofia de realização para todas as turmas de formandos das escolas secundárias num raio de 130 km do Metropolitan College. As palestras seriam ministradas com o reconhecimento da escola, como uma demonstração de boa vontade.

Comecei a trabalhar imediatamente no meu programa de palestras, dividindo os cinco dias úteis da semana em três períodos de palestras por dia, o que me permitiu ensinar em um grande número de escolas. Isso foi no início da primavera de 1924. No outono daquele ano, já tínhamos preenchido todas as vagas da faculdade com alunos pagantes, e tivemos que adquirir equipamentos adicionais. As receitas totais das mensalidades daquele ano excederam em muito o melhor resultado que a escola já tivera.

O homem que coloquei como responsável pelas finanças, Walter G. Scott, era não apenas confiável, mas também o homem mais inteligente com números e contas que já conheci. Além disso, era um grande amigo pessoal que, como eu, já havia passado pelo problema de protagonizar um retorno triunfal após uma experiência empresarial desastrosa. Portanto, com um único ato de simples aplicação de minha filosofia, coloquei ambos – o Sr. Scott e eu – de volta aos negócios, e trouxe à proprietária da faculdade uma nova inspiração e novas atividades.

Por meio da cooperação amigável do editor do jornal *Cleveland Plain Dealer*, conheci um de seus melhores editores, que convidei para dirigir um curso prático de jornalismo. Também adicionamos à escola cursos de vendas, publicidade e oratória.

## Sobre políticos e gângsteres

Tudo corria bem, até que John W. Davis foi indicado como candidato à presidência pelo Partido Democrata. Visto que o Sr. Davis era meu amigo havia muitos anos e tinha sido fundamental para me ajudar a conseguir a nomeação como gerente de publicidade da La-Salle Extension University, decidi que poderia ser uma vantagem se eu dedicasse parte do meu tempo para apoiar sua campanha. Aventou-se que eu receberia uma nomeação como seu secretário-chefe se ele fosse eleito, uma posição que eu sabia que me daria muitas oportunidades para completar a filosofia na qual vinha trabalhando fazia tantos anos. Lancei-me na campanha política seriamente, dedicando a maior parte do meu tempo até novembro daquele ano, quando o Sr. Davis foi derrotado.

Durante a campanha para o Sr. Davis, o meu colega Walter Scott continuou como meu substituto nas escolas secundárias; além disso, contratei dois outros professores para me ajudar. Por meio desse método de aplicação do princípio do MasterMind, conseguimos alcançar três vezes mais escolas do que eu poderia ter feito individualmente.

Uma noite, em minha jornada em prol do candidato democrata à presidência, falei em Canton, Ohio, diante de um grupo de homens de negócios, entre os quais estava Don R. Mellet, editor do *Canton Daily News*. Meu encontro com ele naquela ocasião levou à construção de uma amizade entre nós que estava destinada a me conduzir à beira da morte.

O Sr. Mellet providenciou para que eu voltasse a Canton após o término da campanha política e fizesse uma série de palestras sobre a filosofia da realização, com o apoio de seu jornal. (O jornal pertencia a James M. Cox, duas vezes governador de Ohio e candidato presidencial do Partido Democrata em 1920.)

No início da primavera de 1926, meu relacionamento com o Sr. Mellet havia assumido a proporção de uma aliança comercial. Ele começou a me preparar para uma série de editoriais ilustrados de página inteira sobre minha filosofia de realização, bem como para uma coluna diária de notícias que ele pretendia distribuir a todos os jornais do estado. Decidi que essa oportunidade fornecia uma plataforma para divulgar os princípios do sucesso maior do que o Metropolitan Business College.

Consequentemente, transferi minha participação no Metropolitan para meu colega Walter G. Scott (incorrendo assim em uma inimizade com a proprietária da escola), mudei-me para Canton e fui trabalhar. Começamos a lançar editoriais ilustrados de página inteira em jornais locais de Ohio, começando com o *Canton Daily News*. Parte do nosso plano era fornecer aos jornais um "bônus" que acompanhava meus editoriais, na forma de um serviço pessoal que eles teriam o privilégio de apresentar a seus anunciantes, consistindo em um curso de seis aulas sobre vendas. Tentamos o plano em Canton e em duas ou três cidades próximas, com resultados surpreendentemente bons.

Tínhamos pouca dificuldade em vender um jornal com meu serviço editorial e com meus comentários de notícias, por causa do curso gratuito de vendas para os anunciantes. O grande colunista da época, Arthur Brisbane, estava preocupado com a minha concorrência, e isso foi um poderoso estímulo para o meu ego. Eu estava produzindo editoriais que considerava excelentes. Apesar disso, no entanto, o Sr. Mellet exigia de mim um trabalho cada vez melhor. A cada vez que eu entregava um editorial, ele lia, virava-se para mim rapidamente e gritava: "Está bom, mas você pode fazer muito melhor!". Obviamente, ele estava me preparando para superar Brisbane, e estava me oferecendo um treino tão cuidadoso quanto o que Jack Kearns dava ao boxeador Jack Dempsey enquanto o preparava para o ringue. A preparação que eu estava recebendo era positiva, mas terrivelmente intensa.

Depois que nosso serviço editorial estava bem encaminhado, o Sr. Mellet voltou sua atenção para a incumbência de contratar uma editora para o meu livro sobre a filosofia de realização – o que não seria uma tarefa fácil, pois precisávamos de uma editora que investisse pelo menos cinquenta mil dólares em publicidade e na produção dos livros.

Fazíamos reuniões de MasterMind, uma após a outra, procurando um plano para que os oito volumes necessários para a publicação de minha filosofia pudessem ser financiados. Novamente recorrendo ao princípio do MasterMind de Carnegie e à filosofia Ford de financiamento, criamos um plano sólido e simples que prometia ser a solução imediata para o nosso problema.

No entanto, antes que tivéssemos tempo de dar o primeiro passo na execução do plano, o Sr. Mellet fez uma descoberta sobre os efeitos nocivos da Lei Seca e iniciou uma cruzada contra a polícia local corrupta e contra os gângsteres. Foi um incidente que o irritou muito, levando-o a iniciar uma intensa campanha de denúncia. Segundo o relato de uma fonte confiável, a piscina de uma das escolas públicas de Canton teve que ser fechada, porque o exame físico de meninos e meninas revelou o fato chocante de que muitos deles sofriam de doenças venéreas. Também chamou sua atenção o fato de que os gângsteres estavam fornecendo entorpecentes e bebidas alcoólicas para os jovens.

A pedido do Sr. Mellet, convenci o governo federal a enviar agentes da Narcóticos a Canton para ajudar a acabar com a chocante prática de vender entorpecentes para crianças em idade escolar. Também convenci o governador Vic Donahey a enviar investigadores estaduais para ajudar a desmantelar a óbvia aliança entre os gângsteres e a polícia local.

Um mês depois de descobrirmos as situações degradantes existentes em Canton, iniciamos uma campanha de investigação que consumia quase todo o tempo do Sr. Mellet e boa parte do meu. Contratei e direcionei os esforços de detetives particulares (que trabalhavam independentemente do Estado e dos homens federais) que se instalaram em meu escritório, de onde conduziam suas atividades. Por fim, as coisas ficaram ainda mais tensas quando o Sr. Mellet escreveu e publicou um editorial de próprio punho, no qual nomeava dez homens, basicamente contrabandistas locais, gângsteres e policiais, declarando que todos deveriam ser processados.

Não li o editorial antes que fosse publicado no *Daily News*. Quando o vi, fui imediatamente até o Sr. Mellet e expressei minha grave preocupação com relação à sua segurança. Já sabíamos que milhares de dólares eram pagos pelos gângsteres aos agentes da lei para obter proteção, e eu acreditava que muitos deles eram capazes de matar qualquer um que se interpusesse em seu caminho.

Depois de uma tempestuosa reunião de três horas com Mellet, finalmente o convenci a permitir que eu chamasse os líderes religiosos de Canton, com o objetivo de convencê-los a subir em seus púlpitos e expor ao público o colapso moral em que a cidade estava mergulhada. Uma de nossas dificuldades era o fato de que essa era uma luta de um homem só. O jornal concorrente não estava dando atenção alguma às atividades ilegais, e o próprio povo de Canton não parecia nem um pouco preocupado, embora seus próprios filhos fossem naquele momento as vítimas da criminalidade existente na cidade.

Em resposta ao meu convite, todos os pastores protestantes da cidade, bem como o rabino da sinagoga judaica, compareceram ao meu escritório para uma conferência. Depois de explicar brevemente por que eu acreditava que, pelo menos por um tempo, eles deveriam diminuir seus esforços para guiar as pessoas ao Reino dos Céus e ajudar a salvar os filhos de Canton de um inferno em vida, perguntei a eles um por um, chamando cada um dos clérigos pelo nome, se eles cooperariam de bom grado para ajudar a despertar a opinião pública.

Eles continuaram impassíveis como estátuas de pedra, e cada um deles conseguiu encontrar uma justificativa para não cooperar. Por fim, fiquei tão zangado com aquela covardia que gritei com eles, extravasando todo o meu desprezo, e encerrei a reunião.

Antes de sair, um pastor presbiteriano ficou para trás e, em voz baixa, disse:

– Não posso falar por meus irmãos clérigos, mas posso falar por mim mesmo. A razão pela qual não posso cooperar é a seguinte: um dos membros mais importantes da minha igreja, que se senta bem na frente do meu púlpito todos os domingos de manhã, faz negócios com alguns gângsteres no restante da semana.

Aí estava a situação, em poucas palavras! O poder organizado das instituições religiosas em Canton não era suficiente para lidar com as influências da ganância e do suborno que estavam em evidência por toda parte.

Após o término da reunião, telefonei para um corretor de seguros e, apesar dos protestos veementes do Sr. Mellet, solicitei a cotação de um seguro de vida adicional para ele. Quando a apólice chegou, o Sr. Mellet queria devolvê-la; mas eu o convenci a mantê-la pelo menos por mais uma semana, enquanto aguardávamos para ver o que aconteceria como resultado daquele editorial.

Enquanto isso, voltamos ao nosso problema de encontrar uma editora para publicar a minha filosofia. Por eliminação, descartamos todas as fontes possíveis de publicação, exceto uma. Pensamos que, como Andrew Carnegie havia inspirado o início da filosofia e tinha colaborado por muitos anos para sua organização, poderíamos encontrar a cooperação de que precisávamos na gigantesca United States Steel Corporation, especialmente em vista da relação de amizade que eu já havia estabelecido com o juiz Elbert H. Gary, então presidente do Conselho de Administração daquela corporação.

O Sr. Mellet iniciou imediatamente as negociações com o juiz Gary; este ficou tão entusiasmado que logo solicitou o envio dos meus manuscritos a Nova York para que ele pudesse lê-los. Depois de examiná-los minuciosamente, ligou para o Sr. Mellet e disse que, se eu fosse até Nova York e fizesse algumas pequenas alterações nos manuscritos, para que se harmonizassem com seus pontos de vista, ele publicaria a primeira edição dos meus livros e os apresentaria em primeira mão a todos os funcionários da Steel Corporation que ocupassem qualquer tipo de cargo de supervisão ou gerência. Além disso, sugeriu alguns meios para convencer a administração de outras grandes empresas e indústrias a comprarem os livros para seus funcionários.

## Do sétimo céu ao medo e desespero

Eu estava no meu sétimo céu! Por fim, minha estrela da sorte havia subido acima do horizonte, alto o suficiente para que não fosse derrubada por alguma circunstância inesperada, como tantas vezes acontecia. Meu problema de financiamento estava quase resolvido, e isso ainda não era nem metade da história. A influência do juiz Gary era tamanha que isso certamente garantiria a distribuição bem-sucedida de meus livros para centenas de milhares de funcionários, sem mencionar que iria estimular as vendas por meio de outras fontes.

O juiz Gary providenciou para que o Sr. Mellet e eu o encontrássemos em Nova York em uma manhã de segunda-feira, no final de julho de 1926. Então, a roda da fortuna de repente girou!

Na noite de 16 de julho, uma semana antes de nos encontrarmos com o juiz Gary em Nova York, um gângster local e um policial de Canton fizeram uma emboscada enquanto o Sr. Mellet colocava seu carro na garagem. Ele foi baleado e morreu instantaneamente.

Uma coisa estranha sobre essa infeliz circunstância foi a maneira como escapei de ser assassinado naquela mesma noite. Eu estava fora da cidade durante o dia, com um grupo de amigos, em uma parte remota do estado onde o serviço de táxi não estava prontamente disponível, e tive a "sorte" de me deparar com problemas nos pneus, o que me manteve preso por lá até o dia seguinte.

Quando cheguei a Canton na manhã seguinte, logo soube do assassinato do Sr. Mellet; quinze minutos após a minha chegada, um homem (cuja voz reconheci como a de Shellenberger) me telefonou, avisando que eu tinha uma hora para deixar a cidade e nunca mais voltar, e, se eu esperasse mais, não precisaria me preocupar, porque seria mandado para fora da cidade dentro de um caixão.

A agitação era grande em Canton. Claro que eu sabia que estava destinado a morrer se permanecesse ali, pois a gangue já havia descoberto que eu era o responsável por reunir as informações que o Sr. Mellet publicava em seu jornal. Nem tive tempo de empacotar meus pertences; entrei no carro e fugi o mais rápido que pude. Me escondi na casa de parentes, na Virgínia Ocidental, e lá permaneci até que os assassinos fossem colocados atrás das grades pelo resto da vida, cerca de seis meses depois.

Enquanto me escondia, sem ter consciência do perigo real em que havia mergulhado repentinamente, fui tão dominado pelo medo de ser assassinado que mantive um guarda-costas perto de mim dia e noite. Eu não sabia naquela época, mas o maior inimigo contra o qual eu deveria ter tomado precauções eram as forças internas e sutis que estavam dissipando minhas energias espirituais e destruindo a fé em mim mesmo e em meus semelhantes. Sem saber o que estava acontecendo, permiti que a aplicação negativa de uma das maiores leis da natureza começasse a me destruir lentamente.

Antes que eu recuperasse a autoconfiança suficiente para retomar as negociações com o juiz Gary, uma vez que tinha sido forçado a interrompê-las devido à morte do Sr. Mellet, ele adoeceu e também faleceu.

Nas categorias descritas pelo Sr. Carnegie, essa experiência se enquadra como uma daquelas emergências que obrigam um homem a pensar. Pela primeira vez na vida, conheci a dor do medo constante.

Minhas experiências anteriores de derrota tinham enchido a minha mente de dúvidas e indecisão, mas estas foram temporárias; o último evento me enchera com um medo que eu parecia incapaz de controlar.

Durante o tempo em que estive escondido, raramente saía de casa à noite. Quando saía, sempre tinha à mão uma pistola automática, pronta para atirar. Se um automóvel estranho parasse na frente da casa, eu me esgueirava até a porta e ficava espiando através das janelas, examinando cuidadosamente seus ocupantes.

Depois de alguns meses nessa situação, meus nervos começaram a ficar abalados. Minha coragem havia me deixado completamente. Minha ambição, que me animara durante os longos anos de trabalho em busca das causas do fracasso e do sucesso, tinha se esvaído. Lentamente, passo a passo, eu me sentia deslizando para um estado de letargia do qual tinha medo de nunca conseguir sair. Deve ter sido muito parecido com a sensação experimentada por alguém que de repente pisa em areia movediça e percebe que qualquer esforço para se livrar dela o faz afundar ainda mais.

Se a semente da loucura estivesse presente em minha constituição genética, com certeza ela teria germinado durante aqueles seis meses de quase-morte. Indecisão tola, sonhos perturbadores, dúvida e medo ocupavam minha mente, dia e noite.

A emergência que enfrentei foi desastrosa, de duas maneiras. Primeiro, sua própria natureza me trazia em constante estado de indecisão e medo. Em segundo lugar, aquele desaparecimento forçado me manteve na ociosidade – com o consequente peso do tempo que naturalmente dediquei à preocupação. Minha faculdade de raciocínio estava quase paralisada. Percebi que precisava me esforçar para sair daquele estado de espírito. Mas como? A desenvoltura que me ajudara a enfrentar todas as dificuldades anteriores parecia ter me abandonado completamente, deixando-me desamparado.

Das minhas dificuldades, que até então já eram bastante pesadas, surgiu outra que parecia mais dolorosa do que todas as demais juntas: a percepção de que eu havia passado a maior parte da vida perseguindo um arco-íris, procurando aqui e ali pelas causas do sucesso, mas me encontrava agora mais desamparado do que qualquer um dos milhares que eu tinha julgado como fracassados.

Esse pensamento foi extremamente humilhante. Eu havia dado palestras por todo o país, em escolas e faculdades, e perante organizações empresariais, pretendendo ensinar aos outros como aplicar os princípios do sucesso; mas ali estava eu, incapaz de aplicá-los a mim mesmo. Eu tinha certeza de que nunca mais poderia enfrentar o mundo com sentimento de confiança.

Toda vez que me olhava no espelho, notava uma expressão de autodesprezo em meu rosto e, não raro, dizia coisas ao homem no espelho que não poderiam ser escritas. Comecei a me colocar na categoria daqueles charlatões que oferecem aos outros uma panaceia para o fracasso que eles próprios não podem aplicar com sucesso.

Depois que os criminosos que assassinaram o Sr. Mellet foram julgados e condenados à prisão perpétua, era perfeitamente seguro, para mim, sair do esconderijo e retomar meu trabalho. Mas eu não conseguia. Agora eu enfrentava circunstâncias mais assustadoras do que os criminosos que haviam me mandado para a clandestinidade.

A experiência tinha destruído qualquer iniciativa que havia em mim. Senti-me nas garras de influências depressivas que pareciam um pesadelo. Eu estava vivo, podia me mover, mas não conseguia pensar em um único movimento pelo qual pudesse continuar a buscar o objetivo que havia tanto tempo tinha estabelecido para mim mesmo. Eu estava me tornando indiferente. Pior ainda, estava ficando irritadiço, e até mesmo hostil, com aqueles que haviam me dado abrigo naquele momento de necessidade.

Enfrentei a pior situação da minha vida. A menos que você tenha passado por uma experiência semelhante, não poderá saber como me senti. Tais experiências não podem ser descritas. Para serem compreendidas, elas devem ser sentidas.

## Uma esperança de fuga

A reviravolta em minha vida veio de repente, no outono de 1927, mais de um ano após o incidente do assassinato em Canton. Saí de casa uma noite e caminhei até o prédio da escola, no topo de uma colina acima do vilarejo. Eu tinha tomado a decisão de lutar contra mim mesmo para resolver aquele assunto.

Comecei a andar pelo prédio, tentando forçar meu cérebro confuso a pensar com clareza. Devo ter dado centenas de voltas ao redor do edifício antes que qualquer coisa que remotamente se parecesse com um pensamento organizado começasse a surgir em minha mente. Enquanto caminhava, repetia para mim mesmo: "Existe uma saída, e eu vou encontrá-la antes de voltar para casa". Devo ter repetido isso umas mil vezes. Além disso, eu quis dizer exatamente aquilo que estava dizendo. Estava completamente decepcionado comigo mesmo, mas alimentava a esperança de escapar de minha prisão autoimposta.

A semente dessa esperança havia sido plantada em minha mente por Andrew Carnegie, quase vinte anos antes, na forma de um objetivo principal definido. Ele estava arraigado de forma tão permanente na seção automática da minha mente que nenhuma forma de medo, nenhuma forma temporária de derrota, nenhum fracasso poderia me impedir por muito tempo de realizar esse propósito. O desejo de alcançar um objetivo definido, que o Sr. Carnegie plantara de forma tão efetiva em minha mente, era mais forte do que o ambiente mental e espiritual negativo em que havia me refugiado após a morte do Sr. Mellet.

Um dos fatos estranhos em relação à definição de propósito são as maneiras engenhosas como a mente empregará esse princípio para a realização de tal propósito. Observe cuidadosamente os detalhes da fuga de minha prisão e você verá evidências da técnica usada pela mente para me levar além do perigo que temporariamente colocara obstáculos em meu caminho.

Enquanto eu andava pelo prédio, uma ideia explodiu em minha mente – e foi com tanta força que o impulso fez meu sangue pulsar em minhas veias com uma sensação mágica, como a que experimentamos quando estamos sob o feitiço de uma música emocionante. O pensamento que passou pela minha mente foi o seguinte: "Esta é a sua prova de fogo. Você foi reduzido à pobreza e humilhado, para que pudesse ser forçado a descobrir o seu 'outro eu'".

Pela primeira vez em anos, lembrei-me do que o Sr. Carnegie havia dito sobre esse "outro eu". Ele havia dito que eu o descobriria no final de meu trabalho de pesquisa sobre as causas do fracasso e do sucesso, e que essa descoberta geralmente vinha como resultado de uma situação de emergência, quando os homens são forçados a mudar seus hábitos e pensar em maneiras de sair da dificuldade.

Continuei a andar pelo edifício da escola, mas agora eu parecia estar flutuando no ar. Em meu subconsciente, sabia que estava prestes a ser libertado da prisão em que havia me lançado. Sem dúvidas, esse foi o momento mais feliz da minha vida. Percebi que essa grande emergência havia me trazido uma oportunidade, não apenas para descobrir meu "outro eu", mas também para testar a solidez da filosofia que eu vinha ensinando aos outros.

Tinha chegado a hora de testá-la definitivamente. Decidi que, se não desse certo, eu queimaria todos os meus manuscritos e nunca mais falaria com qualquer pessoa sobre o sucesso.

A lua nascia no alto das montanhas. Eu nunca a tinha visto tão brilhante. Enquanto olhava para ela, outro pensamento passou pela minha mente: "Você tem ensinado aos outros como dominar o medo, como superar as dificuldades que surgem das emergências da vida. De agora em diante você poderá falar com autoridade, porque está prestes a superar suas próprias dificuldades com coragem e propósito, totalmente resoluto e sem medo".

Com esse pensamento, veio uma mudança de mentalidade que me elevou a um estado de exaltação que eu nunca tinha experimentado antes. Meu cérebro começou a se livrar do estado de letargia em que eu havia caído. Minha faculdade de raciocínio começou a trabalhar mais uma vez.

Por um breve momento, fiquei feliz por ter tido o privilégio de passar por aqueles longos meses de tormento, pois a experiência havia culminado em uma oportunidade para que eu testasse a solidez dos princípios de realização que eu tivera tanto trabalho para descobrir após longos anos de pesquisa e estudo.

Quando esse pensamento me ocorreu, parei; juntei os pés, fiz continência (não sabia para quem ou o quê) e fiquei rigidamente em posição de sentido por vários segundos.

Isso pareceu, a princípio, uma coisa tola de se fazer; mas enquanto eu estava ali, outro pensamento surgiu na forma de uma "ordem" (ou um estalo), tão breve e rápida quanto qualquer outra dada por um comandante militar a um subordinado.

A ordem dizia: "Amanhã, pegue seu carro e dirija até a Filadélfia, onde receberá ajuda para publicar sua filosofia".

Não houve mais explicações, nem qualquer alteração daquela ordem. Assim que a recebi, voltei para casa, fui para a cama e dormi, sentindo uma paz de espírito que eu não sentia havia mais de um ano. Quando acordei na manhã seguinte, comecei imediatamente a fazer as malas e me preparar para a viagem à Filadélfia. Minha razão me dizia que eu estava embarcando em uma missão inútil. Quem eu conhecia na Filadélfia? A quem poderia solicitar ajuda financeira para a publicação de uma obra de oito volumes?

## Meu "outro eu"

Imediatamente, a resposta para essas perguntas surgiu em minha mente, tão clara como se tivesse sido proferida em palavras audíveis: "Siga as ordens agora, em vez de fazer perguntas. Seu 'outro eu' estará no comando durante esta viagem".

Havia outra condição que parecia tornar absurda minha preparação para ir à Filadélfia. Eu não tinha dinheiro! Esse pensamento mal havia surgido quando meu "outro eu" o destruiu, com outra ordem incisiva: "Peça cinquenta dólares ao seu cunhado, e ele emprestará".

A ordem parecia final e definitiva. Sem mais hesitação, segui aquelas instruções. Quando pedi o dinheiro ao meu cunhado, ele disse: "Claro, pegue aqui os cinquenta dólares. Mas se você estiver indo para uma viagem longa, é melhor levar cem!". Agradeci e disse a ele que os cinquenta seriam suficientes. Eu sabia que não eram; mas essa era a quantia que meu "outro eu" havia ordenado, e foi essa a quantia que peguei.

Fiquei muito aliviado por meu cunhado não ter perguntado por que eu estava indo para a Filadélfia. Se ele soubesse de tudo o que acontecera em minha mente durante a noite anterior, talvez pensasse que eu deveria ir para um hospital psiquiátrico, em vez de ir para a Filadélfia atrás de gansos selvagens.

Dirigi a noite toda, chegando à Filadélfia na manhã seguinte. Meu primeiro pensamento foi encontrar uma pensão onde pudesse alugar um quarto. Novamente, meu "outro eu" assumiu o controle e deu a ordem de me registrar no hotel mais elegante da cidade. Com pouco mais de quarenta dólares no bolso, isso parecia um suicídio financeiro, mas fui até o balcão e pedi um quarto. Ou melhor, devo dizer que queria pedir um quarto, mas me ouvi pedindo uma suíte (cujo preço consumiria meu dinheiro restante em dois dias).

O mensageiro pegou minhas malas, entregou-me o tíquete do estacionamento e me fez uma reverência antes de pegarmos o elevador, como se eu fosse o príncipe de Gales. Era a primeira vez em mais de um ano que alguém me tratava assim. Meus próprios parentes, longe de terem me mostrado deferência (assim eu imaginava), sentiam que eu era um fardo sobre seus ombros; e tenho certeza de que era, porque nenhum homem no estado de espírito em que eu me encontrava seria nada além de um fardo.

Quando o mensageiro deixou o quarto, pedi a ele que me trouxesse alguns charutos. Logo ele voltou com uma caixa de charutos de 25 centavos. Comecei a pegar alguns, mas decidi mandá-lo de volta para comprar charutos melhores. Ele trouxe outra caixa, ao preço de 35 centavos cada. Enfiei a mão na caixa para pegar um par, mas em vez disso peguei um punhado inteiro. Parecia um desperdício arbitrário, pois nunca em toda a vida eu tinha fumado charutos tão caros, nem jamais ocupara uma suíte de hotel como aquela. Estava ficando claro que meu "outro eu" estava determinado a me afastar do complexo de inferioridade que eu havia desenvolvido.

Joguei um dólar para o rapaz, acendi um dos charutos e me sentei em uma poltrona grande e confortável. Comecei a calcular quanto seria a conta do hotel no final da semana, quando meu "outro eu" me ordenou que afastasse completamente todos os pensamentos limitadores e me comportasse, por enquanto, exatamente como faria se tivesse todo o dinheiro que desejava.

A experiência era nova e estranha para mim. Em toda a vida, eu nunca havia "blefado"; nunca fingi ser outra pessoa, senão a que eu acreditava ser.

Por quase meia hora, esse "outro eu" me deu ordens que segui à risca durante o resto de minha estada na Filadélfia. As instruções eram dadas por meio de pensamentos que surgiam em minha mente, com tamanha força que eram facilmente distintos dos pensamentos comuns.

Minhas instruções começaram assim:

> "Seu 'outro eu' está agora completamente no comando. Você tem o direito de saber que duas entidades ocupam o seu corpo. Pois, de fato, duas entidades similares ocupam o corpo de cada pessoa.
>
> Uma dessas entidades é motivada pelo impulso do medo e responde a ele. A outra é motivada pelo impulso da fé. Por mais de um ano, você foi escravo do medo. Na noite passada, a fé recuperou o controle; e agora você é motivado por essa entidade. Por uma questão de conveniência, você pode chamar essa entidade de fé de 'seu outro eu'. Ela não conhece limitações, não sente medo e não reconhece a palavra 'impossível'.
>
> Você foi orientado a escolher este ambiente de luxo, em um hotel elegante, como forma de desencorajar o retorno da entidade do medo. O medo não está morto; ele foi simplesmente destronado, mas continuará a segui-lo aonde quer que você vá, aguardando uma oportunidade favorável para intervir e assumir o comando novamente. Ele apenas poderá ganhar o controle através de seus pensamentos. Lembre-se disso, e mantenha as portas da sua mente bem fechadas contra todos os pensamentos que procurem limitar você de qualquer maneira.
>
> Não se preocupe com o dinheiro que vai precisar para as suas despesas imediatas. Ele chegará até você no momento em que precisar.
>
> Agora, vamos ao que interessa. Em primeiro lugar, você deve saber que a fé não faz milagres, nem opera em oposição a qualquer uma das leis da natureza. Enquanto estiver no comando, ela o guiará por meio de impulsos de pensamento para realizar seus planos com os meios naturais mais lógicos e convenientes disponíveis.

Acima de tudo – tenha este fato bem claro em sua mente –, seu 'outro eu' não fará o seu trabalho por você; apenas o guiará de forma inteligente para alcançar os objetivos desejados.

Esse 'outro eu' ajudará a transformar seus planos em realidade. Além disso, ele começa sempre pelo seu maior desejo, ou o mais evidente. Neste momento, seu maior desejo – aquele que o trouxe até aqui – é publicar e distribuir os resultados de sua pesquisa sobre as causas do sucesso e do fracasso. Você estima que precisará de aproximadamente 25 mil dólares.

Entre seus conhecidos, há um homem que fornecerá a você esse capital necessário. Comece imediatamente a trazer à sua mente os nomes de todas as pessoas que você acredita que podem ser induzidas a fornecer a ajuda de que precisa. Quando o nome da pessoa certa vier à sua mente, você o reconhecerá imediatamente. Comunique-se com essa pessoa, e a ajuda que você procura será dada. Em sua abordagem, porém, apresente seu pedido com os termos que você usaria no curso normal das transações comerciais. Não faça nenhuma referência, seja qual for, a esta introdução ao seu 'outro eu'. Se você violar essas instruções, encontrará mais uma derrota temporária.

Seu 'outro eu' permanecerá no comando e continuará a guiá-lo enquanto você confiar nele. Mantenha a dúvida, o medo, a preocupação e todos os pensamentos limitadores totalmente fora de sua mente.

Isso é tudo, por ora. Agora você começará a se mover por sua própria vontade, exatamente como fazia antes de descobrir seu 'outro eu'. Fisicamente, você é o mesmo que sempre foi; portanto, ninguém perceberá que ocorreu mudança alguma em você."

Olhei ao redor do quarto, pisquei os olhos e, para ter certeza de que não estava sonhando, fui até um espelho e me olhei de perto. A expressão em meu rosto havia mudado de indecisão para segurança, coragem e fé. Não havia nenhuma dúvida em minha mente de que eu estava sob o comando de uma influência muito diferente daquela que fora destronada na noite anterior, enquanto eu caminhava por aquela escola na Virgínia Ocidental.

Todo o sentimento de que eu havia embarcado em uma missão inútil tinha me deixado. Um a um, comecei a me lembrar dos nomes de todas as pessoas conhecidas que eu sabia serem financeiramente capazes de fornecer o dinheiro de que eu precisava. Minha razão me dizia que eu já havia esgotado a lista, mas meu "outro eu" disse claramente: "Continue procurando".

Mas eu tinha chegado ao fim da minha corda. Toda a minha lista de conhecidos havia se esgotado, e, com ela, minha resistência física também. Fiquei trabalhando concentrado naquela lista de nomes por quase dois dias e duas noites, tendo parado apenas o tempo suficiente para dormir por algumas horas.

Recostei-me na cadeira, fechei os olhos e cochilei por alguns minutos. Fui despertado pelo que parecia ser uma explosão na sala; naquele instante, o nome de A. L. Pelton veio à minha mente, e com ele um plano (eu tive certeza) por meio do qual eu conseguiria publicar meus livros.

Eu me lembrava do Sr. Pelton apenas como um anunciante da revista *Golden Rule*. Solicitei uma máquina de escrever, enderecei uma carta ao Sr. Pelton, que morava em Connecticut, e descrevi o plano. Ele respondeu por telegrama, dizendo que estaria na Filadélfia para me encontrar no dia seguinte. Quando ele chegou, mostrei a ele os manuscritos originais da minha filosofia e expliquei brevemente o que eu acreditava ser sua missão. Ele folheou as páginas por alguns minutos, parou de repente fixando os olhos na parede por alguns segundos e depois disse: "Publicarei os livros para você".

O contrato foi elaborado e assinado, e os manuscritos foram entregues a ele. Nunca perguntei a ele quais foram os motivos que o levaram a tomar a decisão de publicar meus livros antes de ter lido todos os manuscritos; apenas sei que ele forneceu o capital necessário, imprimiu os livros e me ajudou a vender milhares de exemplares.

Um dia depois que o Sr. Pelton veio me ver, meu "outro eu" me apresentou uma ideia que resolveu imediatamente o meu problema financeiro. Passou pela minha cabeça a ideia de que os métodos de *merchandising* de automóveis deveriam passar por uma mudança drástica. Os vendedores nesse ramo deveriam aprender a vender automóveis, em vez de simplesmente servir como comerciantes de carros usados, como a maioria deles fazia na época. Também me ocorreu que os jovens que acabavam de terminar a faculdade – que nada sabiam sobre os velhos truques das vendas de automóveis – seriam o meu material de estudo para que essa nova modalidade de vendas pudesse ser desenvolvida.

A ideia era tão única e impressionante que imediatamente liguei para o gerente de vendas da General Motors Company e expliquei meu plano. Ele também ficou impressionado e me encaminhou para a filial oeste da Filadélfia da Buick Automobile Company, que na época pertencia e era administrada por Earl Powell. Encontrei-me com o Sr. Powell e expliquei meu plano. Ele me contratou imediatamente para treinar quinze jovens universitários cuidadosamente selecionados, e o plano foi colocado em operação. Minha renda com esse treinamento foi mais do que suficiente para cobrir todas as minhas despesas nos três meses seguintes, até que o lucro da venda de meus livros começasse a chegar.

Meu "outro eu" não tinha me decepcionado. O dinheiro de que eu precisava chegou às minhas mãos na hora certa, exatamente como ele havia me garantido. A essa altura, eu estava convencido de que minha viagem à Filadélfia não era uma missão inútil, como minha razão indicava que seria.

O "outro eu" não segue precedentes, não reconhece limitações e sempre encontra uma maneira de alcançarmos o objetivo que desejamos, quando confiamos nele com fé! Ele pode encontrar uma derrota temporária, mas não um fracasso permanente. Tenho certeza disso.

Espero que alguns dos milhões de homens e mulheres que têm enfrentado adversidades descubram dentro de si essa estranha entidade que chamei de meu "outro eu"; e que a descoberta os conduza, assim como conduziu a mim, a um relacionamento mais próximo com essa fonte de poder que supera os obstáculos e domina as dificuldades, em vez de ser dominada por elas. Há um grande poder a ser descoberto em seu "outro eu"!

Fiz outra descoberta, como resultado dessa iniciação ao meu "outro eu": que existe uma solução para qualquer problema, por mais difícil que ele possa parecer.

Ainda não compreendo totalmente essa estranha força que me reduziu à pobreza e à miséria, que me encheu de medo e depois me deu um novo nascimento de fé – por meio do qual tive o privilégio de alcançar meu primeiro objetivo: a publicação de uma filosofia da realização.

Nunca fui muito inclinado a acreditar nos chamados milagres, e hoje sou menos ainda. Nem com um esforço de imaginação, nada do que relatei poderia ser atribuído a um milagre. Minha própria explicação sobre a mudança que ocorreu em minha vida é que quebrei o ritmo da derrota e do fracasso – uma afirmação que vocês entenderão em breve, depois de ler a análise da lei da natureza que explicarei mais adiante.

Durante meus longos anos de pesquisa sobre as causas do sucesso e do fracasso, descobri muitos princípios que foram úteis para mim e para outras pessoas. Mas nada do que observei me impressionou mais do que a seguinte descoberta: todos os grandes líderes analisados por mim foram assolados por dificuldades e enfrentaram derrotas temporárias antes de alcançar o sucesso. Desde Cristo até Edison, os homens mais bem-sucedidos foram aqueles que enfrentaram as formas mais obstinadas de derrota temporária. Isso parece justificar a conclusão de que a Inteligência Infinita tem a determinação de fortalecer os homens que se tornarão líderes, lançando a eles muitos obstáculos antes do privilégio da liderança ou da oportunidade de prestar um serviço útil de maneira notável.

Eu não gostaria de ser submetido novamente às experiências que vivenciei naquele dia fatídico em que decidi completar a filosofia da realização; nem na noite seguinte, quando andei pela escola na Virgínia Ocidental e travei aquela terrível batalha contra o medo. Mas o conhecimento que adquiri com essas experiências, não troco por nada – nem por toda a riqueza deste mundo.

As guerras e as crises econômicas trouxeram miséria a milhões de pessoas; mas, por mais contraditório que seja, essas experiências também trouxeram algumas bênçãos. A maior delas é saber que existe algo infinitamente pior do que ser obrigado a trabalhar: ser impedido de trabalhar! No geral, as crises têm sido mais uma bênção do que uma maldição, se forem analisadas à luz das mudanças que trouxeram à mente daqueles que foram prejudicados por elas.

Isso também vale para qualquer experiência que muda os nossos hábitos e nos obriga a recorrer ao grande "eu interior" para a solução dos nossos problemas. O período que passei recluso na Virgínia Ocidental foi claramente o castigo mais severo da minha vida, mas a experiência trouxe bênçãos na forma de um necessário conhecimento de mim mesmo, que mais do que compensou o sofrimento que me custou. Esses dois resultados – o sofrimento e o autoconhecimento adquiridos a partir dele – eram inevitáveis. A Lei da Compensação, que Emerson definiu tão claramente, tornou esse resultado natural e necessário.

O que o futuro me reserva em termos de decepção, por intermédio de uma derrota temporária, é claro que não tenho como saber; mas sei que nenhuma experiência do futuro poderá me ferir tão profundamente quanto algumas do passado, porque agora estou em contato, finalmente, com meu "outro eu".

Desde que esse "outro eu" assumiu o controle, adquiri um conhecimento útil que tenho certeza de que jamais teria descoberto enquanto minha antiga "entidade do medo" estivesse no comando. Por um lado, aprendi que aqueles que se deparam com dificuldades aparentemente intransponíveis, se assim o fizerem, poderão superá-las esquecendo-se delas por um tempo e ajudando outras pessoas que têm problemas maiores.

Estou certo de que nenhum esforço que estendemos àqueles que estão em perigo pode ficar sem alguma forma de recompensa. Nem sempre a recompensa vem daqueles a quem o serviço é prestado, mas ela virá, de uma fonte ou de outra.

O único motivo que me inspirou a escrever este capítulo foi um desejo sincero de ser útil aos outros, compartilhando com eles na medida em que estiverem preparados para aceitar essa grande fortuna que se tornou minha no momento em que descobri meu "outro eu". Essa fortuna, felizmente, não pode ser medida apenas em termos materiais ou financeiros, pois é maior do que tudo o que tais coisas representam.

As fortunas materiais e financeiras, quando reduzidas às suas formas mais líquidas, são mensuráveis em termos de saldos bancários. Os saldos bancários não são mais fortes do que os bancos. Mas a fortuna de que falo é mensurável não apenas em termos de paz de espírito, contentamento e felicidade, mas também em termos de valores materiais mensuráveis.

## O poder da fé e da oração

Você pode compartilhar essa fortuna em termos muito razoáveis; não é preciso assinar nenhuma nota promissória ou incorrer em qualquer outra forma de obrigação. Basta remover os obstáculos que se interpõem entre você e seu "outro eu". Para isso, devemos começar adquirindo uma melhor compreensão do poder da fé.

A fé é um estado de espírito e um requisito obrigatório para a descoberta do "outro eu". O oposto da fé é o medo. O medo também é um estado de espírito, às vezes induzido pela realidade, e outras vezes por causas imaginárias.

Vamos examinar a natureza desses dois estados mentais, para que possamos entender melhor por que devemos abraçar um e repelir o outro se quisermos entrar em contato com esse "outro eu".

- A fé traz a aproximação, encurtando a distância para a comunicação com Deus.
- O medo mantém a pessoa à distância, e torna essa comunicação impossível.
- A fé cria um Abraham Lincoln; o medo desenvolve um Al Capone.
- A fé desenvolve um grande líder; o medo cria um discípulo covarde.
- A fé torna os homens honrados; o medo torna os homens desonestos e corruptos.
- A fé faz com que a pessoa procure e encontre o que há de melhor nos outros; o medo enxerga apenas as falhas e deficiências.
- A fé se identifica inequivocamente no olhar, na expressão do rosto, no tom da voz, no modo de andar. O medo se identifica pelas mesmas características.
- A fé atrai apenas o que é construtivo e criativo; o medo atrai o que é destrutivo.
- O certo funciona pela fé; o errado funciona por meio do medo. Colocados um contra o outro, o homem que tem fé abundante vencerá o homem que é dominado pelo medo.

- Qualquer coisa que cause o medo deve ser examinada de perto.
- Tanto a fé quanto o medo tendem a se materializar em realidades físicas, pelos meios mais práticos e naturais disponíveis.
- A fé constrói; o medo destrói. Essa ordem nunca é invertida.
- A fé pode construir um edifício como o Empire State, uma obra como o Canal do Panamá, ou dar segurança a uma nação. O medo nega qualquer empreendimento.
- A fé e o medo nunca confraternizam, pois ambos não podem ocupar a mente ao mesmo tempo. Um ou outro deve predominar, sempre.
- O medo desencadeou os pânicos mais devastadores que o mundo já conheceu. A fé rapidamente os dissipou.
- A fé pode elevar um indivíduo a grandes realizações, em qualquer chamado. O medo torna a conquista impossível.
- Até um cavalo ou um cão percebe quando seu dono está com medo, e reflete esse medo em seu comportamento.
- O medo não se associa com a força espiritual, assim como o óleo não se mistura com a água.
- A fé é o privilégio de todo homem. Quando exercida, remove todas as limitações imaginárias que prendem o homem em sua própria mente, e isso o fortalece para remover os obstáculos reais.
- A fé pode ser desenvolvida pela cristalização das esperanças e desejos de alguém, em uma determinação ardente de sucesso.
- A fé tem afinidade com a justiça; o medo confraterniza com a injustiça.
- A fé é um estado de espírito natural. O medo é anormal.

O fato mais significativo é que a maioria dos homens da ciência está livre de todas as formas de medo, enquanto aqueles que conhecem pouco da ciência e da lei natural estão imersos no medo.

Todo negócio, seja grande ou pequeno, para ter sucesso, deve ter um líder que tenha e inspire a fé. A presença de Napoleão no campo de batalha valia por dez mil soldados, porque ele inspirava todos ao seu redor com o espírito de fé em sua capacidade de obter a vitória.

Se você não tiver mais fé, pode escrever "fim" em seu registro; porque fracassará, não importa quem você seja ou o que esteja empreendendo.

Quando começar a sua busca pelo seu "outro eu", deixe que a fé seja o seu guia, e você não levará muito tempo para encontrá-lo.

Quando deixei a Virgínia Ocidental e parti para a Filadélfia a fim de publicar a Filosofia da Realização Americana, não tinha a menor ideia de como conseguiria dinheiro; mas havia um fato que se destacava indelevelmente em minha mente: eu tinha plena fé de que alguém forneceria o dinheiro, e foi o que aconteceu!

Eu havia descartado de minha mente racional todos os planos que tinha imaginado para conseguir o financiamento, e concentrei todo o meu pensamento apenas no propósito de obter o dinheiro. De fato, essa declaração terá mais significado para todos aqueles que tiverem o hábito da oração.

Meu "outro eu" me ensinou a concentrar-me em meu propósito ao orar, e esquecer os planos para alcançá-lo. Não estou sugerindo que as coisas materiais possam ser adquiridas sem planejamento. O que estou dizendo é o seguinte: o poder que transforma os nossos pensamentos ou desejos em realidade tem origem em uma Inteligência Infinita, e ela conhece mais sobre planos do que nós.

Em outras palavras: quando oramos, não é mais sábio confiar na Inteligência Infinita para que nos dê o plano mais adequado, e assim realizar o desejo da nossa oração?

Minha experiência ensinou que tudo o que resulta da oração (quando ela é respondida) é um plano adequado para a obtenção do objetivo da oração, por meios naturais e materiais. O plano deve então ser realizado por meio da ação.

Desconheço qualquer tipo de oração que traga resultados favoráveis por meio de "milagres". Desconheço qualquer forma de oração que cause a violação ou cessação da lei natural. Em toda a minha pesquisa, não encontrei casos em que a oração fosse respondida ou cumprida por outras forças que não as naturais.

Desconheço qualquer forma de oração que possa trazer resultados favoráveis a uma mente que esteja contaminada pelo medo.

Desde que comecei a conhecer melhor o meu "outro eu", a minha forma de orar se tornou diferente do que era. Eu costumava orar apenas quando enfrentava dificuldades. Agora oro antes que a dificuldade me alcance.

Agora eu oro não para pedir por mais bens terrenos ou por maiores bênçãos, mas para ser digno e usar sabiamente o que já tenho. Acredito que esse modo seja melhor do que o antigo. Imagino que a Inteligência Infinita não se ofende quando dou graças e quando demonstro o quanto sou grato pelas bênçãos que resultaram de meus esforços.

Na primeira vez que fiz uma oração de agradecimento, fiquei surpreso ao perceber tudo o que tinha, e como era vasta a fortuna que eu tinha sem saber apreciá-la. Descobri, por exemplo:

- Que eu tinha um corpo saudável, que não sofria com nenhuma doença.
- Que tinha uma mente razoavelmente equilibrada.
- Que fui abençoado com toda a liberdade, tanto física quanto mental.
- Que tinha uma imaginação criativa, por intermédio da qual poderia prestar serviços úteis a um grande número de pessoas.
- Que eu era um cidadão da melhor nação que a civilização já desenvolveu.
- Que eu tinha um desejo imperecível de ajudar os mais necessitados.

- Que a felicidade, o desejo mais elevado da humanidade, já era minha – estando os meus negócios em crise ou não.

Agora mesmo, o mundo está passando por uma mudança de proporções tão grandes que milhões de pessoas têm entrado em pânico com preocupações, dúvidas, indecisão e medo. Para mim, este é um momento maravilhoso para todo aquele que chegou à encruzilhada da dúvida se esforçar e se familiarizar com seu "outro eu".

Para quem deseja fazer isso, recomendo que aprenda uma lição com a natureza. Uma simples observação nos mostra que as estrelas brilham todas as noites em seus lugares habituais, apesar das crises comerciais e das guerras; que o Sol continua a emanar seus raios de calor, fazendo com que a mãe Terra produza uma superabundância de alimentos e provisões; que a água continua a descer pelas montanhas; que as aves do céu e os animais da floresta continuam a receber todos os dias o alimento de que precisam; que a todo dia de trabalho segue-se uma noite repousante; que ao verão agitado segue-se o inverno lento; que as estações vêm e vão, exatamente como era antes da Grande Depressão; e que, na realidade, apenas a mente do homem deixou de funcionar normalmente, porque ele a encheu de medo.

A observação desses simples fatos da vida cotidiana pode ser útil como ponto de partida para aqueles que desejam suplantar o medo pela fé.

Não sou profeta; mas, com toda a modéstia, posso afirmar que qualquer pessoa tem o poder de mudar sua situação material ou financeira se mudar primeiro a natureza de suas crenças.

Não confunda a palavra "crença" com a palavra "desejo". Não é a mesma coisa! Todos são capazes de "desejar" vantagens financeiras, materiais ou espirituais, mas o elemento da fé é o único poder seguro pelo qual um desejo pode ser traduzido em uma crença, e uma crença em realidade.

Nada é impossível para o homem que conhece e confia em seu "outro eu". Tudo o que o homem acredita ser verdade tem uma maneira de se tornar verdade.

Essa crença, mesmo que seja apenas uma teoria, pode explicar por que a oração às vezes funciona, enquanto na maioria das vezes parece não funcionar. Uma oração é um pensamento liberado, ora expresso em palavras audíveis, ora expresso de forma silenciosa. Em minha experiência, tenho observado que uma oração silenciosa é tão eficaz quanto aquela que é expressa em palavras. Observei também que o estado de espírito da pessoa é um fator determinante para que a oração funcione ou não.

A partir dessas observações (não opiniões!), cheguei à conclusão de que a força ou o poder que responde favoravelmente a uma oração é exatamente a mesma força ou poder que converte uma bolota em um carvalho, que desperta o pássaro que dorme dentro do ovo e que desenvolve dois minúsculos cromossomos nessa forma maravilhosamente organizada conhecida como ser humano.

Finalmente, com a ajuda do meu "outro eu" e das vendas significativas dos meus livros da Lei do Sucesso, deixei todos os meus problemas para trás: a minha estrela do destino estava no alto mais uma vez. O dinheiro estava chegando; e ele chegava tão rápido e tão fácil que parecia que eu nunca mais seria pobre, e que não havia nada que o dinheiro não pudesse comprar.

Em pouco tempo, realizei o antigo desejo de possuir uma propriedade rural, comprando uma bela área de seiscentos acres nas montanhas Catskill, incluindo 150 mil dólares em construções e benfeitorias. E logo eu estava dirigindo um Rolls-Royce, que eu desejava fazia tanto tempo. Parecia não haver dúvidas de que eu estava sendo levado rapidamente pelas correntes do sucesso, no grande rio da vida.

Se eu soubesse que o destino me aguardava com um belo porrete atrás da próxima esquina, teria sido mais humilde. Hoje, enquanto faço uma retrospectiva do que estava acontecendo comigo, fico maravilhado com a minha estupidez e como eu andava com o "rei na barriga". Agora sei como é comum que as pessoas percam de vista o bom senso na hora do triunfo.

Eu ainda tinha uma grande lição a aprender com as minhas observações de Henry Ford: a lição da humildade e do autocontrole na hora do sucesso. Agora sei que a maioria das pessoas suporta muito melhor as características desanimadoras do fracasso e da pobreza do que o poder do sucesso e da riqueza.

Durante um ano inteiro, me permiti flutuar nas nuvens da superabundância. Então aconteceu algo que fez com que todos os meus fracassos e adversidades anteriores parecessem insignificantes em comparação ao que estava para acontecer; algo que estava destinado a dar à minha alma um teste mais severo do que qualquer outro que já havia sofrido, mas destinado também a revelar-me uma grande lei da natureza, na qual eu encontraria uma paz de espírito duradoura, baseada na liberdade material e espiritual, de uma forma que eu nunca tinha compreendido antes.

O mercado de ações quebrou, e a Grande Depressão começou.

## CAPÍTULO 5

# O BANQUETE QUE PRECEDEU A FOME

A boa sorte brilhou brevemente sobre mim antes do início da Grande Depressão. Devido ao sucesso de meus livros, fui contratado para escrever uma coluna para o *New York Evening Graphic*. Também foi um sucesso, e logo eu estava em contato diário com cerca de seiscentos mil leitores, milhares dos quais me escreviam pedindo conselhos sobre todos os tipos de problemas pessoais possíveis e imagináveis. O volume de cartas se tornou tão grande que o jornal precisou contratar cinco secretárias para cuidar da correspondência.

Por fim, o carisma que eu havia semeado em minha participação na convenção de Iowa, oito anos antes, começava a render dividendos substanciais. O editor do jornal estava exultante com o aumento da circulação diária, que saltou para mais de trezentos mil jornais nos primeiros três meses de minha contratação. O gerente comercial fez um levantamento de todos os números e, embora essa informação não tenha sido dada a mim naquela época, soube mais tarde que minha coluna estava atraindo cinco vezes mais leitores do que todas as outras juntas, embora o famoso colunista social Walter Winchell tivesse um espaço naquele jornal.

Muitos amigos me criticaram severamente por contribuir para um jornal como o *Graphic*, alegando que eu estava manchando uma filosofia sólida que eu tivera o privilégio de organizar por meio da gentileza e em colaboração com algumas das maiores mentes em nosso país. Na verdade, ninguém menos que o genial Charles M. Schwab me deu o que pensar, quando me mandou dizer que "o Sr. Carnegie provavelmente não teria orgulho do jornal específico que você escolheu para apresentar a filosofia que ele organizou de forma tão instrumental".

Essa foi a primeira vez que qualquer forma de crítica ao meu vínculo com o *Graphic* causou algum impacto em minha mente; e como era vinda do amigo mais próximo do Sr. Carnegie – que, portanto, sabia muito bem qual seria a opinião dele –, comecei a sentir que talvez tivesse feito uma escolha imprudente.

Por outro lado, o editor do *Graphic*, o Sr. Macfadden, tinha sido uma das primeiras pessoas a reconhecer meus talentos e me dar espaço adequado em seu jornal, com o privilégio de me expressar praticamente sem restrições editoriais. Portanto, eu tinha um sentimento de obrigação com ele, que me dava coragem para fazer ouvidos moucos a todas as críticas.

Além disso, os milhares de homens e mulheres que liam minha coluna diariamente estavam me proporcionando uma oportunidade sem precedentes de aplicar os princípios de realização para a solução de uma grande variedade de problemas comuns. Eu estava prestando uma forma de serviço que nenhum outro jornal jamais tinha se comprometido a oferecer. Meus esforços estavam ajudando muitos cidadãos comuns e pequenos empresários a saírem de suas dificuldades; os inventores eram informados sobre os métodos para proteger suas descobertas; relacionamentos desgastados entre casais estavam sendo restaurados; e rapazes e moças que estavam presos em um estado moral de desânimo recebiam ajuda para se libertar. Tudo isso parecia compensar qualquer dano que eu pudesse estar causando a mim mesmo ao publicar uma coluna de filosofia em um jornal sensacionalista.

Nesse caso, como em todas as outras situações em que tive de fazer uma escolha entre dois cursos de ação possíveis, a fé me proporcionou uma oportunidade e me deu uma saída, sem ferir a mim mesmo ou a qualquer outra pessoa.

Nessa época, o Sr. Macfadden, junto de Martin Weyrauch, gerente comercial da *Graphic*, e Fulton Oursler, chefe do conselho editorial, tiveram a ideia de organizar uma nova revista a ser publicada sob minha direção, como editor-chefe. Todo o palco estava sendo montado para o início da nova publicação quando algum executivo financeiro de mente brilhante entre os consultores de Macfadden concebeu a ideia (não tão brilhante) de organizar a nova revista sob uma nova pessoa jurídica, o que me tornaria responsável por fazê-la pagar suas próprias despesas.

Resumidamente, a proposta que me foi entregue por escrito pelo Sr. Weyrauch previa que a organização Macfadden deveria assumir a publicação e a venda de todos os meus livros, pagando-me os devidos *royalties* como autor. A mosca na sopa foi o que considerei uma cláusula capciosa: os *royalties* seriam aplicados primeiro nas despesas operacionais da nova revista, pela qual eu receberia um salário de seis mil dólares por ano, até que a revista estivesse em condições de sustentar a si mesma. Depois disso, todos os *royalties* viriam para mim.

Considerei essa proposta um insulto à minha inteligência, e disse isso com todas as letras. Na verdade, disse isso de forma tão clara e definitiva que o projeto da revista foi temporariamente suspenso, mas não antes de ter criado um impasse entre mim e os homens de Macfadden.

O golpe de misericórdia, que converteu aquele relacionamento tenso em uma ruptura definitiva, veio algumas semanas depois – quando comprei a propriedade nas montanhas Catskill e comecei a executar um plano que vinha acalentando havia anos: criar uma nova escola, na qual a filosofia de realização pudesse ser ensinada para pessoas de todo o país.

O Sr. Macfadden soube dos meus planos quando leu sobre eles em seu próprio jornal. O que ele disse a Martin Weyrauch, gerente comercial do jornal, eu nunca soube; só sei que o que o Sr. Weyrauch disse a mim em nossa última discussão me fez virar as costas e sair, dizendo que ele poderia fazer com a minha coluna o que bem entendesse.

Ele requisitou os serviços de um de seus melhores escritores, que usava o pseudônimo "Lincoln Adams", e fez uma tentativa desesperada de salvar a coluna. O Sr. "Adams" revisitou o material que eu havia utilizado, selecionou e reescreveu o máximo que pôde e publicou na coluna como se fosse um material original. Ao final de alguns dias, o esforço foi interrompido e a coluna foi extinta.

Lamentei profundamente as circunstâncias particulares como ocorreu meu rompimento com o Sr. Macfadden, pois percebi que não era inteiramente culpa dele. O seu império de negócios havia crescido em proporções tão enormes que ele fora compelido a se cercar de muitos aliados de MasterMind, mas nem todos estavam de acordo com a Regra de Ouro da minha filosofia. O tempo finalmente curou as feridas entre mim e o Sr. Macfadden, assim como geralmente cura os males dos homens.

Coloquei uma equipe de homens para trabalhar em minha propriedade e comecei a prepará-la para o meu projeto escolar. Procurando um educador talentoso para se tornar diretor técnico da escola, encontrei a pessoa certa: o Dr. James Colby, de Boston, que desistiu da advocacia e mudou todos os seus planos para unir forças comigo, passando a integrar o grupo de MasterMind de que eu precisava para realizar meus planos com sucesso.

Eu já havia me cercado de várias pessoas influentes, que estavam prontas e dispostas a cooperar na execução de meu plano de estabelecer uma escola na Estância Turística de Catskill Mountains. Entre eles estavam o editor do *Albany*, um jornal de Nova York que pertencia ao Sr. Hearst, e Arthur F. Schoen, editor do *Saugerties*, também de Nova York. Além deles estavam presentes o Sr. Edwin C. Cadwell, de quem eu havia comprado a propriedade, e muitos outros.

O anúncio formal dos meus planos foi celebrado numa quinta-feira com uma grande recepção, para a qual convidei todos os moradores do local. Eles vieram em número tão grande que a polícia estadual teve que enviar reforços para lidar com o tráfego. Compareceram mais de três mil pessoas. Havia muitas câmeras registrando os destaques daquele dia de celebração, e dois barcos especialmente fretados trouxeram centenas de pessoas da cidade de Nova York para participar. No geral, parecia que o mundo finalmente havia descoberto que um jovem das montanhas chamado Hill prestava um serviço digno de reconhecimento.

O colunista Arthur Brisbane foi um dos convidados. Enquanto conversava comigo e com Arthur Schoen, ele comentou com indiferença: "Se eu pudesse escrever a história do que vi aqui hoje e publicá-la em minha coluna, você não teria espaço suficiente para acomodar a multidão que viria após a inauguração da escola". A partir dessa observação, tive uma ideia. Eu sabia que o Sr. Brisbane falava a verdade.

Telefonei para ele no dia seguinte, marcando um encontro em sua casa. Quando cheguei, expliquei ao Sr. Brisbane que tinha uma proposta comercial para apresentar a ele, e que a havia resumido por escrito. O bilhete que entreguei a ele dizia: "Se você divulgar de forma consistente e regular em sua coluna no *Today* a filosofia que organizei, bem como a escola com a qual pretendo propagá-la ao mundo, da mesma forma que você exaltou as virtudes da Flórida pouco antes do *boom* imobiliário, darei a você metade da participação na filosofia. Garanto que você ganhará pelo menos um milhão de dólares nos próximos quatro anos; caso contrário, entregarei a você o trabalho da minha vida".

Minha referência à Flórida foi porque seus escritos elogiosos sobre o estado levaram a um enorme volume de transações imobiliárias; mas, em última análise, também levaram a um colapso e à queda dos preços.

Apresentei minha proposta por escrito porque Arthur Schoen me acompanhou até a casa do Sr. Brisbane, e não queria ser descortês com ele chamando o Sr. Brisbane de lado para apresentar meu plano. Além disso, por razões óbvias, eu não queria que ele soubesse de todos os detalhes.

Estávamos na sala de jantar, sentados à mesa, quando entreguei o bilhete a Brisbane. Ele leu bem devagar, dobrou o papel e olhou pela janela por três minutos completos, sem dizer uma palavra. Então ele se levantou e caminhou lentamente ao redor da mesa várias vezes antes de proferir sua resposta em apenas quatro palavras: "Não posso fazer isso!". Então ele caminhou ao redor da mesa mais três ou quatro vezes, sentou-se novamente e explicou calmamente por que não poderia colaborar comigo daquela forma.

– Acredito que você realmente faria o que disse – começou ele –, e eu saberia muito bem o que fazer com um milhão de dólares (ele tinha "apenas" um patrimônio de quinze ou vinte milhões), mas o problema está no meu contrato, que me impede de participar de qualquer atividade externa sem o consentimento do meu editor. Isso talvez pudesse ser resolvido, exceto pelo que aconteceu após o *boom* imobiliário da Flórida que você mencionou. Os leitores da Califórnia reclamaram tão amargamente por causa do que chamaram de "preconceito" contra o estado deles em favor da Flórida que eu não poderia agora dar a você o tipo de publicidade de que precisa sem angariar mais críticas contra minha pessoa. Embora eu acredite que você esteja fazendo o bem, mais do que qualquer outro homem que conheço, e mereça toda a cooperação que eu puder oferecer, simplesmente não posso fazer isso.

Essa foi a situação, em poucas palavras. Eu tinha identificado e tentado abraçar uma oportunidade que, por meio do Sr. Brisbane, teria oferecido a milhões de leitores em todos os Estados Unidos os benefícios de minha filosofia, assim como os que eu tinha ajudado por meio das colunas do *Evening Graphic*; mas circunstâncias sobre as quais eu não tinha controle acabaram com a oportunidade, tão rapidamente quanto tinha surgido. No entanto, as circunstâncias mais uma vez mantiveram o controle do trabalho da minha vida nas minhas mãos.

Saí de lá com um sentimento de profunda decepção; e quando o Sr. Schoen e eu chegamos à minha casa, ele mencionou algo destinado a me confortar, mas que tinha um significado muito maior do que poderíamos perceber naquela ocasião:

– Talvez o tempo prove que foi melhor assim, sem fazer uma aliança com Brisbane.

O tempo provou que ele estava certo, embora esse ponto de vista fosse difícil de aceitar naquele momento de decepção.

Antes de deixar de lado minhas recordações sobre Brisbane e Macfadden – duas pessoas que quase me levaram a perder o controle de minha filosofia –, gostaria de observar que em muitas ocasiões anteriores, quando estava prestes a deixar uma parte do controle da minha filosofia escapar de minhas mãos, minhas intenções mudaram tão abruptamente quanto nesses dois casos.

No momento apropriado, quando chegarmos à análise da lei natural por meio da qual encontrei a chave mestra para a filosofia, descreverei em pormenores a razão pela qual fui tão "milagrosamente" frustrado em todos os meus esforços para abrir mão dela. Não tem nada a ver com poder sobrenatural. Isso eu posso garantir.

Apesar da recusa do Sr. Brisbane em dar à difusão da filosofia o mesmo tipo de promoção que tão generosamente dedicou à criação do *boom* (ou fiasco) imobiliário da Flórida, segui em frente, confiante de que teria sucesso sem a sua ajuda. Já havia conseguido me livrar de tantas dificuldades aparentemente intransponíveis que comecei a acreditar que poderia contornar qualquer obstáculo que aparecesse em meu caminho. Além disso, meus livros sobre a Lei do Sucesso já tinham sido publicados, e a filosofia era aprovada com entusiasmo por pessoas que realmente importavam, em todas as partes do país.

No que diz respeito à questão de ganhar dinheiro, quando alguém consegue guardar de seis a sete mil dólares por mês no banco, após pagar as despesas, não há muita razão para se preocupar. Refiro-me com isso à minha condição no início de 1929, quando nem mesmo o mais sábio dos homens poderia prever a crise iminente que logo varreria a civilização como um furacão. Mesmo que eu pudesse prever a chegada daquele dilúvio, dificilmente teria sido atingido por ele, pois naquela época havia completado a organização dos 17 princípios, e tinha certeza de que poderia remover qualquer resistência que atrapalhasse meu caminho.

Os 17 princípios da realização pessoal são os seguintes:

1. Definição de propósito.
2. Aliança de MasterMind.
3. Fé aplicada.
4. Fazer mais do que somos pagos para fazer ("Andar uma milha a mais").
5. Personalidade agradável.
6. Iniciativa pessoal.
7. Atitude mental positiva.
8. Entusiasmo.
9. Autodisciplina.
10. Pensamento preciso.
11. Atenção controlada.
12. Trabalho em equipe.
13. Aprender com a derrota.

14. Visão criativa.
15. Cuidar da saúde física e mental.
16. Orçamento de tempo e dinheiro.
17. A força cósmica do hábito.

Tudo correu bem durante a primavera e o verão de 1929, e eu estava ocupado trabalhando nos planos para a minha nova escola; foi quando, sem aviso, o mercado de ações quebrou e fez com que milhões de pessoas entrassem em pânico. Eu me diverti muito com as atitudes das pessoas que haviam tentado de todas as formas ganhar muito a troco de nada apostando em ações, e que no final ainda ficaram devendo o que não tinham, com uma velocidade surpreendente.

A situação não me afetou diretamente, pois eu não apostava no mercado de ações. Não fiquei muito impressionado com o que estava acontecendo; tinha certeza de que tudo aquilo iria passar, e o mundo voltaria ao normal dentro de alguns meses.

Bem no meio da crise financeira, recebi um convite de um proeminente membro da Igreja Mórmon para ir a Utah dar uma palestra para os fiéis. A fonte de onde veio o convite, bem como o motivo por trás dele, era de uma natureza que eu não poderia recusar. Então deixei Nova York e meus negócios pelos três meses seguintes e dediquei todo o meu tempo a esse serviço – que me proporcionou alguns dos conhecimentos mais úteis da minha carreira.

Minha primeira palestra foi proferida no Hotel Utah, em Salt Lake City, onde me apresentei em três noites consecutivas. Na noite de abertura, o auditório com capacidade para 1.500 pessoas estava lotado (com assentos extras nos corredores e pessoas em pé). Era um público estimado de duas mil pessoas, e mais de seis mil que ficaram do lado de fora. As portas do hotel tiveram que ser fechadas meia hora antes de começar a palestra. Quando comecei, o Corpo de Bombeiros foi chamado, e esteve perto de esvaziar o público que estava nos corredores.

Depois de Salt Lake City, visitei todas as principais cidades de Utah e estendi minha viagem ao Colorado, Idaho e Califórnia, encontrando um público que superlotava todos os lugares em que dei palestras. Não sei o quanto os mórmons aprenderam comigo, mas meu contato com eles me deu uma excelente oportunidade para testar na prática muitos princípios da filosofia, já que a Igreja Mórmon sempre fez uso prático de alguns dos princípios. A organização da igreja, por exemplo, é um dos melhores exemplos da solidez e eficácia dos princípios do *MasterMind, definição de propósito, iniciativa* e *fazer mais do que somos pagos para fazer*.

A maneira prática pela qual a Igreja incentiva seus membros a ajudarem a si mesmos (por meio do princípio do MasterMind) era tão eficaz que descobri que entre eles não havia pobres nem indigentes. E o método mórmon de permitir que as crianças assumissem papéis de liderança na condução dos cultos da igreja dava às crianças mórmons um fundamento de autoconfiança e iniciativa que a maioria das crianças não tem.

A maior lição que recebi dos mórmons, entretanto, foi a evidência que eles forneceram de que "toda adversidade traz consigo a semente de uma vantagem equivalente". Perseguidos e expulsos de suas casas, os fundadores da Igreja Mórmon foram forçados a lutar contra nativos hostis, animais selvagens e as incertezas de um país instável, envolvendo dificuldades e sacrifícios quase além da resistência humana. A "semente de uma vantagem equivalente" que surgiu dessa experiência foi um espírito de cooperação amigável que torna praticamente impossível falhar nos assuntos práticos da vida.

Quando voltei para Nova York, no início de 1930, a Depressão ainda não havia terminado, mas eu tinha certeza de que não duraria por muito mais tempo. No entanto, naquela época, a venda de meus livros havia caído significativamente, a demanda por minhas palestras tinha diminuído, e havia outros sinais definitivos de que uma tempestade econômica estava varrendo o país. Eu ainda sentia que estava fora do alcance do redemoinho de medo para o qual tantos de meus amigos e conhecidos tinham sido arrastados. Portanto, segui em frente com meus planos, confiante de que poderia navegar nas ondas da tempestade e não ser submerso por elas.

Durante os dois anos que se seguiram, aprendi o que pode acontecer quando cem milhões de pessoas aplicam o princípio do MasterMind na direção contrária e dedicam seu tempo e seus esforços à expressão do medo e da dúvida. Eu não tinha a menor ideia de que estava destinado a encontrar na Depressão o fio da meada que acabaria levando à descoberta do elo perdido da minha filosofia.

No primeiro dia de 1931, minha própria situação financeira ficou tão tensa que fui forçado a abrir mão de minha propriedade em Catskill Mountain e arquivar os planos para organizar uma escola. Depois de analisar o que era possível fazer para proteger os meus ganhos até que a tempestade passasse, tomei a decisão de me mudar para Washington e dedicar meu tempo a escrever novos livros. Mesmo com minha renda reduzida a praticamente zero, eu sentia que nada jamais poderia destruir minha coragem, embora quase todos que eu conhecia parecessem paralisados por uma estranha forma de letargia, uma combinação de medo e indiferença. Percebi evidências desse estranho narcótico mental em cada indivíduo que observei durante aquele período de fracasso e adversidade.

Em Washington, uma circunstância encorajadora serviu, talvez mais do que todas as outras, para me manter de cabeça erguida durante todos aqueles dias terríveis de 1932, quando centenas de milhares de soldados desempregados estavam acampados nos arredores da cidade, e seu comportamento sugeria a possibilidade de uma revolução iminente. O honorável Daniel C. Roper, ex-comissário do Internal Revenue Service e presidente do Conselho de Tarifas, e mais tarde secretário do

Comércio, me convidou para um almoço informal, no qual fui apresentado a alguns de seus amigos, incluindo um de seus filhos. Ao me apresentar, o Sr. Roper disse: "Quero que vocês conheçam um homem que fez mais coisas para tornar este mundo melhor do que qualquer outro homem envolvido em seu campo de trabalho".

A apresentação foi uma surpresa tão grande que não pude deixar de perguntar em particular ao Sr. Roper, após o término do almoço, se eu havia entendido corretamente; e, em caso afirmativo, se ele poderia me dizer se estava falando sério. Ele me assegurou que eu tinha ouvido corretamente e que falava sério. Ele então explicou que havia encontrado os oito volumes de minha filosofia por acaso, mas quando leu os livros ficou surpreso em perceber como eles descreviam perfeitamente uma filosofia prática que ele há muito desejava que alguém organizasse.

Cerca de um ano depois de conhecer o Sr. Roper, fiquei surpreso quando ele me entregou um esboço escrito de uma filosofia de negócios que ele planejava organizar, cujos princípios correspondiam quase perfeitamente aos princípios da minha filosofia de realização. O plano fora traçado muitos anos antes de o Sr. Roper ter ouvido falar de mim ou do meu trabalho. Naturalmente, fiquei muito comovido ao saber que um dos pensadores mais hábeis do país havia dado seu selo de aprovação aos resultados de meu trabalho.

O filho do Sr. Roper, a quem fui apresentado em nosso primeiro almoço, era oficial do Exército dos Estados Unidos. Vários meses depois de nosso primeiro encontro, ele me escreveu dizendo que tinha lido os oito volumes de minha filosofia, e insistia veementemente que os livros deveriam ser adotados pelo governo como livros didáticos, em um curso obrigatório a ser seguido por todos os militares. Claro, não havia nada que eu pudesse fazer para realizar sua sugestão naquele momento, pois a crise prolongada tornava praticamente impossível falar com os funcionários do alto escalão do governo, por causa de seu estado de espírito imprevisível.

## Relações harmoniosas e desarmônicas

Os benefícios que obtive com a franca expressão de interesse do Sr. Roper em meu trabalho me mostraram a importância dos relacionamentos harmoniosos entre as pessoas, e pude compreender melhor por que o Sr. Carnegie tanto enfatizava a necessidade da harmonia como um elo do princípio do MasterMind.

Devido à grande influência do tema das relações humanas harmoniosas, devo agora retroceder um pouco em minhas próprias experiências pessoais e descrever aquelas que causaram mudanças importantes, definitivas e permanentes em minha vida. Ao descrever as experiências pessoais íntimas que tive enquanto consolidava o trabalho de minha vida, ficará muito claro que minha filosofia adquiriu seus refinamentos mais importantes por ter sido literalmente forjada no crisol das adversidades.

Estou prestes a abrir as cortinas que esconderam, até agora, uma fase importante da minha vida privada. Não tenho escolha a não ser revelar a natureza de meus relacionamentos com aqueles que estiveram mais próximos de mim, pois a omissão dessa importante informação prejudicaria seriamente aqueles que esperam se beneficiar de minhas próprias experiências. Além disso, um estudo cuidadoso de toda a minha história demonstrará de forma definitiva que, na lista de causas para o sucesso e o fracasso, nada é tão importante quanto o tema das relações humanas.

Minha história mostra claramente que somente tive o privilégio de dar ao mundo sua primeira filosofia prática de realização pessoal por causa das alianças afortunadas que estabeleci com mentes verdadeiramente brilhantes. Mas a história não estaria completa se eu deixasse de citar algumas pessoas que serviram como pedras de tropeço em meu caminho.

Sugeri repetidamente que todo o conhecimento benéfico que uma pessoa adquire na vida vem da associação com outras pessoas. Contudo, é claro, a maioria das influências nocivas que encontramos, se não todas elas, também provém da associação com outras pessoas.

Ao analisar pessoas bem-sucedidas, uma das minhas primeiras observações importantes foi o fato de que elas desfrutavam de oportunidades privilegiadas com um julgamento sensato, aliando-se a indivíduos cuidadosamente selecionados. Essa cooperação amigável as inspirava com uma imaginação mais aguçada e com uma autoconfiança maior do que as pessoas comuns desfrutam. Além disso, ficou muito claro, depois de analisar os mais ilustres líderes do comércio e da indústria, que a pessoa que exercia a maior influência para seu sucesso era uma mulher, geralmente a esposa.

Se existe um hábito particular que, mais do que todos os outros, eleva a pessoa a altos pináculos ou a condena ao fracasso é o hábito de se relacionar com outras pessoas em alianças comerciais, profissionais, ocupacionais, sociais e matrimoniais. Esse hábito assume a posição número um de importância, pois é principalmente a influência de outras pessoas que estabelece a porção mais importante de nosso ambiente, a partir do qual criamos, por associação, o padrão de nossa vida.

A questão que surge agora é a seguinte: o que é um relacionamento "adequado"? Um relacionamento adequado é qualquer aliança pessoal, permanente ou temporária, na qual recebemos e oferecemos benefícios pessoais que aproximam todas as partes envolvidas do objetivo que buscam na vida. Em outras palavras, um relacionamento adequado é aquele que está livre de todas as formas de danos ou antagonismo.

Para se ter uma ideia da importância de adquirir hábitos corretos de relacionamento pessoal, devemos refletir que a maioria das pessoas que nasce neste mundo nunca desfruta, em toda a vida, de um relacionamento completamente harmonioso com qualquer outro ser humano. Sem harmonia no relacionamento, duas pessoas não podem receber benefícios mentais, espirituais ou físicos de uma aliança temporária ou permanente entre si. Essa é uma verdade de grande importância, e não a compreender é a causa da maior parte da infelicidade neste mundo.

Os relacionamentos pessoais são uma questão de hábito. Pessoas casadas, por exemplo, sempre brigam, reclamam, criticam-se, entregam-se a várias formas de deslealdade (terminando nos tribunais de divórcio ou, o que algumas vezes é pior, com o destino de permanecerem juntas) apenas por causa dos hábitos que formam durante os primeiros meses de sua vida conjugal. Minhas constatações sobre esse assunto vêm de meus próprios casamentos e da observação de milhares de casais que analisei. Portanto, não estou apenas expressando uma opinião.

O assunto é importante demais para ser tratado com "opiniões", não importa de quem sejam. O casamento é, provavelmente, o mais importante de todos os relacionamentos humanos, porque é uma fusão de almas e submete os envolvidos ao estado dominante da mente mais forte entre os dois. O nascimento de filhos não apenas tende a misturar ainda mais os fatores espirituais de ambos os pais, como também praticamente os compromete a uma codependência inseparável de seus estados espirituais.

A partir da análise cuidadosa de homens e mulheres, muitos dos quais casados, descobri que a harmonia entre os casais, ou a falta dela, é uma influência mais determinante do que todas as outras para o sucesso ou o fracasso do casamento. Eu não sabia, até ter feito milhares de análises, se o que muitos afirmavam era verdade ou não: "A esposa de um homem pode edificá-lo ou destruí-lo". Agora não somente sei que isso é verdade, como também sei que um homem bem-sucedido deve seu sucesso à esposa ou à mulher que escolheu como parceira, mais do que a todas as outras causas combinadas.

## Edificar ou destruir

Antes de deixar o assunto, descreverei a razão para tudo isso. Não há importância alguma em dizer apenas "A esposa de um homem pode edificá-lo ou destruí-lo", a menos que os métodos exatos para a "edificação" e a "destruição" também sejam identificados.

E agora chego ao ponto em que sou obrigado a escolher: devo confiar ao leitor minhas próprias experiências pessoais em relação ao casamento, ou devo omitir esses detalhes íntimos, mas altamente benéficos, deixando, assim, o leitor em dúvida quanto à fonte do meu conhecimento? Decidi não omitir nada, pois acredito que isso poderá ajudar outras pessoas a fazer com que a vida lhes pague dividendos que sejam dignos do esforço necessário para continuar.

Se é ou não de bom tom que um autor divulgue publicamente as intimidades de sua vida matrimonial, acho que isso é uma questão que só ele pode determinar. E enquanto minha vida de casado durou, em meus dois primeiros casamentos, fiz tudo o que poderia ter sido feito para durar, e não há nada pelo que eu deva pedir desculpas.

Meus dois primeiros casamentos não trouxeram felicidade para nenhuma de minhas duas ex-esposas nem para mim, simplesmente porque não havia motivos suficientes em nenhum dos casos para garantir a harmonia. Não houve outra causa para o fracasso. Vamos dar uma olhada em alguns dos fatos importantes, para que o observador possa determinar por si mesmo as causas do fracasso.

Meu primeiro casamento estava fadado ao fracasso antes mesmo de começar, devido a algumas causas que deveriam ser óbvias tanto para a mulher com quem me casei quanto para mim. Em primeiro lugar, eu tinha apenas dezesseis anos, e ela era dez anos mais velha do que eu. Isso, por si só, era uma desvantagem de proporções quase intransponíveis. Mas havia outra dificuldade ainda maior: apesar da grande diferença de idade, ela se casou comigo apenas para escapar de sua própria família. Em outras palavras, ela fugiu de um problema e se casou com outro – uma prática muito comum entre homens e mulheres, que geralmente leva ao fracasso no casamento.

Houve ainda uma terceira razão para que o casamento não desse certo, e é tão importante que talvez devesse encabeçar a lista das três causas do fracasso. Posso descrever melhor essa terceira causa de fracasso como a falta de um propósito de vida em comum entre minha esposa e mim. Agora você pode entender claramente o que quero dizer. Talvez eu deva informar que, desde o dia em que minha madrasta deixou cair a dentadura, o que resultou na transformação de meu pai – de um fazendeiro rural em um dentista profissional de sucesso –, fiquei obcecado com a ideia de que eu poderia igualar ou superar suas realizações em meu próprio campo de atuação, e, francamente, eu pretendia realizar exatamente isso.

Pouco tempo depois do meu primeiro casamento, como relatei anteriormente, chamei a atenção do general Rufus A. Ayers, então um dos advogados mais ilustres e bem-sucedidos da Virgínia, que também tinha vários negócios paralelos. O general Ayers me contratou como seu secretário-chefe, e menos de um ano depois fui nomeado gerente-geral de uma de suas minas de carvão. Minha nomeação ocorreu devido à minha disposição para assumir o cargo no lugar de seu próprio filho, e com o grande apoio de John Barleycorn.

Num domingo de manhã, pouco tempo depois de assumir o cargo de gerente-geral, minha esposa e eu estávamos andando a cavalo nas montanhas. Estávamos montando dois animais muito bons e vigorosos, pertencentes à empresa. Descemos até uma velha fazenda abandonada para dar a eles um tempo para pastar e descansar. Minha esposa ficou na frente de seu cavalo, alimentando-o com um torrão de açúcar e acariciando seu pescoço afetuosamente. Eu a observei por alguns minutos, com admiração, então perguntei se ela gostaria de ser a dona daquele cavalo (eu tinha decidido comprá-lo e dar a ela de presente).

A resposta dela não apenas acabou com nosso casamento, mas também me convenceu de que a esposa de um homem pode não somente edificá-lo ou destruí-lo; na verdade, ela o faz com mais frequência do que a maioria dos homens imagina.

Com um suspiro que pareceu ecoar até os topos das montanhas ao redor, minha esposa exclamou:

– Nunca, em toda a minha vida, poderei ter um cavalo tão bom quanto este!

Isso cortou definitivamente tudo o que nos mantinha unidos. Pouco tempo depois, obtive a anulação do casamento. Claro, o registro legal não faz referência às palavras fatais de minha ex-esposa recusando a oferta de um cavalo que ela admirava, mas essa foi a verdadeira causa da anulação.

Desde então, observei que raramente a causa real do fracasso no casamento é mencionada nos registros de divórcio. Também observei que a maioria das pessoas no mundo que passam pela vida como fracassadas (na verdade, a espantosa taxa de 98% das pessoas) nunca descobre as verdadeiras causas de seus fracassos. E as duas principais causas são o hábito de andar à deriva e o hábito de estabelecer alianças desarmoniosas.

Quando minha esposa admitiu fatalmente que não acreditava que eu pudesse dar a ela um bom cavalo, desferiu um golpe em meu orgulho que deixou uma ferida terrível, e demorou anos para cicatrizar. Afastei-me o mais rápido possível daquela influência – uma pessoa que não se impressionava com o meu potencial, embora eu fosse o gerente-geral mais jovem dos Estados Unidos, à frente de uma grande operação de minas de carvão.

Naquela época, eu ainda não tinha ouvido nada sobre os efeitos psicológicos de uma relação pessoal íntima e, é claro, nada sabia sobre a lei cósmica do hábito, que solidifica de forma permanente as influências do ambiente de uma pessoa. No entanto, havia dentro de mim alguma forma inata de inteligência que me fez arder de ressentimento após aquela demonstração de pouca confiança em minhas habilidades. Eu ainda não sabia nada sobre os perigos de ficar vagando entre relacionamentos desagradáveis e doentios, mas algo dentro de mim superou minha ignorância sobre o assunto e me manteve no caminho certo da autodeterminação – em um momento e sob circunstâncias que, como aprendi desde então, são fatais para milhões de pessoas que não encontram no casamento o estado espiritual de que todo indivíduo precisa para ter o controle do tempo e do espaço na vida.

Minha ex-esposa se casou novamente (e espero que tenha sido feliz!). Ela vinha de uma boa família da Virgínia, e teria sido uma boa esposa para um homem com menos ambição. Em outras palavras, não foi culpa dela, nem minha; mas não tínhamos um propósito de vida em comum, em torno do qual pudéssemos reunir nossas forças mentais e espirituais.

A anulação do meu primeiro casamento causou uma briga que desfez duas famílias e causou transtornos a várias pessoas que não tinham nenhuma responsabilidade pelo erro que cometi. Eu já previa esse aborrecimento antes de iniciar o processo legal. Hoje, muitos anos depois, posso analisar com calma o que aconteceu e afirmar que o preço que paguei foi muito pequeno em comparação aos benefícios obtidos por ter dado esse passo.

Quando falo de "benefícios obtidos", refiro-me não apenas aos meus ganhos, mas também aos ganhos relacionados de alguma forma a qualquer uma das partes. Dar esse passo me deu liberdade espiritual e mental. Isso, por si só, justificaria minha ação. Se eu tivesse dispensado minha primeira esposa apenas porque descobri outra mulher mais atraente, pela qual eu desejasse substituí-la, duvido seriamente que teria vivido para ver o dia em que poderia provar que minha ação era justificável.

Dou essa explicação para deixar bem claro que nada do que mencionei sobre a anulação do meu primeiro casamento deve ser apropriado e usado por homens que desejam trocar de esposa apenas porque mudaram de gosto ou devido à passagem do tempo. Lembre-se: apenas dissolvi meu primeiro casamento porque não havia nada nele para que pudéssemos criar um propósito em comum, sem o qual a harmonia seria impossível. Agradeço pelo meu primeiro casamento, e pelas lições que ele ensinou!

Agora, examinemos o registro de meu segundo matrimônio – no qual, lamento dizer, descobriremos que minha ação determinada em relação ao meu primeiro casamento não foi embasada, de forma alguma, em qualquer inteligência de minha parte. Tampouco a rapidez com que corrigi meu primeiro erro indicava que eu havia reconhecido os perigos de andar à deriva. Essa foi uma lição que tive de aprender muito mais tarde e que, em grande parte, aprendi com dezenas de fracassos encontrados como resultado do hábito de andar à deriva no meu relacionamento com as pessoas.

Tendo em vista que minha segunda esposa ainda está viva, que ela é a mãe de meus três filhos e que nem ela nem eu temos uma lista de queixas particulares contra o outro, descreverei apenas as causas mais importantes para o fracasso em nosso casamento.

Para começar, o erro número um era uma coisa sobre a qual nenhum de nós dois tinha controle, porque era uma pedra no caminho que dificilmente poderíamos ter descoberto antes do casamento. Consistia no fato de que minha esposa desenvolveu, logo após o nosso casamento, um instinto maternal extremamente aflorado; um desejo quase insaciável de que eu me estabelecesse, aceitasse um cargo de contador ou alguma coisa do tipo e trouxesse um pagamento semanal regular, mesmo que pequeno, para me tornar o que geralmente é conhecido como um "pai de família" exemplar.

A princípio, esforcei-me para dominar minha ambição e realizar seus desejos, chegando a me mudar para sua cidade natal e trabalhar com seus irmãos, conforme relatei anteriormente. Tentei fazer isso por quase um ano, mas não conseguia me forçar a aceitar um ambiente contra o qual meu coração gritava em amarga rebelião. Assim, me mudei para Chicago para perseguir o objetivo de meu maior propósito na vida; aquele propósito que Andrew Carnegie tinha plantado profundamente em minha mente, e que se tornou a minha obsessão.

Minha esposa continuou a viver com seus parentes na maior parte do tempo, mas me fazia visitas irregulares onde quer que eu estivesse, sempre que possível. Quase desde o início, começamos a nos afastar em nosso relacionamento matrimonial, e continuamos a nos afastar cada vez mais com o passar dos anos; não por causa de violentas diferenças de opinião, mas sim pela falta de uma motivação mútua que pudesse nos manter unidos.

O casamento terminou em um divórcio amigável depois de 25 anos, mas o início do fim ocorreu muitos anos antes que os papéis fossem assinados, por meio de um incidente de importância aparentemente trivial (e que a maioria das pessoas nunca teria notado). Pouco depois de nos casarmos, descobri que minha segunda esposa tinha uma habilidade considerável como artista; então decidi tentar influenciá-la a continuar seus estudos de arte, e dedicar tempo suficiente a esse hobby para equilibrar seu instinto materno altamente desenvolvido. Ao mesmo tempo, isso nos daria aparentemente ao menos um interesse de vida em comum, na forma de uma expressão de ambição.

Depois de discutir meu propósito com ela, convidei-a para irmos ao Chicago Art Institute, para obtermos informações sobre os cursos da Escola de Artes. Fomos recebidos por uma jovem de cabelos ruivos brilhantes, com um grande talento para julgar rapidamente as pessoas.

Somente eu falava, o tempo todo. Depois de examinar os vários cursos disponíveis e discutir cada um de seus prós e contras, finalmente me virei para minha esposa e perguntei:

– Qual desses cursos você prefere?

Sem se dar ao trabalho de olhar em minha direção, ela olhou pela janela e respondeu com desinteresse:

– Não faz diferença para mim; foi você quem começou isso!

Enquanto eu viver, nunca me esquecerei da expressão de surpresa registrada no rosto da jovem que nos atendia, nem do que ela disse ao ver que minha esposa não estava interessada em nenhum tipo de autoaperfeiçoamento. Com os olhos arregalados, a jovem exclamou:

– Receio que não haja nada que eu possa fazer por vocês dois; esse sonho parece ser de apenas uma pessoa!

Em poucas palavras, essa foi a principal causa. Foi por isso que a cada ano, a partir de então, fomos ficando cada vez mais distantes. Eu tinha um propósito definido na vida, e estava mirando nas estrelas. Minha esposa tinha três filhos, uma casa na Virgínia Ocidental, uma família com muito dinheiro, e não precisava mais de mim. Aquela situação não era saudável. Não chegava a ser insalubre, até onde uma pessoa comum consegue ver; mas era uma situação que, como aprendi mais tarde, estava corroendo os órgãos vitais da minha alma de forma lenta e definitiva.

Com o passar dos anos, voltei meus esforços cada vez mais para a pesquisa, com a sensação de que, afinal, uma esposa não era indispensável, e que talvez eu estivesse melhor sem ela do que com ela. Minha liberdade me daria mais tempo para o trabalho.

Mas foi aqui que cometi um grave erro, que quase me destruiu em um momento crucial da minha vida. Quando fui surpreendido pela Grande Depressão, assim como todas as outras pessoas que passaram por aquele pesadelo, senti falta daquela forma de reserva espiritual que vem apenas pela aliança harmoniosa entre um homem e uma mulher. Eu estava bem morando sozinho, até que de repente o mundo faliu espiritualmente. Então, passei a precisar do tipo de ajuda espiritual que nenhum homem pode encontrar em qualquer outro lugar, exceto por meio da compreensão e afeição de uma mulher com a qual estabeleceu um vínculo de harmonia e unidade de propósito.

Quando ocorreu o furacão econômico de 1929, isso a princípio não causou nenhuma impressão imediata em mim, nem fez qualquer incursão séria em minha reserva espiritual, embora tenha varrido meus bens materiais – incluindo minha escola dos sonhos em Catskill, os *royalties* de meus livros, as palestras, os trabalhos em jornais e revistas e outras fontes que podemos resumir apenas como "muito dinheiro".

## O fundo do poço da vida financeira

Antes que eu pudesse entender o que havia acontecido, me vi no fundo do poço: estava sem renda, todos os bancos em que eu depositara meu dinheiro haviam sido liquidados, e meu prestígio como conselheiro pessoal e filósofo do sucesso estava consideravelmente enfraquecido. No entanto, eu já havia passado por essa experiência muitas vezes. Isso não me assustou nem um pouco. Eu havia trabalhado para sair de Wise County, Virgínia, e saí da pobreza para uma posição de riqueza, na qual consegui todo o dinheiro de que precisava à medida que avançava; mas também alcancei e influenciei muitas pessoas por meio de palestras e escritos, e é claro que acreditava que isso me dava imunidade contra o medo da pobreza que eu via se espalhar ao meu redor.

Muitos ficam amedrontados com a perda dos bens materiais; mas quanto a mim, esse medo não poderia existir. Eu simplesmente deveria me sentar e esperar a tempestade passar, e então eu continuaria de onde havia parado e marcharia direto para a vitória. Então esperei!

Durante todo o ano de 1930, fiquei à deriva e aguardei, sem experimentar muitos sinais de nervosismo. No início de 1931, fiz um levantamento da situação e pensei ter visto sinais de retorno à normalidade; então ajustei minhas velas e me preparei para começar a etapa seguinte da minha viagem nos mares da vida.

Comecei a escrever novamente. Mas minha escrita foi interrompida, como tantas vezes aconteceu em minha vida, devido às incursões nos negócios. Infelizmente, eles me levaram a uma derrota atrás da outra, em uma sucessão tão rápida que fiquei atordoado, vivendo outro período à deriva. A tempestade econômica se tornou mais desastrosa do que nunca, mas eu acreditava que a filosofia de realização pessoal era suficiente para me salvar em qualquer emergência; então continuei navegando com um sorriso amarelo no rosto, sentindo que eu poderia constranger algumas pessoas fortes que eu tinha visto cair e desistir.

Minha primeira tentativa de quebrar a inércia que me dominava foi uma campanha para angariar novos membros para o Keystone Automobile Club, da Filadélfia, que foi lançada sob minha direção. Os executivos do clube entraram em pânico bem no meio da campanha, depois de terem investido quase cinquenta mil dólares, e cancelaram o contrato comigo para se juntar à grande turba dos desanimados e desencorajados.

Nem assustado nem desencorajado, fiz outra tentativa de quebrar o feitiço do medo que parecia ter se apoderado de todos, promovendo uma campanha de rádio com o objetivo de tentar impedir as corridas aos bancos. Depois de três meses e meio nesse trabalho, meus patrocinadores rescindiram o contrato e me tiraram do ar, pois ainda estavam assustados com as perspectivas.

Em seguida, convenci R. U. Darby, um agente de seguros de Baltimore, a fazer uma campanha pública com o objetivo de restaurar a fé no país em geral (e no povo de Baltimore em particular). Depois de gastar mais de cinco mil dólares em publicidade, a campanha entrou em colapso quando o presidente Roosevelt declarou o feriado bancário nacional.

Naquela época, o mundo parecia ter declarado uma greve geral: "Vamos todos sentar e ficar à deriva!". Toda a atmosfera – mental, espiritual e física – estava tão carregada de medo que não havia espaço para influências ambientais positivas. Desisti de meus esforços pessoais e fui trabalhar para o presidente Roosevelt, com a esperança de poder ajudar e influenciar as pessoas a saírem daquela debandada de medo. Até então era tempo de fazermos um levantamento e ver que ainda tínhamos o mais livre, mais rico e melhor país do mundo.

Enquanto eu trabalhava para o presidente, também comecei a trabalhar no livro que mais tarde se chamaria *Quem pensa enriquece*. Quando eu estava na metade do livro, fui interrompido no meio de uma frase por um "estalo" – ou talvez pudesse ser descrito com mais precisão como uma "ordem" para tirar o papel da máquina de escrever e inserir uma nova folha, pois Thomas Edison queria me mandar uma mensagem. (Edison já havia falecido vários anos antes. Ele foi um dos colaboradores mais importantes para a organização da minha Filosofia da Realização Americana.)

Coloquei a folha de papel e comecei a escrever. Por várias horas, datilografei o mais rápido que pude. Quando terminei, este foi o resultado:

PERGUNTA: Sr. Edison, para onde você foi quando morreu?

RESPOSTA: Para lugar nenhum! Eu não estou morto; simplesmente abandonei o corpo desgastado de que eu não precisava mais. Tornou-se inútil, de qualquer maneira.

P. Você levou consigo a memória de suas experiências durante a vida?

R. Sim, e ainda estou trabalhando em meus experimentos com borracha sintética. Assim que encontrar alguém que me autorize o uso de seu corpo físico, eu o ajudarei a revelar ao mundo os benefícios do meu trabalho.

P. Em que forma você existe agora como indivíduo? E onde você mora?

R. Eu existo como um grupo de unidades organizadas de inteligência, e moro onde eu quiser. Não me preocupo com o transporte. Posso viajar de uma parte a outra do universo a uma velocidade inconcebivelmente maior que a da luz. Passo a maior parte do tempo perto daqueles que trabalharam comigo antes que eu abandonasse o meu corpo físico.

P. Como você se comunica com outras pessoas no seu plano?

R. Isso é fácil. Comunicamo-nos quando desejamos, pela mera vontade de comunicar. A distância não faz diferença. Podemos nos comunicar a qualquer distância, na mesma velocidade em que viajamos.

P. O que dá a quem vive no plano físico o poder da vida e o poder de pensar?

R. O que você chama de vida é uma forma de inteligência que consiste em incontáveis unidades, ou enxames. No plano físico, esses enxames aumentam em número à medida que a pessoa envelhece; eles permanecem unidos enquanto o corpo físico funciona harmoniosamente, e se desvencilham para cuidar de seus afazeres quando o corpo físico para de funcionar. Às vezes, esses enxames de inteligência se separam em grupos menores, e cada um se move conforme sua escolha. Quando nos comunicamos por meio do corpo físico em seu plano, geralmente o fazemos enviando um pequeno enxame de nossas unidades individuais, e a quantidade depende da capacidade do corpo que visitamos. Frequentemente, admitimos novas unidades neste plano, assim como uma colmeia de abelhas pode admitir um grupo de abelhas estranhas. O interesse mútuo serve para atrair novas unidades para nossos grupos individuais.

P. Quando foi criada a Terra onde vivemos durante nossa existência física?

R. A Terra não foi criada. Foi lançada de um cosmos giratório, há cinquenta milhões de anos.

P. Como os seres humanos e outras formas de vida física encontraram seu caminho para a Terra?

R. Toda a vida física que existe hoje na Terra em que você vive é o resultado de enxames de unidades de vida, que passaram a residir aí há cerca de quarenta milhões de anos, depois que a Terra se tornou um corpo separado.

P. As unidades de energia que dão vida à vegetação e aos animais, inferiores ao homem, retornam para o seu plano quando abandonam sua morada física?

R. Todas as unidades de vida retornam. Não há diferença alguma entre as unidades de vida. Cada uma delas é dotada exatamente da mesma quantidade de inteligência que todas as outras. As unidades de vida em um cão são tão inteligentes quanto as de um homem. São as suas quantidades que dão a um ser físico maior ou menor inteligência. A única diferença entre um homem e um talo de grama é o número de unidades de inteligência que reside em cada um. As unidades de vida de todos os animais inferiores ao homem viajam em enxames menores. Quando elas voltam para este plano, geralmente se separam individualmente e se perdem completamente do grupo; algumas delas se juntam a grupos maiores, e outras flutuam pelo espaço procurando uma oportunidade de se expressar no plano físico novamente.

P. Esta Terra em que vivemos é o único planeta habitado pela vida em forma física?

R. Não! Existem muitos milhões de mundos, e alguns são muito maiores e mais avançados do que este em que você vive agora.

P. O homem descobriu todos os segredos da natureza nesta Terra?

R. Não! O homem na Terra ainda está no estágio do jardim de infância.

P. Que outros segredos no campo da lei natural o homem ainda não descobriu?

R. O maior deles não pode ser explicado a você, porque seu enxame de unidades de inteligência, no momento, ainda é muito pequeno para compreender; mas você está aprendendo rapidamente. Dentro dos próximos cinco anos, você estará apto a receber a revelação completa de um desses segredos, se continuar a se harmonizar com as unidades visitantes com as quais está se comunicando agora. (A força cósmica do hábito foi revelada a mim cinco anos após esta entrevista.)

P. Se todas as unidades de vida são dotadas do mesmo grau de inteligência, por que algumas pessoas se entregam a esforços destrutivos em relação às outras?

R. É difícil explicar isso de uma forma que você entenda. Farei o meu melhor. Quando eu me tornar muito profundo para você, me interrompa. A tendência destrutiva do homem se deve a guerras provocadas por ele mesmo entre as unidades de inteligência, devido ao tratamento emocional que ele dá a essas unidades. Quando um enxame de unidades de inteligência entra no corpo de um homem, elas ficam aprisionadas ali e não podem escapar até que ocorra a transformação que vocês chamam de morte. Durante sua prisão, elas estão sob o controle do indivíduo, e estão sujeitas aos seus comandos. Elas são suas servas! Elas seguem suas instruções, até serem libertadas pela morte.

P. Haverá um tempo em que a vida sobreviverá à morte na Terra?

R. Não! Isso não seria sábio. As unidades individuais de inteligência que dão vida ao corpo físico vão ficando infelizes com sua existência física. Depois de um tempo, nós, deste plano, partimos em seu socorro e as libertamos. Não há nada na natureza física que possa impedir isso.

P. Por que você, que existe em seu plano, deseja liberar os enxames de inteligência que se tornaram insatisfeitos neste plano terrestre?

R. Por vários motivos, e o mais comum deles é o fato de sermos afetados pela insatisfação das unidades que vivem no plano físico.

P. Em que tipo de atividades individuais essas unidades de inteligência se envolvem enquanto estão incorporadas ao mundo físico?

R. Elas são divididas em muitos grupos, e cada grupo é especializado em sua própria função física particular. Alguns deles cuidam do adorno do corpo físico, enquanto outros misturam e distribuem o alimento que é levado ao corpo. Outros manipulam o coração e os órgãos vitais do corpo. Alguns deles cuidam dos órgãos de reprodução. Cada um dos seis sentidos é controlado e operado por um grupo diferente de unidades de inteligência.

P. Eu sempre soube que havia apenas cinco sentidos físicos. Você fala de seis.

R. O sexto sentido é aquele que muitas vezes não é compreendido. Ele opera por meio de um grupo de células cerebrais que servem como órgãos de recepção de impulsos de pensamento que não podem ser transmitidos por nenhum dos cinco sentidos. É por meio desse grupo de unidades de inteligência que nós, neste plano, nos comunicamos com aqueles que habitam o plano físico.

P. A língua em que você está respondendo às minhas perguntas é a sua?

R. Não! Estou me comunicando em seu próprio idioma. Minha linguagem é a do pensamento universal. Não requer palavras. Você está recebendo meus pensamentos através do seu sexto sentido, e traduzindo-os em suas próprias palavras e frases. Algumas de suas traduções são imprecisas. Não há como evitar isso.

P. É possível que outras pessoas que vivem no meu plano se comuniquem comigo através do sexto sentido?

R. Não! Os impulsos de pensamento podem passar diretamente de um cérebro físico para outro, mas não passam pelo sexto sentido. Existe outro grupo de células do cérebro e do corpo no qual reside sua mente subconsciente. Esse grupo pode enviar ou receber vibrações de pensamento de outras mentes. Você está traduzindo tudo isso de forma imprecisa, mas é o mais próximo possível da resposta correta neste momento.

P. A estação do ano ou a data de nascimento de alguém têm alguma coisa a ver com o sucesso material ou financeiro?

R. De jeito nenhum. Não há provas de que a hora do nascimento tenha qualquer influência sobre o status material da pessoa. Toda verdade é passível de prova. Qualquer declaração de uma alegada verdade que não puder ser provada por leis naturais pode ser descartada como inexistente.

P. Você quer dizer com isso que não existem milagres?

R. Sim. A palavra "milagres" é um mero termo de linguagem que descreve algo que não é passível de prova, mas todos os acontecimentos são passíveis de prova.

P. Alguém neste plano terrestre pode obter para outro alguma vantagem em seu plano?

R. Somente por meio de algum procedimento que induzirá a pessoa a buscar uma comunicação direta com as unidades de inteligência deste plano.

P. Um ser humano pode efetivamente orar pelo outro?

R. Todas as orações que provocam qualquer forma de mudança no plano físico são respondidas apenas através do sexto sentido da mente de quem ora. A oração, quando feita adequadamente, abre a mente de quem ora para unidades adicionais de inteligência. Essas unidades, quando admitidas, podem efetivamente mudar o status material daquele que ora.

P. Que forma de energia é essa que chamamos de "eletricidade"?

R. É uma coleção de grupos de unidades de inteligência que servem como transportadores de energia, sobre os quais todas as outras unidades viajam.

P. As unidades de inteligência com as quais os homens pensam são as mesmas unidades de inteligência conhecidas como eletricidade?

R. Elas são praticamente as mesmas, mas servem a diferentes propósitos.

P. O que acontece com as unidades de inteligência de um homem que comete um assassinato?

R. Esses enxames se separam um do outro e voltam para este plano, e cada unidade individual busca uma aliança com algum enxame estranho. A mesma coisa acontece com outros que são culpados por outras injustiças grosseiras contra seus semelhantes na Terra. Paz de espírito e harmonia com o próximo na hora da morte são as únicas influências, de um modo geral, que enviam as unidades individuais de inteligência de volta a este plano em um grupo coeso.

P. As unidades individuais de inteligência que viviam no corpo de Lincoln voltaram para o seu plano como um grupo coeso?

R. Você deve saber; você está em comunicação com esse grupo todos os dias.

P. Você deixou de encontrar grupos individuais de unidade de inteligência de algum amigo que conheceu no plano terrestre?

R. Sim, muitos deles.

P. Alguns homens são inspirados pela influência de unidades de inteligência que voltaram ao seu plano?

R. Se não fossem, você não estaria em comunicação com meu grupo agora.

P. Se bem entendi, alguns indivíduos que passam pela transformação conhecida como morte voltam ao seu plano como grupos individuais de inteligência, e mantêm sua identidade como tal, com capacidade de lembrar de suas experiências físicas, enquanto outros perdem sua identidade. Está correto?

R. Sim, já expliquei isso a você. As unidades individuais de inteligência nunca morrem, mas nem sempre permanecem juntas como estavam durante sua experiência física. Se elas se separarem na morte, perdem sua identidade como enxame e retêm apenas sua identidade individual.

P. Existe uma forma de autoridade à qual as unidades individuais de inteligência estão sujeitas quando retornam ao seu plano após a morte?

R. Elas estão sempre sujeitas ao que você chamaria de lei natural. Nada transcende a harmonia e as relações ordenadas, que são a força imortal de toda lei. É a essência do Infinito.

P. Você entende meus pensamentos?

R. Isso é tudo que eu entendo. Você não poderia se comunicar comigo por qualquer outro meio.

P. Você entenderia meus pensamentos se eles fossem formados em termos diferentes do meu idioma?

R. Não há linguagem neste plano, exceto a linguagem do pensamento. Todo pensamento é universalmente compreendido.

P. Por que a maioria das orações não é respondida?

R. Todas as orações são respondidas. Nem todas as orações trazem coisas materiais para aqueles que oram, porque algumas orações buscam, com efeito, a suspensão da lei natural, enquanto outras são liberadas em estados mentais que não estão em harmonia com a lei natural.

P. Qual é o propósito da vida? Por que as unidades de inteligência procuram habitação temporária em um corpo físico?

R. O maior propósito não é somente a vida. As unidades individuais de inteligência buscam expressão no plano físico com o propósito de crescer em graus maiores de inteligência.

P. Eu entendi que todas as unidades individuais de inteligência em seu plano são dotadas do mesmo grau de inteligência. Entendi corretamente?

R. Você me entendeu corretamente. O grau de inteligência neste plano é dividido igualmente entre todas as unidades individuais de inteligência. Esse grau de inteligência cresce continuamente. Esse é o propósito da experiência física; o único propósito.

P. Você está ficando cansado ou irritado com estas perguntas?

R. Neste plano, não conhecemos experiências como fadiga e nunca nos aborrecemos com aqueles que buscam conhecimento, como você está fazendo agora.

P. A Depressão dos últimos três anos foi causada por alguma influência de seu plano, ou a causa foi de natureza material?

R. A experiência que você chama de Depressão foi causada por milhões de enxames de unidades de inteligência que foram enviadas de volta a este plano como unidades desorganizadas, devido à morte de pessoas na Guerra Mundial. Quando liberadas, essas unidades trouxeram de volta com elas a experiência do medo que adquiriram. Em 1929, elas descobriram um estado de espírito mundial no plano físico que era favorável ao seu retorno. Quando voltaram, levaram consigo o medo e a desarmonia, e é por isso que o mundo agora sofre. A Depressão continuará pelo mesmo número de horas que durou o sangrento conflito da Guerra Mundial. Nada pode impedir isso. Todos os fluxos e refluxos das marés conduzem apenas ao equilíbrio. A lição que o mundo está aprendendo agora é algo que ele precisava aprender. A lição está sendo ensinada pelas unidades de inteligência que foram enviadas de volta a este plano à força, antes de estarem prontas para retornar. A medida de sofrimento e dano experimentada pelo mundo durante a Depressão será proporcional à experimentada na Guerra Mundial. O mundo não voltará à ordem e à normalidade antes de 1933. Após esse ano, os habitantes da Terra se ajustarão em um espírito de harmonia.

De 1933 a 1943, o mundo descobrirá mais segredos da natureza do que em todo o passado. A punição que os seres humanos estão sofrendo agora os preparará para confiar mais nas forças espirituais disponíveis para os indivíduos, e menos nas forças materiais às quais eles se submeteram desde o início da Guerra Mundial. Continue sua preparação para prestar um serviço útil. Você será necessário.

P. Você está feliz e contente onde está?

R. Todos aqui são felizes. Ninguém está contente.

P. Devo entender, pelo que você diz, que não há recompensas especiais em seu plano para unidades de inteligência individuais que retornam depois de terem prestado um serviço construtivo neste plano?

R. Sua única recompensa é o seu próprio crescimento e desenvolvimento por meio das experiências físicas.

P. Então não existe um lugar como o inferno no seu plano?

R. Não neste plano. O único inferno que conheço é o que existe no plano físico, e os semelhantes a ele em outros planos terrenos. Esses infernos são criados pelo homem. Eles existem apenas nos pensamentos e nas ações do homem.

P. Qual deve ser a minha conduta para obter os maiores benefícios, tanto neste plano quanto nesse que você agora ocupa, quando eu partir?

R. Apenas viva aquilo que você é, em paz consigo mesmo e com os outros.

P. Você pode melhorar essa resposta?

R. Eu poderia estendê-la, para que você a compreendesse melhor, mas não poderia melhorá-la de outra forma. Suas unidades de inteligência individuais virão para este plano com toda e qualquer experiência a que forem submetidas no plano terrestre. Elas voltarão como um grupo organizado e manterão sua identidade como tal, se você estiver em paz com sua própria mente quando elas se separarem de seu corpo físico. Você deve fazer de sua inteligência um todo harmonioso.

P. Quando minhas células de inteligência irão para o outro plano?

R. Poderei responder a esta pergunta, se você insistir; mas minha resposta não será de nenhuma ajuda para você, porque estará condicionada às suas experiências futuras. Seu melhor trabalho ainda está para ser feito. Continue sua tarefa, e não se preocupe com o seu futuro. Ele cuidará de si mesmo, se você cuidar adequadamente do presente. Fique feliz em saber que mais de cem grupos de unidades de inteligência, das pessoas mais ilustres que já viveram no plano terreno, se expressam por meio de você diariamente. Alguns desses enxames se juntaram aos seus de forma permanente.

P. Por que às vezes esta vida é tão difícil e às vezes é tão fácil e agradável?

R. As dificuldades que você enfrenta são causadas por sua negligência quando deixa de responder aos esforços que as unidades de inteligência neste plano estão tentando expressar por meio de você.

P. Qual é a natureza da influência que descobri em meu corpo físico, que chamei de meu "outro eu"?

R. Esse foi um grupo de unidades de inteligência que se juntou definitivamente a você num momento em que você estava em grande perigo. Essas unidades estão agora com você. Elas são as guardiãs do seu destino. E há outras agora pedindo permissão para entrar.

P. Qual é a melhor forma de adquirir os recursos materiais e financeiros de que preciso neste plano terreno?

R. Prestando o melhor serviço ao maior número possível de pessoas, por qualquer meio que se apresente a você.

P. Estou agora engajado em um trabalho que proporcionará um bem maior para o mundo e para mim mesmo?

R. Sim! Continue em seu trabalho atual, não importa aonde ele possa levá-lo.

P. Após a Depressão, os relacionamentos do homem, nos âmbitos social, financeiro e profissional, voltarão a ser como antes?

R. Toda a base econômica e social do mundo está passando agora por uma mudança. De maneira simplificada, como pode ser descrito a você, a nova ordem da civilização será baseada na interdependência mútua, em uma comunidade de empreendimentos coordenados. Essa nova civilização será baseada no princípio do esforço cooperativo.

As igrejas se fundirão em uma entidade universal. O clero se preparará para prestar ajuda material e espiritual. Os depósitos bancários serão segurados contra perdas pelo Estado. Quando ocorrerem perdas, elas serão cobertas por uma taxa que o Estado cobrará das riquezas acumuladas.

As escolas públicas abandonarão o hábito de ministrar aulas em massa e passarão a desenvolver cada aluno individualmente, de acordo com suas necessidades físicas, mentais e espirituais. As imagens em movimento irão ensinar e entreter. As crianças terão permissão para desenvolver a própria mente e pensar por si mesmas em todos os assuntos relacionados à religião.

As facilidades de transporte serão incrivelmente aperfeiçoadas. Haverá mais tráfego de passageiros pelo ar, com equipamentos mais seguros do que qualquer outro existente. O tráfego aéreo será controlado pelo princípio do rádio, o que eliminará a maioria das chances de colisão.

As prisões serão convertidas em escolas; os serviços prestados pelos presos serão remunerados, e o Estado deduzirá da renda de cada preso o custo de sua manutenção. A guerra será proibida. As diferenças entre as nações serão resolvidas em tribunais.

As causas das doenças serão compreendidas e controladas tão completamente que todo homem poderá ficar livre de seus danos; e a transformação conhecida como morte ocorrerá naturalmente, sem dor ou medo. Serão descobertas novas fontes de energia inesgotáveis; uma dessas fontes será anunciada dentro de cinco anos.

P. Você se lembra de onde o conheci e quem nos apresentou?

R. Você foi apresentado a mim por Ed Barnes, em meu laboratório. Lembro-me de sua dificuldade de se comunicar comigo, por causa da minha surdez. Também recordo que você fez um discurso perante nossos funcionários. A Sra. Edison disse que era muito interessante. Eu não o ouvi, é claro.

P. Você consegue me ver?

R. Neste plano, nos comunicamos inteiramente por meio de uma forma de energia que você chamaria de pensamento. Não precisamos de nenhum dos cinco sentidos. Não consigo ver você, mas me lembro de quando o vi pela última vez. Você estava vestido com um casaco de sarja azul e calças de flanela branca. Lembro-me de ter dito à Sra. Edison que você era tão bem-vestido quanto Ed Barnes.

P. Você pode me explicar por que algumas crianças se tornam gênios, enquanto outras que nascem dos mesmos pais carecem de inteligência normal?

R. Isso é facilmente explicado. O grau de inteligência de um indivíduo é determinado pelo número de unidades de inteligência que seu cérebro físico pode acomodar e pelo caráter das unidades de inteligência que buscam expressão por meio do indivíduo. Existem especialistas entre as unidades de inteligência. Por exemplo, as unidades de inteligência que ocupam o corpo de um gênio literário, como Homero, Shakespeare ou Emerson, muitas vezes buscam expressão por meio de outros em seu plano, depois que elas são enviadas deste plano. Talvez você fique feliz em saber que alguns de seus melhores trabalhos no campo literário foram inspirados por unidades de inteligência que Elbert Hubbard enviou para ajudá-lo. Hubbard encontrou em você o seu meio físico favorito de expressão. Ele diz que você será de grande ajuda em seu plano quando tiver coragem para dar liberdade de expressão às unidades de inteligência que agora o utilizam como meio de expressão.

P. Existe alguma razão para que eu não deva divulgar a outras pessoas as informações que recebo agora nesta minha comunicação com você?

R. É seu dever usar essas informações em benefício de outros. Ao fazer isso, você influenciará outras pessoas a se tornarem mais receptivas às unidades de inteligência que buscam expressão por meio de cada indivíduo disponível em seu plano. Nossa tarefa mais difícil é fazer com que as pessoas reconheçam a diferença entre os impulsos de pensamento que inspiramos e aqueles que elas acreditam que criam. A maioria das pessoas que reconhece nossas tentativas de comunicação com elas chama essas tentativas de "estalos" e não faz nenhum esforço para descobrir sua origem ou propósito.

Na noite em que você descobriu seu "outro eu", foi influenciado por um grupo composto de unidades de inteligência enviadas por Elbert Hubbard, Emerson, Napoleão e Andrew Carnegie. Foi Napoleão quem deu o comando militar que o despertou e o colocou em uma postura física favorável à recepção das instruções que o enviaram para a Filadélfia.

P. O que é o estado de espírito conhecido como fé? O que acontece quando alguém se entrega ao sentimento da fé?

R. A fé é um estado de sentimento que se experimenta quando o cérebro físico é voluntariamente limpo de todas as formas de conflito emocional. Quando o cérebro está livre de todo tipo de conflito entre as emoções, ele se torna um órgão de expressão favorável para quaisquer unidades de inteligência que possam estar pedindo permissão para entrar. Quando um indivíduo em seu plano está em perigo, as unidades individuais de inteligência que foram aprisionadas nesse indivíduo se comunicam com aquelas em nosso plano e pedem ajuda. Elas podem enviar o pedido de ajuda, mas não podem escapar, a menos que o conflito emocional se torne grande o suficiente para causar a morte.

Se as unidades individuais de inteligência conseguirem se organizar em um grupo cooperativo harmonioso, abrirão o caminho para a ajuda de unidades de inteligência em nosso plano, e o resultado é um estado de espírito conhecido como fé. Durante esse estado de espírito, há uma união de esforços entre as unidades de inteligência deste plano e as do plano físico. Por meio dessa forma de cooperação, os meios são facilmente encontrados para a obtenção de qualquer propósito desejado que não esteja em desacordo com a lei natural.

P. A maioria das pessoas é cética quanto à possibilidade de comunicação como a que estou experimentando com você. Admito certo grau de ceticismo. Como superar essa forma de dúvida?

R. Somente por meio da experimentação, como você está vivenciando. Você está menos cético agora do que antes de descobrir seu "outro eu". Você está se desenvolvendo muito rápido. Nos próximos anos, estará preparado para receber evidências positivas de que está em comunicação com unidades de inteligência além daquelas que trabalham em seu corpo físico. Você está sendo preparado agora para levar essa descoberta ao mundo.

P. Por que não me foi permitido receber esse conhecimento antes?

R. Por causa de sua vaidade pessoal e de seu egoísmo.

P. Você está dizendo que as pessoas vaidosas ou egoístas não podem se comunicar ou receber informações das unidades de inteligência em seu plano?

R. Elas podem, mas não o fazem. Em sua ânsia por satisfazer sua vaidade, as pessoas atribuem todos os impulsos de pensamento que experimentam à sua própria inteligência.

P. Por que a comunicação com você é mais fácil do que com outras pessoas em seu plano?

R. Porque você acredita que isso seja verdade. Está tudo em sua própria mente. Minhas unidades de inteligência se comunicam com você mais livremente porque você as convida a isso. Você tem mais fé quando está em comunicação comigo. A fé é um estado de espírito que facilita a comunicação. Sem fé não poderia haver comunicação alguma entre as unidades de inteligência deste plano e as do seu plano físico. A falta de fé fecha todas as portas de comunicação.

P. A civilização foi retardada pela Grande Depressão?

R. Não, a civilização não foi retardada pela Grande Depressão. Pelo contrário, ela evoluiu. A Depressão serviu como um castigo moral para o mundo. Terá o efeito de restabelecer a cooperação entre as forças físicas e espirituais do homem.

P. Eu poderia ganhar cem mil dólares por ano, se decidisse fazê-lo? E, em caso afirmativo, como?

R. Você ganhará mais de cem mil dólares por ano, e receberá o dinheiro depois de trabalhar para ganhá-lo. Você ganhará com a venda dos sete livros de sua filosofia da realização, e este em que está trabalhando agora.

P. A filosofia da realização pessoal, na qual tenho trabalhado por quase um quarto de século, já está completa?

R. Não, ainda não está completa. Na verdade, é apenas um alicerce sobre o qual você está construindo uma filosofia de realização que será completa. A experiência que você recebeu durante a Depressão e a orientação que está recebendo de mim agora o ajudarão a acrescentar fatores espirituais que você não incluiu em seus escritos anteriores.

Você teve que passar por muitas punições pessoais antes de reconhecer essa deficiência. Até pouco tempo, você imaginava que seus escritos eram criados por você mesmo. E eram, em parte, porque você não era receptivo à orientação das unidades de inteligência enviadas para ajudá-lo. Você prestava muita atenção à sua mente e muito pouca atenção às mensagens que tentavam chegar até você por meio do seu sexto sentido. Agora você reverteu a situação. Isso explica a grande melhora em seu trabalho. Seus leitores logo perceberão essa melhora, e agradecerão por isso.

P. É verdade que os impulsos de pensamento misturados à emoção tendem a se traduzir em seu equivalente físico?

R. Não! Impulsos de pensamento não são de natureza física. A matéria não pode ser criada do nada. É verdade, porém, que os pensamentos podem influenciar a matéria, e muitas vezes o fazem.

Por exemplo, você deseja ganhar cem mil dólares por ano. Seu desejo é muito definido, e esse desejo será realizado; mas sua realização deverá ocorrer por meios perfeitamente naturais. Nesse caso, seu impulso de desejo pelos cem mil dólares será transmutado em seu equivalente monetário por meio de seus esforços, pela publicação e distribuição de seus livros a um grande número de pessoas que estarão dispostas a pagar por eles.

O pensamento não pode se traduzir em matéria física, mas pode fazer com que os indivíduos moldem a matéria em formas que correspondam à natureza e aos objetos dos pensamentos. Os desejos concebidos pela fé tornam-se totalmente possíveis por meio da natureza. Eles levam os indivíduos consciente e inconscientemente a buscar a obtenção de seu equivalente físico.

Além disso, os desejos apoiados na fé têm a vantagem de ser apoiados por unidades de inteligência mais adequadas à tarefa de traduzi-los em seu equivalente físico. Você receberá os cem mil dólares que deseja, e ainda mais, porque tem tanta fé na obtenção desse objetivo que já se vê de posse do dinheiro. Nenhum poder no universo pode tirar isso de você, a menos que você deixe de ter fé.

Na verdade, você já completou o trabalho pelo qual esse dinheiro será recebido. Resta apenas mais um passo a ser dado, que é a distribuição de seus livros para quem os quiser. Isso está sendo feito para você. Vá para a cama e durma, se quiser. O dinheiro chegará às suas mãos de qualquer forma.

(NOTA: agora vou fazer uma pergunta que pode provar conclusivamente – para minha mente, pelo menos – se essas respostas estão vindo de minha própria mente subconsciente ou da mente de alguma pessoa viva com quem eu possa estar em comunicação.)

P. Quem sequestrou o bebê Lindbergh?*

R. Não tenho como responder a essa pergunta. Só posso me comunicar com mentes receptivas às minhas unidades de

* O rapto de Charles Augustus Lindbergh Jr., filho do aviador norte-americano Charles Lindbergh e Anne Morrow Lindbergh, foi um dos crimes mais famosos do século 20. A criança de um ano de idade foi raptada da casa da família, em East Amwell, Nova Jersey, na tarde de 1º de março de 1932. Cerca de dois meses depois, em 12 de maio de 1932, o corpo do bebê foi encontrado a uma curta distância da casa de Lindbergh. O caso teve notória divulgação, pois Charles Lindbergh era considerado um herói nacional por ser o primeiro aviador a atravessar o Atlântico em um voo solitário, que durou 33 horas. (Nota da Tradutora.)

inteligência. Seria impossível para qualquer um, agindo como uma entidade individual neste plano, se comunicar com o sequestrador do bebê Lindbergh, por causa da desarmonia das mentes criminosas que são antissociais e desunidas no plano terrestre, as quais se separam e se dividem em unidades fragmentárias de inteligência.

(NOTA: Essa resposta foi uma surpresa para mim. Eu esperava que não houvesse resposta. A resposta parece bastante lógica, embora não prove que esses lampejos de inteligência não tenham se originado na mente de alguma pessoa viva.)

P. Qual foi a causa da queda de Samuel Insull? (O Sr. Insull foi secretário do Sr. Edison.)

R. A mesma que causou a reprimenda que acabei de lhe dar. Insull ficou muito absorto em valores materiais e perdeu contato com as forças espirituais, que foram seu principal trunfo durante os primeiros anos de sua carreira.

Quando um homem é consumido pelo desejo de posses materiais e poder pessoal sobre seus semelhantes, esquecendo que seu maior privilégio no plano terreno é servir aos outros, ele está criando uma arma de autodestruição. Cartolas de seda, fraques e ostentação de joias deslumbrantes em camarotes de ópera são traduções físicas de impulsos de desejo que se originam no plano terrestre. Eles não se originam neste plano.

P. Henry Ford experimentará um desastre financeiro antes da morte?

R. Não! Ford está usando sua fortuna de forma construtiva. Antes de partir, ele a converterá em uma demonstração bem-sucedida do princípio do esforço cooperativo. A fortuna de Ford está sendo acumulada para esse fim.

P. O que houve de errado com a administração de Herbert Hoover na presidência dos Estados Unidos?

R. Os erros de Hoover não foram tão grandes quanto os divulgados. Ele foi vítima, como outros líderes em todo o mundo, de uma reviravolta na civilização que buscava uma redistribuição da riqueza e das vantagens materiais disponíveis para a humanidade. O tempo lhe trará reconhecimento.

P. O presidente Roosevelt terá mais sucesso do que o Sr. Hoover?

R. Sim! Roosevelt, por natureza, é mais adaptável às rápidas mudanças que estão ocorrendo na civilização. Ele será popular entre as pessoas porque gosta de pessoas. E também tem a vantagem de assumir o cargo em um momento em que o mundo inteiro se aproxima de um período de harmonia e prosperidade que será notável. Roosevelt receberá crédito por virtudes que não tem, até em maior proporção do que Hoover ao ser acusado de faltas que não eram dele.

P. Quando começarei a receber minha renda anual de cem mil dólares?

R. Por que não aproveita a sugestão que já lhe ofereci e se esquece de si mesmo?

P. Não é somente em mim que penso quando pergunto sobre minha renda. Estou pensando naqueles a quem posso prestar serviços úteis com o uso desse dinheiro. Esse fato altera sua resposta?

R. Esqueça-se inteiramente de si mesmo. Os meios pelos quais você terá o privilégio de prestar um serviço útil já foram preparados para você. Faça o seu trabalho dia a dia como se tivesse em mãos tudo de que precisa. Há mais de cinco mil homens e mulheres em todo o mundo que fornecerão toda a ajuda material de que você precisa. Eles são os homens e mulheres que lucraram com sua filosofia. Alguns deles já estão lhe dando a cooperação de que você precisa. Os outros virão em seu auxílio quando você estiver pronto para eles.

P. Qual é a melhor maneira de enfrentar as dificuldades que causam preocupação e medo?

R. Encontre outra pessoa que esteja enfrentando dificuldades maiores e esqueça de si mesmo tentando ajudá-la.

P. Algumas pessoas duvidarão que eu tenha feito contato com você. Como poderei provar isso?

R. Não tente provar nada. Apenas seus próprios pensamentos devem ser uma preocupação real para você. Prossiga com seu trabalho, seguindo seus objetivos com coragem, e você não precisará se preocupar com o que os outros pensam de você. Não se preocupe com os céticos, e cuidado para que você não os imite.

P. Existe alguma forma de julgamento em seu plano?

R. Sim. Todos os que chegam são cuidadosamente julgados pelo seu mérito e têm a chance de corrigir quaisquer erros que possam ter sido cometidos no plano terrestre.

P. Quem fornece a evidência dos atos de alguém?

R. Todos os que chegam até aqui trazem um registro completo de seus feitos terrenos. O registro é literalmente uma parte do enxame de unidades de inteligência. Não pode ser alterado de forma alguma, e não pode ser falsificado.

P. Quem se assenta como juiz?

R. Temos tribunais que medem a inteligência no sentido mais amplo. Eles são muito precisos.

P. Como funcionam esses tribunais?

R. Com exatidão infalível e julgamentos autoexecutáveis. Não há movimentos desperdiçados. Não há atrasos nem erros. Todas as sentenças impostas aos que erraram no plano terrestre são corretivas, mas nunca punitivas. Não precisamos de ninguém para impor sentenças aqui. A execução é feita por aquele a quem a sentença é proferida.

Emerson deseja que você se comunique com ele. Volte para mim quando quiser. Esta foi uma visita extensa. Espero que seja proveitosa para você e rentável em termos de conhecimento.

Fiz outras perguntas a Edison, mas não houve resposta. A entrevista tinha acabado.

Ali estava eu, chegando ao final da experiência mais estranha da minha vida. Quando comecei a fazer essas perguntas, fui tomado por um desejo impetuoso de continuar – um desejo tão forte que não pude resistir. Eu era como uma mosca que se aventura de forma desafiadora sobre uma armadilha para insetos, mas não queria fugir da minha tarefa.

Acredito que estava em comunicação com minha própria mente subconsciente, mas a justiça me leva a admitir que muitas das perguntas que fiz, e as respostas que recebi, não poderiam definitivamente ser atribuídas à minha própria mente.

A entrevista ocorreu tarde da noite. Na manhã seguinte, todos os músculos do meu corpo estavam doloridos, como se eu tivesse feito algum tipo de exercício extenuante. Às vezes, meu pulso ficava tão acelerado que eu era compelido a parar e descansar. O tempo passou tão rápido durante essa experiência que não me dei conta, até que consultei meu relógio.

Um dos meus parceiros comerciais comentou, depois de ter lido algumas páginas da entrevista: "Você certamente deve ter pensado muito antes de escrever isso". Respondi, com sinceridade: "Pelo contrário, não pensei em nada. Tudo naquelas páginas – tanto as perguntas quanto as respostas – fluía em minha mente de forma tão rápida e espontânea que não era necessário ou possível, para mim, usar minha faculdade de raciocínio".

Relendo a entrevista, depois de ter passado o calor da experiência, eu realmente duvidava de que pudesse ter me sentado e criado silenciosamente aquelas perguntas por meio de minha faculdade de raciocínio, e muito menos suas respostas. O que mais me surpreendeu foi a espontaneidade e a rapidez com que aquelas perguntas e respostas brotaram em minha mente.

Em toda a minha carreira, nunca me interessei naquilo que poderia ser chamado de "ocultismo", ou crenças radicais de qualquer natureza. Por essa razão, talvez eu seja menos crédulo do que as pessoas comuns. Acredito apenas naquilo que pode ser apoiado por evidências razoavelmente substanciais. "Milagres" e qualquer tipo de atividade baseada nos chamados fenômenos sobrenaturais nunca causaram boas impressões em minha mente.

Fui até mesmo indiscreto, chegando ao ponto de criticar aqueles que acreditam nessas coisas. Menciono esses fatos para que aqueles que não me conhecem possam entender: não sou uma pessoa que se impressiona por qualquer forma de fenômenos incomuns e, acima de tudo, eu não seria capaz de enganar deliberadamente a mim mesmo.

No entanto, minha experiência em relação à entrevista que acabo de descrever me leva sinceramente à conclusão de que talvez, afinal de contas, eu não seja realmente tão inteligente quanto acreditava ser sobre tais assuntos.

Durante quase três anos, observei cuidadosamente um grande número de comunidades espíritas, e meus amigos mais próximos poderão atestar minha declaração: eu saía de todas aquelas reuniões mais convicto do que antes, pois tudo o que testemunhei foram truques de prestidigitação ou alguma forma de fraude.

Nunca acreditei em nada que minimamente remetesse ao sobrenatural, e permaneço com esse mesmo estado de espírito. Quero que isso fique bem claro. Ao mesmo tempo, espero ser honesto o suficiente comigo mesmo para admitir que não posso atribuir o que aconteceu durante a entrevista com Edison, que acabo de descrever, a qualquer causa natural com a qual estou familiarizado. Aquela experiência foi estranha.

Já existem superstição e ignorância suficientes neste mundo, sem que eu precise adicionar mais uma ao estoque. Por toda a vida, tenho sido um buscador da verdade. A tarefa de encontrá-la não é fácil, não importa o quanto sejamos sinceros em nosso esforço, ou o quanto estejamos dispostos a investigar persistentemente todas as fontes da verdade. Portanto, não pretendo começar a fazer isso na idade em que estou; nem a me enganar voluntariamente, nem a tentar enganar os outros.

Essa entrevista não foi de forma alguma editada, alterada ou revisada. Sem dúvidas, tropecei acidentalmente em uma nova experiência que abriu para mim uma maravilhosa fonte de inspiração. Essa fonte pode ser apenas o meu próprio subconsciente, ou pode ser alguma coisa externa à minha própria mente. Quanto a isso, não posso dizer com certeza; mas de uma coisa estou certo: essa fonte recém-descoberta para estimulação da mente despertou dentro de mim uma agudeza de imaginação e uma aceleração das forças espirituais que eu nunca tinha experimentado antes.

Por incontáveis vezes, adverti meus alunos contra uma variedade de "ismos" e "logias", incluindo numerologia, astrologia, tarologia e outros sistemas cujos expoentes reivindicam o poder de prever o futuro. Duvido que qualquer ser humano possa prever o que acontecerá daqui a um segundo, exceto pelo raciocínio dedutivo baseado em fatos, ou por mero prognóstico – e isso porque o acaso e a lei das médias são realidades das quais ninguém pode escapar. As leis da natureza moem todos os grãos que o acaso traz para o moinho.

Além disso, os seres humanos têm poderes inerentes de escolha de pensamento e ação que parecem tornar impossível uma previsão precisa do futuro. Não sou um daqueles que ficam "animados" ou "incomodados" quando alguém acidentalmente profetiza algum evento que depois acontece. A lei do acaso ou a dedução astuta dão conta de tais acontecimentos.

Sem essa explicação, eu não poderia permitir que a entrevista com Edison que descrevi fosse publicada em meu nome.

Com igual ênfase, eu gostaria de afirmar que essa entrevista pode ter vindo da fonte indicada – Thomas Edison, pelo que sei. Não digo que sim, nem que não. Digo apenas que não acredito que tenha vindo de nenhuma fonte exceto meu próprio subconsciente.

Por mais de um quarto de século, tenho me empenhado em um trabalho de pesquisa no campo dos estímulos mentais. Meu trabalho tem sido motivado por um desejo sincero de organizar em uma filosofia todas as formas confiáveis de estímulos mentais que levariam as pessoas a usar seus talentos latentes de maneira mais inteligente. Nunca esperei encontrar nada que fosse útil para esse fim no chamado reino dos "milagres". Consequentemente, se me deparei com descobertas que parecem milagres, você pode ter certeza de que essas descobertas foram uma verdadeira surpresa para mim.

Continuei a trabalhar em Washington e a escrever, depois da minha "entrevista" com o Sr. Edison. A Depressão atingiu o fundo do poço com o feriado bancário. Depois disso, as coisas começaram a melhorar; mas as pessoas ainda estavam tão perto da fonte de seus medos que nada parecia influenciá-las a fazer mais do que se deixar levar pelo sentimento de desespero. Permaneci em Washington, mas depois de um tempo parei de trabalhar e me isolei completamente. Decidi não sair de casa até vislumbrar algum sinal razoável de que as pessoas haviam recuperado a coragem. Assim, durante todo o ano de 1934, esperei e fiquei à deriva!

Enquanto isso, a lei da força cósmica do hábito não estava à espera, nem à deriva. Lentamente, mas definitivamente, meu hábito de andar à deriva estava se transformando em um estado permanente. Eu estava cometendo o mesmo erro que todas as pessoas que fracassam na vida cometem: o de pensar que nada de ruim estava acontecendo enquanto eu esperava a tempestade passar. Esse é um erro comum das pessoas que acumulam todo o dinheiro que desejam e depois se acomodam. Toda pessoa que deixa de usar seu cérebro coloca-o à mercê da lei da força cósmica do hábito, que começa imediatamente a atrofiá-lo e enfraquecê-lo.

Enquanto eu permanecia na "geladeira" em Washington, esperando que a Depressão passasse, minha mente não estava ociosa; mas, em vista dos tipos de pensamentos que eu permitia entrar em minha mente, eu teria me saído muito melhor se a tivesse esvaziado completamente.

O que realmente aconteceu foi o seguinte: quando parei de trabalhar e comecei a divagar, deixei abertas as portas da minha mente para os pensamentos errantes que entravam. Tendo em vista que todo o meu ambiente era formado por pessoas cuja mente estava cheia de medo e desânimo, é claro que a maior parte dos estímulos de pensamento que chegavam até mim era negativa. Então, antes que eu percebesse o que estava acontecendo, a lei da força cósmica do hábito literalmente me arrastou para o redemoinho de pensamentos negativos que se apoderava de todo o país. Eu era apenas mais um indivíduo dando voltas e mais voltas, como um peixinho dourado em um aquário, incapaz de sair.

Dia após dia, eu afundava cada vez mais em um estado de indiferença quanto ao que estava acontecendo comigo, até que finalmente senti vergonha do fato de ter passado trinta anos da vida organizando a filosofia da Lei do Sucesso e ela não ter me salvado na hora da minha maior dificuldade. Eu ainda não havia descoberto a lei natural da força cósmica do hábito – que estava destinada a colocar em breve nas minhas mãos uma chave mestra pela qual a filosofia poderia funcionar em qualquer situação da vida.

Fui afundando, afundando e afundando cada vez mais em minha autoestima, até que finalmente cheguei ao fundo do poço, e então reuni o pouco juízo que me restava. Embora eu não conhecesse a lei da força cósmica do hábito naquela época, ainda tinha inteligência suficiente para me alertar de que, a menos que eu começasse imediatamente a lutar para voltar, estaria perdido para sempre!

Lembro-me muito bem do dia em que tomei essa decisão. Eu estava sentado em meu automóvel no Potomac Park, em frente ao Lincoln Memorial Monument, onde conseguia avistar o rosto do grande emancipador. Quando olhei para o rosto de Lincoln, percebi que deveria começar a lutar ou logo seria banido para sempre do campo de trabalho que eu havia escolhido. Ocorreu-me um pensamento: o que tornava Lincoln verdadeiramente grande era sua resistência em aceitar a derrota sem lutar. Então comecei ali mesmo a fazer um inventário do meu próprio legado, a fim de constatar quais eram os meus bens espirituais e mentais, bem como as minhas deficiências.

CAPÍTULO 6

# MEU INVENTÁRIO

Sem estar consciente da real natureza do que estava acontecendo comigo, na verdade eu tinha começado a mudar do hábito de andar à deriva para o hábito de me mover com determinação de propósito.

Quando comecei a fazer um inventário de meus ativos e passivos mentais e espirituais, estava inconscientemente saindo da negligência rumo ao uso positivo da lei da força cósmica do hábito. Agora sei, obviamente, que essa experiência surpreendente – por meio da qual fiz um retorno dramático e recuperei minhas perdas, tanto materiais quanto espirituais – deveu-se principalmente ao fato de eu ter entrado em ação com definição de plano e propósito no exato momento em que parei de andar à deriva. Desde então, comecei a usar os ventos da adversidade e do medo para me erguer, em vez de ser arrastado por eles para a destruição – assim como uma pipa, quando devidamente amarrada e posicionada, sobe contra o vento em vez de ser derrubada por ele.

Observe cuidadosamente o que ocorreu nesse momento. A menos que você entenda o efeito psicológico do que aconteceu, não poderá usufruir totalmente dos benefícios disponíveis por meio da minha experiência. Quero que você veja e entenda: a força que iniciou a minha recuperação, depois que eu tinha atingido o fundo do poço com um baque surdo, foi um estado de espírito; um impulso mental na forma de uma determinação definitiva e um forte desejo de saber, naquele exato minuto, quais eram os meus ativos e passivos mentais e espirituais.

Assim, no verso de uma antiga carta, escrevi uma lista precisa do que pude descobrir sobre minhas qualidades e deficiências mentais e espirituais. Eu não tinha ativos financeiros para registrar, pois tudo o que não havia sido perdido completamente fora consumido enquanto eu estava à deriva com a maré da Depressão. Escrevi dois títulos: "Ativos" e "Passivos". Sob o título de passivos, registrei as seguintes deficiências reveladoras:

## Passivos

1) Perda da fé em mim mesmo, a ponto de me desesperar.
2) Indiferença em relação ao meu trabalho.
3) Medo de ser criticado por não ter usado minha filosofia de sucesso para me salvar do fracasso.
4) Uma solidão que me fez sentir, pela primeira vez na vida, a necessidade profunda de ter uma companhia, como eu nunca havia sentido.

Depois veio o registro dos meus ativos. Ah, como me lembro bem do que escrevi no início da lista. Pois me pareceu, naquele momento, que esse era o único bem real que me restava – um sentimento que os acontecimentos posteriores confirmaram como verdadeiro.

Eis o que eu escrevi:

## Ativos

1) Desejo de ter uma companheira no casamento com quem eu possa me comunicar sem qualquer reserva mental ou espiritual. (Observe com atenção que a palavra "amor" não entrou na descrição do meu desejo número um.)

2) Conhecimento definido e organizado sobre os princípios de trabalho com os quais os homens mais ilustres da América acumularam fortunas materiais, testados e comprovados como viáveis para alcançar o sucesso material, com exceção de um elo adicional nessa corrente, necessário para fazê-la funcionar em todos os momentos. Mas que elo é esse?
3) Boa saúde e uma mente enriquecida por muitos anos de contato com os homens mais bem-sucedidos da América.
4) Ainda me resta sanidade suficiente para perceber que a Depressão foi literalmente providencial, como uma oportunidade de provar a solidez de minha filosofia, desde que eu consiga encontrar o elo que falta para fazê-la funcionar em todos os momentos.

Ali estava minha demonstração de ativos e passivos; quatro itens em cada título, nenhum deles aparentemente de natureza financeira ou que pudesse ser convertido nas coisas materiais de que eu precisava para o meu recomeço.

À medida que passei a me aprofundar em meu inventário, comecei a fazer descobertas a respeito dele – o que me levou a riscar todos os itens do lado "Passivos", começando pelo item mais grave: "Perda da fé em mim mesmo".

Voltei então a atenção para a lista de "Ativos", determinado a encontrar um ponto de partida para seguir em busca do que mais precisava em minha batalha para recuperar o terreno perdido. Eu disse a mim mesmo, enquanto estudava a lista, algo que dizia a milhares de outras pessoas que estavam tentando, com minha ajuda, fazer um recomeço após uma derrota esmagadora: "Em toda emergência há uma coisa que deve ser feita primeiro; descubra o que é, faça isso, e o próximo passo se revelará a você".

Decidi então superar minha indiferença em relação ao trabalho e voltar a escrever *Quem pensa enriquece*. Mudei-me para Nova York para ficar perto de meu filho Blair, encontrei uma nova esposa (falarei mais sobre isso depois) e me dediquei a escrever.

Eu havia recebido informações de primeira mão sobre a frieza de Nova York. Tinha lido muitas histórias de como aquela grande cidade era cruel com as pessoas que queriam recomeçar; mas nenhum relato de jornal sobre tais experiências transmitia uma impressão precisa do que significava ser uma pessoa inútil, sem renda, sem esperança ou encorajamento em meio àquela multidão heterogênea de lobos humanos cujo lema implícito é: "Corte a garganta do seu semelhante antes que ele tenha a chance de cortar a sua".

Viver na Ilha de Manhattan, mesmo tendo riquezas materiais em abundância, requer alguma forma de energia espiritual que permita sua permanência lá. Sem dúvida, Nova York é a cidade mais cruel, fria e desumana da América, não importa em que condições se tente viver lá. A pessoa que sobrevive em Nova York deve endurecer seu coração e preparar a própria alma com alguma coisa que lhe dê imunidade contra o ataque contínuo de influências negativas – influências tão evidentes que o próprio ar parece carregado delas.

Obviamente, é verdade que muitos conquistam Nova York e ali fazem grandes fortunas em riquezas materiais; mas muitos mais caem em derrota permanente, aceitando a miséria e a pobreza como destino.

## Os ritmos da cidade

Há um ritmo definido, uma vibração ambiental na cidade de Nova York, tão forte que se impõe a todos os que vivem ali, conduzindo-os impiedosamente até esgotarem cada unidade de energia que seu corpo e cérebro podem carregar. Cada cidade tem seu próprio ritmo peculiar, mas em nenhum outro lugar dos Estados Unidos existe uma cidade ou comunidade onde a vibração das massas seja tão acelerada e inexoravelmente negativa quanto em Nova York.

Ofereci essa breve descrição da cidade para que você entenda melhor as sobrecargas em minha energia física e espiritual enquanto minha nova esposa e eu estávamos presos no que parecia ser uma agonia de morte diante do cemitério das esperanças perdidas. Durante nossos dois anos de luta contra a besta de Manhattan, não houve uma única experiência em nosso relacionamento com outras pessoas que indicasse a existência de uma única gota do leite da bondade humana, em qualquer parte de Nova York.

Mas, primeiro, gostaria de falar sobre minha nova esposa. Meu plano era encontrar uma companheira com quem eu pudesse me comunicar e formar uma aliança de MasterMind, para desenvolver ainda mais minha filosofia e poder vivê-la, bem como ensiná-la. Em 1936, eu estava apresentando uma palestra para um grupo de mulheres em Atlanta e, no decorrer dela, notei uma jovem e bela senhora, que parecia estar prestando muita atenção às minhas palavras. Dei um jeito de ser apresentado a ela, e marcamos um encontro para o dia seguinte, com o pretexto de discutirmos quaisquer problemas que eu pudesse ajudá-la a resolver com minha filosofia. Eu me apaixonei por ela desde o início; e ela aparentemente sentiu o mesmo por mim, pois conversamos por horas, e, antes que o dia terminasse, já estávamos noivos.

Nos casamos logo depois, e nosso casamento era mais do que apenas amor entre um homem e uma mulher. Também foi uma verdadeira parceria, pois minha nova esposa era inteligente e dedicada à Filosofia do Sucesso. Ela realmente queria me ajudar a me reerguer financeiramente, escrevendo e publicando mais livros.

Como você verá, nosso casamento foi feliz e produtivo. Como você também verá, ele não durou, e me custou um divórcio muito caro em 1941. Mas realmente fui feliz durante os anos em que vivemos juntos; e, embora esse casamento tenha sido mais um erro meu (e bem caro), eu faria tudo novamente.

Depois que minha esposa e eu passamos por todo tipo de experiência desanimadora em Nova York, o ponto de virada surgiu em uma noite, em um momento inesperado, e como resultado de uma coincidência tão dramática que me sinto impelido a descrevê-la em detalhes. Parece estranho, mas é verdadeiro: o ponto decisivo que marca a virada do fracasso para o sucesso geralmente surge em momentos inesperados, em lugares comuns e em circunstâncias aparentemente insignificantes que não diferem em nada das experiências cotidianas da vida.

A circunstância que nos permitiu quebrar o ritmo do fracasso foi proporcionada por um livro que, durante vários meses, vinha atraindo a atenção nacional como *best-seller*. Ele recebia tanta divulgação que decidimos lê-lo. Embora a autora fosse uma mulher de quem nunca tínhamos ouvido falar, ainda acreditávamos que poderia ser uma daquelas raras obras geniais que aparecem de vez em quando. Então, certa noite, levei o livro para casa e comecei a ler, enquanto minha esposa preparava o jantar.

O livro começava com um estrondo, com uma promessa de revelação de conhecimento bem de acordo com seu título perspicaz; mas conforme eu lia, página após página, esperando descobrir algo de verdadeiro mérito, comecei a suspeitar que o livro era apenas um bom título somado à imaginação de um redator.

Logo minhas suspeitas foram mais do que confirmadas. Terminei a última página apenas para constatar que uma autora inteligente tinha encontrado um título inteligente para um livro, e escrito cerca de quarenta mil palavras. Não havia uma ideia utilizável em todo aquele alfarrábio de expressões incompreensíveis. Obviamente, aquele livro tinha sido escrito para vender, não para transmitir informações úteis ou para inspirar as pessoas a pensar.

Não há como expressar por escrito tudo o que passou pela minha cabeça depois de saber que fora enganado por uma publicidade inteligente para comprar aquele livro. Ele era não somente totalmente inútil, como também um grande insulto à minha inteligência. Minha decepção, no entanto, não era dirigida à autora do livro – ou ao publicitário mentiroso que o divulgou –, mas a mim mesmo!

Abandonados na minha estante, a menos de três metros de onde eu estava sentado, jaziam os originais finalizados de sete livros inéditos, escritos enquanto eu esperava que a Depressão passasse. Eles nunca tinham sido oferecidos a uma editora porque eu acreditava que não eram bons o suficiente para publicação. No entanto, eu sabia que qualquer um dos meus manuscritos, sem dúvida, superava em muito o livro que eu acabara de ler. Também sabia – e isso era o que mais me irritava – que aquela escritora, com um monte de bobagens literárias debaixo do braço, tinha se apresentado aos editores de maneira tão eficaz que havia recebido uma fortuna por seus esforços; enquanto eu estava literalmente passando fome, com uma fortuna em manuscritos acumulando poeira em meu apartamento.

Mas essa não era a única causa do meu constrangimento. Eu ainda tinha que passar o livro para minha esposa; e eu bem sabia que, antes mesmo de chegar ao fim, ela faria as mesmas comparações entre ele e meus manuscritos inéditos. Eu me perguntava qual seria sua reação quando descobrisse que eu a alimentava mal e que a obrigava a usar roupas velhas que já deveria ter descartado havia muito tempo, simplesmente porque eu tinha deixado de oferecer meus livros para publicação. Francamente, ter que encará-la depois que ela lesse aquele livro seria uma das experiências mais constrangedoras desde que nos casamos, devido ao meu sentimento de culpa pela má gestão da minha carreira.

Por fim, minha esposa terminou de lavar a louça do jantar e pediu para ver o livro. Entreguei-o e fui dar uma caminhada pelo Central Park para tomar um pouco de ar fresco, enquanto ela lia. Eu sabia que precisaria de ar depois que ela descobrisse o meu segredo. Dei a ela tempo suficiente para terminar o livro; depois voltei sorrateiramente para o apartamento para enfrentar o meu próprio veneno.

Minha esposa andava de um lado para o outro, me esperando com impaciência. Ela nem me deu tempo para dizer nada, indo direto ao ponto: fez uma análise rápida e inflamada, comparando desfavoravelmente o livro que acabara de ler com um de meus manuscritos inéditos, e terminou dizendo:

– Que piada é essa? Estou trabalhando dia e noite há mais de um ano, procurando uma maneira para você dar a volta por cima, contando centavos, catando jornais em latas de lixo, e com uma fortuna dentro de casa!

Com essa declaração, ela correu até a estante, tirou um dos manuscritos e começou a lê-lo em voz alta! Depois de ler cerca de cinco páginas do manuscrito, ela o jogou longe com tanta força que quebrou a luminária e destruiu a única luz da sala, exclamando:

– Pense naquela mulher, que está ganhando uma fortuna por aquele livro! Tenho certeza de que ela escreveu aquilo em duas semanas, enquanto você passou um quarto de século reunindo e organizando todo o material desse manuscrito. Mas você acha que o livro não é bom o suficiente para enviar à editora!

Eu não tinha o que falar diante daquele protesto, a não ser admitir sinceramente que ela estava certa e que eu estava tão decepcionado quanto ela. No dia seguinte, ficamos ainda mais humilhados ao saber que a escritora havia vendido os direitos do livro por uma pequena fortuna, para transformá-lo em filme. A única coisa que o produtor do filme pretendia usar era o título – aliás, essa era a única coisa do livro que prestava –, embora tenha se mostrado uma produção muito lucrativa.

## Uma fortuna em bens literários

Ficamos tão chateados que saímos para andar pela cidade a noite toda. Tínhamos ignorado completamente a importância de nos relacionarmos com as pessoas certas da maneira certa; e poderíamos facilmente ter feito isso, se tivéssemos realizado um levantamento de nossos bens literários antes de sermos forçados a isso.

Antes que percebêssemos, olhamos em volta e vimos que o dia estava amanhecendo. Então atravessamos o rio East e paramos na margem enquanto o sol nascia. Era o nascer do sol mais bonito que eu já tinha visto; e, como os eventos posteriores estavam destinados a revelar em breve, ele significava o amanhecer de um novo dia – ou melhor, de uma nova era – que nos mudaria do lado negativo do rio da vida para o lado positivo.

Voltamos para o nosso apartamento, tomamos café da manhã, fomos para a cama e dormimos como duas crianças até o final da tarde, pois realmente tínhamos renascido espiritualmente. Depois do descanso, nos levantamos e começamos a editar e reescrever o manuscrito que, na época, recebeu o título de "Os treze passos para a riqueza", mas depois foi alterado para *Quem pensa enriquece*.

Nós o reescrevemos por três vezes antes de ficarmos satisfeitos o suficiente com o material (eram mais de trezentas páginas), e minha esposa era quem fazia a datilografia. Quando terminou a terceira versão, as pontas de seus dedos estavam tão cheias de bolhas que ela precisou enfaixá-las para poder trabalhar; mas ela estava tão entusiasmada com a nossa descoberta que, para ela, era um prazer "gastar os dedos até os ossos" naquele trabalho feito com tanto amor.

Trabalhamos dia e noite, parando apenas o tempo suficiente para dormir cerca de quatro horas diárias. Após esse trabalho, sabíamos bem como o falecido Thomas Edison frequentemente conseguia se recuperar com quatro horas ou menos de sono por dia.

Finalmente o trabalho estava terminado, e avisamos ao nosso editor que o manuscrito estava pronto para sua apreciação. Ele veio pessoalmente ao nosso apartamento, inspecionou o original com bastante rapidez e superficialidade e passou o restante do dia tentando explicar por que não acreditava que o livro encontraria mercado. Ouvimos toda a sua análise sem dizer uma palavra, até que ele mudasse totalmente sua opinião sobre o livro – pois já sabíamos que ele iria publicá-lo antes mesmo que ele visse o manuscrito. Não estávamos preocupados de forma alguma, pois já tínhamos isso definido.

Ele falou a tarde toda, analisando o livro e tentando provar para nós que não era muito diferente de outros livros meus que ele já tinha publicado – e, segundo ele, nenhum dos meus livros estava sendo bem vendido naquela época.

– E então, por que você acredita que este livro venderia? – interrogou ele, em seu desafio final. – O que ele tem de diferente que já não esteja nos seus outros livros que publiquei?

Quando comecei a responder, minha esposa assumiu a conversa e respondeu por mim, sugerindo que o editor levasse o manuscrito para casa e lesse tudo com atenção; somente assim ele saberia o que havia naquele livro que não estava incluso em meus livros anteriores, ou em qualquer outro que ele já tivesse publicado. Esse desafio encerrou a conversa.

O editor concordou que não tinha o direito de julgar o manuscrito antes de lê-lo cuidadosamente; então ele o colocou debaixo do braço e partiu. Lembro-me muito bem do que minha esposa disse quando fechou a porta:

– Ele vai publicar esse livro, e isso não é tudo; o livro será um divisor de águas e se tornará um *best-seller* nos próximos anos, quer ele gaste um centavo em publicidade ou não!

Para ser agradável, eu disse superficialmente:

– Sim, minha querida, espero que sim!

Para ser sincero, eu não estava tão otimista quanto minha esposa sobre o destino do livro. Veja bem: eu tinha sido vítima de quase quatro anos de inércia. Durante esse tempo, a lei da força cósmica do hábito administrou uma dose tão forte de narcótico espiritual em mim que eu não tinha mais nenhuma reserva de fé em nada, nem em ninguém – inclusive em mim e em minhas próprias obras literárias. Mas minha esposa não apenas tinha uma capacidade proverbial de intuição; ela também era abençoada por um completo livramento do hábito de ficar à deriva.

Três dias depois, o editor veio correndo à nossa casa, sem avisar, com um sorriso que parecia ter dois quilômetros de largura. Pela expressão em seu rosto, sabíamos que ele nos trazia boas notícias. Ele apenas solicitou algumas pequenas alterações no manuscrito, que em seguida iria para o prelo imediatamente, com instruções para imprimir o livro o mais rápido possível.

Alguns dias depois, ele me escreveu uma carta com uma frase que não esquecerei jamais. "Li os dois primeiros capítulos do livro para toda a minha equipe de trabalho", escreveu ele, "e quando terminei, disse a eles que havia ideias práticas suficientes, apenas nesses dois capítulos, para mudar a vida de uma pessoa comum do fracasso para o sucesso". Os eventos subsequentes provaram que suas palavras tinham sido mais do que a explosão entusiástica de um editor esperançoso.

Dois meses depois, a primeira edição saiu do prelo, e todas as cópias foram vendidas em apenas três semanas, embora não houvesse nenhuma publicidade por trás disso – exceto por algumas cartas enviadas pelo editor a alguns de seus compradores de livros por correspondência. O livro começou a percorrer um território cada vez maior, edição após edição, até que nossas preocupações financeiras desapareceram completamente.

Lembro-me agora, ao pensar em minha experiência com o livro que me lançou para um novo começo, que o principal propósito de *Quem pensa enriquece*, e de todos os meus outros livros, é fazer com que as pessoas pensem e expressem seus pensamentos em termos de ação. Aquele livro proporcionava tudo isso; portanto, serviu ao propósito mais elevado que qualquer obra pode servir.

Lembro-me também de outra experiência que tive muitos anos atrás, antes mesmo de começar os manuscritos da Lei do Sucesso; uma experiência que deveria ter servido como um aviso de que as ideias úteis podem surgir de fontes humildes – e isso acontece com mais frequência do que imaginamos. A experiência a que me refiro ocorreu em um auditório público em Cleveland, Ohio, durante uma palestra sobre psicologia. Fui assistir à palestra por causa do insistente convite de um dos meus vizinhos, principalmente porque eu tinha um automóvel, e ele, não.

O palestrante subiu no palanque vestindo um terno pelo menos dois tamanhos maiores que ele, e era careca como uma cebola descascada – o que o fazia parecer mais um palhaço de circo do que um autêntico orador sobre um assunto científico. Depois de falar por trinta minutos, ficou totalmente óbvio que ele não era uma autoridade qualificada em seu assunto (os estímulos mentais), e a forma como ele assassinava a língua inglesa de Sua Majestade não poderia ser descrita com palavras. Além disso, o palestrante falava sobre assuntos de natureza tão elementar que sua palestra seria mais apropriada para um grupo de alunos da quinta série do que para o público adulto.

Em parte para agradar meu amigo, e em parte para ver quais seriam as descobertas e contribuições adicionais que o palestrante daria para a psicologia, fui assistir a ele por quatro noites consecutivas. Na quarta noite, ocorreu algo que me provocou um dos piores choques que já havia experimentado: um homem que estava sentado ao meu lado me informou, antes do início da palestra naquela noite, que, apesar da má aparência do orador e da sua falta de conhecimento bem fundamentado sobre psicologia, talvez ele conseguisse, entre aquele público, nada menos que mil inscritos para suas aulas particulares sobre o assunto, a 25 dólares por aluno.

Fiz uma rápida conta mental e deduzi que o orador ganharia nada menos que 25 mil dólares por menos de duas semanas de trabalho, ensinando sobre um assunto que não dominava, enquanto eu estava ali sentado, com um conhecimento adquirido em anos de pesquisa e colaboração com as mentes mais perspicazes que o país já havia produzido, sem ter feito um movimento para organizar esse conhecimento em uma forma comercializável.

O choque que tive com essa comparação – entre o conhecimento que eu já havia organizado sobre as causas do sucesso e do fracasso e o conhecimento demonstrado pelo palestrante – foi tão grande que fui para casa e comecei naquela mesma noite a planejar o rascunho do que mais tarde se tornou *A Lei do Sucesso*. Aquele cavalheiro poderia não ser o homem mais elegante do mundo, e pode haver outros que saibam mais sobre psicologia do que ele; mas, bonito ou não, bem-informado ou não, ele me deu o estímulo de que eu precisava para trabalhar em meu projeto. O que mais poderiam ter feito os doutores de Yale, Harvard, Princeton e mais uma dúzia de outros professores juntos?

Se alguém me perguntasse qual é a experiência mais importante que qualquer pessoa pode ter, eu responderia sem um momento de hesitação: "Qualquer experiência que faça com que a pessoa pare de andar à deriva e comece a seguir um plano definido em direção a uma meta definida". Meu encontro com aquele livro popular, mas superficial, certamente foi uma dessas experiências – e combinou com a aplicação do princípio do MasterMind entre minha esposa e mim.

Tenho enfatizado, desde o início deste livro, a importância do MasterMind. Depois de ler as circunstâncias dramáticas em que minha esposa e eu identificamos a lei da força cósmica do hábito, durante uma sessão prolongada de nossa reunião de MasterMind, você entenderá por que me refiro com tanta insistência a esse princípio.

## O princípio do MasterMind

Se eu tivesse que apontar qual dos 17 princípios da realização seria completamente indispensável para viver, seria necessariamente o MasterMind; porque é o único princípio que permite construir uma ponte sobre praticamente todos os obstáculos que se interpõem em nosso caminho. É o princípio pelo qual podemos obter todos os benefícios de uma formação universitária sem termos ido para a faculdade. É o princípio pelo qual podemos obter o benefício total de todo o conhecimento que existe, sobre todos os ramos da ciência, sem termos o conhecimento isolado sobre qualquer assunto. É o princípio pelo qual podemos obter os benefícios de uma personalidade agradável sem tê-la, como Henry Ford. É o princípio pelo qual podemos ser bem-sucedidos mesmo tendo limitações físicas, como o presidente Franklin D. Roosevelt. De fato, com a ajuda desse princípio, podemos ter sucesso sem precisar usar qualquer parte de nosso corpo físico – como Milo C. Jones, que foi acometido por uma dupla paralisia.

Em vista de todos esses exemplos sobre a importância do princípio do MasterMind, não é de se admirar que tantas referências a ele tenham sido feitas ao longo da minha história.

Durante muitos anos, antes de sair em busca da minha terceira esposa – cuja imagem eu já havia materializado em minha própria mente –, eu sempre soube que nunca poderia dar o próximo e mais importante passo em relação ao meu trabalho enquanto não a encontrasse. Eu já sabia fazia algum tempo que a importantíssima chave mestra para a aplicação dos princípios de realização pessoal ainda estava faltando; sabia que nem eu, nem qualquer outra pessoa, jamais poderia ter certeza absoluta sobre os resultados práticos da aplicação dos 17 princípios sem o auxílio da chave mestra; e sabia, tão certo como o meu próprio nome, que a chave mestra necessária somente seria revelada a mim pela aplicação do princípio do MasterMind.

Isso explica, portanto, por que deixei de lado todas as outras pistas para solucionar a situação em que caí durante a Depressão e concentrei todos os meus esforços em encontrar a única pessoa que poderia me dar a outra metade da combinação para abrir o cofre da sabedoria, no qual estava trancado um segredo que eu deveria descobrir antes de completar a filosofia da realização pessoal em que estivera trabalhando a maior parte da minha vida.

Há outro fato ricamente significativo que eu gostaria de mencionar. Antes do meu terceiro casamento, eu nunca tinha sido feliz ou estado contente por mais do que algumas horas em toda a minha vida. Desde que me lembro, minha vida sempre fora uma sequência quase contínua de turbulências, conflitos e experiências desagradáveis. Minha alma inquieta me levava insensivelmente de um lado para o outro em busca dos fatos relacionados à tarefa que Andrew Carnegie tinha me designado; e eu não me permitia afastar-me do trabalho e tornar-me uma pessoa feliz.

Eu levava a vida muito a sério – uma falha grave, da qual minha esposa me resgatou. Eu queria fazer algo magnífico e duradouro, para ajudar a tornar este mundo melhor para as pessoas em geral e para mim em particular; mas meu coração ficou endurecido quando descobri como todas as mudanças nos seres humanos acontecem muito lentamente.

Hoje tenho uma história diferente para contar. Passei por uma mudança tão completa que posso dizer sinceramente que não há um segundo do dia ou da noite em que eu não esteja perfeitamente feliz e contente. Essa informação é importante, porque nenhuma pessoa infeliz e de mente negativa pode unir sua mente com a de outra pessoa de modo a fazer pleno uso do princípio do MasterMind. Minha esposa reconheceu esse fato antes de nos casarmos e começou ali mesmo a realizar a metamorfose necessária para me preparar a fim de fazermos uso livre e pleno do MasterMind.

O sucesso dessa grande empreitada foi inestimável, pois foi ela quem me ajudou a identificar a lei da força cósmica do hábito – e seus esforços me prepararam para descobri-la, entendê-la e usá-la efetivamente na solução de meus problemas de longa data. Os mínimos detalhes das circunstâncias que levaram à nossa descoberta da lei da força cósmica do hábito destinam-se a preparar o leitor para receber um conhecimento prático dessa grande lei universal da natureza.

Pelas circunstâncias em que a lei nos foi revelada, aprendi que precisamos estar preparados para recebê-la e nos apropriarmos dela. Sem essa preparação – por meio da qual o leitor saberá a maneira exata para reconhecer a existência dessa lei –, eu não poderia dar a ela uma descrição prática, assim como um químico não pode descrever uma fórmula recém-descoberta a um carpinteiro que não souber nada de química.

O que quero deixar claro é que todo aquele que deseja usar a lei da força cósmica do hábito de uma forma positiva deve deliberadamente assumir o controle de sua mente e dar a ela uma orientação cuidadosa em direção a algum objetivo ou meta definida. Revelei muitas de minhas experiências pessoais com o propósito de mostrar, passo a passo, o exato *modus operandi* pelo qual eu controlava minha mente e a dirigia, por meio de planos bem definidos, para a tarefa de descobrir a lei da força cósmica do hábito de que eu precisava – ela seria o toque final para a filosofia de realização pessoal.

Em 21 de dezembro de 1937, minha esposa e eu nos encontrávamos na situação mais difícil que já havíamos experimentado desde que nos casamos. Estávamos correndo o risco de destruir todas as coisas que já havíamos construído se não tivéssemos encontrado uma maneira de contorná-lo.

O risco consistia no perigoso hábito de andar à deriva, no qual caímos depois que a renda do *Quem pensa enriquece* aliviou nossa tensão financeira. O problema era o mesmo experimentado pela maioria das pessoas que chegam à segurança financeira e decidem "aceitar as coisas com leveza": elas aceitam as coisas com leveza demais, por muito tempo.

Nosso risco particular ainda consistia em algo maior do que essas palavras mágicas que havíamos proferido contra nós mesmos: enquanto nos deixamos levar dessa maneira, mantivemos abertas todas as portas e janelas da cautela. E antes que percebêssemos o que estava acontecendo, nos encontramos freneticamente envolvidos em batalhas legais e pessoais, em quatro frentes diferentes – batalhas que consumiram todo o meu tempo, em um esforço negativo de autodefesa.

Devido à nossa falta de cautela, fomos processados por dois pretensos "agentes literários" (dos quais a cidade de Nova York está cheia), ambos tentando nos explorar injustamente; e um deles utilizava táticas que ficavam a um passo de uma tentativa de chantagem. Estávamos também no centro de uma batalha legal com um editor que, devido à nossa falta de cautela, nos deixou de pés e mãos atadas com um contrato para publicação de uma de minhas obras sobre filosofia, que nos arruinaria financeiramente. E estávamos em meio a negociações com uma empresa de Wall Street que havia me prometido uma fortuna fabulosa, sob um contrato que consumiria todo o meu tempo a serviço da empresa.

Além de todas essas dificuldades, também travamos uma polêmica quase interminável com o editor de *Quem pensa enriquece*, tentando convencê-lo a tomar duas medidas importantes e necessárias para garantir ao livro uma apresentação razoável ao público: por meio de uma publicidade adequada, e colocando-o à venda em todas as livrarias do país – nenhuma das quais ele estava disposto a fazer sem discussão.

Então, lá estávamos nós, deixando de lado a cautela que havíamos mantido por dois anos para resguardar nossa mente contra o ritmo destrutivo da superpovoada cidade de Nova York, e deliberadamente nos deixando envolver em controvérsias que serviam como o combustível perfeito para alimentar aquele ritmo alucinado.

A própria atmosfera de nosso apartamento tornou-se tão carregada com o ritmo de nosso pensamento negativo que nossos amigos começaram a notar essa mudança em nossa atmosfera mental. Além disso, fomos acometidos por doenças físicas: estávamos ficando nervosos e irritados. A situação tornava-se cada vez mais grave a cada dia; isso era mais do que esperado, pois durante quase três meses nossas reuniões de MasterMind a dois tinham sido dedicadas à discussão de assuntos negativos e destrutivos, em vez de assuntos positivos, como antes. Portanto, nossos pensamentos não poderiam ter gerado nada além de ideias negativas.

Na manhã de 21 de dezembro, depois que terminamos nosso chá matinal, minha esposa empurrou sua xícara vazia para o centro da mesa, virou a toalha, pegou um lápis e um caderno e disse:

– Estamos começando a ficar à deriva, seguindo em direção a um perigo do qual não conseguiremos escapar se não o deixarmos para trás aqui e agora. Vamos ficar sentados aqui até superarmos, para sempre, todas as causas de nossa atual atitude mental negativa, mesmo que leve uma semana. Encontramos segurança financeira, mas estamos pagando muito caro por isso. Isso está nos custando nossa paz de espírito!

Expressei minha aprovação à sugestão dela, pois também sentia que a segurança financeira que havíamos conquistado estava começando a nos custar mais do que valia. Então começamos naquele momento a analisar todas as causas de nossa mudança de atitude mental, que estava nos trazendo tanta dor.

Em nossa análise, escrevemos uma lista precisa de tudo o que desejávamos da vida, que consistia principalmente na realização de seis entidades amigas: amor e romance, fé e esperança, paz de espírito e prosperidade. Em outra lista, estabelecemos as causas de nossa atitude mental negativa, algo que não queríamos e não pretendíamos que ninguém impusesse a nós.

Lembro-me muito bem das palavras ditas por minha esposa naquele dia, pois elas nos deram a pista que nos levou ao reconhecimento da lei da força cósmica do hábito – o poder que nos permitiu restabelecer contato com as forças espirituais da harmonia, das quais havíamos sido temporariamente desligados:

– Há alguma coisa nesse ritmo terrível, agitado e intenso de Nova York que se impôs em nossa mente; algo que converteu nossas reuniões de MasterMind em uma desordem de pensamentos e falas negativas; alguma força terrível que parece estar nos afundando cada vez mais em um redemoinho de atitude mental negativa, que se reflete de forma mais definitiva a cada dia. Antes de encontrarmos o caminho para sair de nossas dificuldades, temos que isolar essa força negativa e achar uma maneira de escapar de sua influência.

Com essa declaração, uma sensação de alívio mental tomou conta de mim, como eu não sentia havia semanas. Minha esposa havia atingido o cerne de nossas dificuldades. Além disso, seu breve discurso foi como se alguém tivesse entrado em uma sala completamente escura e levantado as persianas para que a luz pudesse entrar livremente. Imediatamente, toda a química do meu cérebro mudou de um sentimento negativo para um sentimento positivo.

## A lei da força cósmica do hábito

Em seguida, começamos a analisar, com seriedade, cada uma das causas de nosso declínio espiritual e mental. A mudança de atitude mental que acabávamos de experimentar nos colocava em condições de pensar com mais clareza e liberar definitivamente nossa mente dos pensamentos negativos que vínhamos cultivando.

Assim, começamos imediatamente a receber um fluxo quase contínuo de ideias que vinham de algum lugar desconhecido, mas traziam consigo, pouco a pouco, os conceitos que reunimos para construir uma definição funcional da lei da força cósmica do hábito.

Ficará muito claro, quando você chegar à descrição da lei da força cósmica do hábito, por que essa lei não poderia ser explicada adequadamente sem fazer, pelo menos, algumas breves referências ao meu histórico de pesquisa – por meio do qual fui preparado para reconhecer essa lei. Sem entender as experiências pessoais que vivenciei antes de descobri-la, você não estaria preparado para reconhecê-la, assim como eu não estava antes de viver essas experiências.

Com relação às anotações de nossa reunião de MasterMind naquela manhã, em que descobrimos a causa das batalhas em que estávamos envolvidos, posso dar o seguinte relato de como a lei nos foi revelada.

Quando nos sentamos para desvendar o emaranhado de circunstâncias que nos levaram perigosamente perto da destruição, nós dois prontamente admitimos que tínhamos abandonado a vigilância com a qual havíamos guardado nossa mente contra influências negativas desde o início de nosso casamento.

Além disso, concordamos sem hesitar que havíamos negligenciado (se não abandonado) o hábito de manter nossa mente magnetizada pela lembrança diária das nossas seis entidades amigas, que havíamos criado com o único propósito de manter a mente ocupada com uma consciência definida sobre o que queríamos para a vida.

Concordamos que, enquanto dedicávamos nosso tempo a lutar contra os outros, tínhamos deixado nossa mente aberta a todos os impulsos negativos dispersos que escolhiam ficar conosco. Assim, começamos nossa reunião de MasterMind com um primeiro combinado: limpar a mente de cada pensamento negativo que havíamos abrigado e redefinir o nosso propósito principal na vida, conforme definido pelas nossas seis entidades amigas, não importava quanto tempo fosse necessário.

Minha esposa então sugeriu que analisássemos brevemente os 17 princípios da realização e averiguássemos, se possível, o que estava faltando em nossa vida em relação a eles e que tornava a filosofia tão impotente em tempos emergenciais, quando mais precisávamos dela. Ela pesquisou brevemente minhas próprias experiências pessoais e notou que a filosofia havia falhado mais vezes do que me ajudado. Ela enfatizou o fato de que a filosofia parecia funcionar perfeitamente até que surgia uma emergência premente e ela geralmente falhava comigo.

Ela relembrou as infelizes experiências que tive durante o auge de minhas relações com a LaSalle, a Betsy Ross, a revista *Golden Rule*, bem como o infeliz desfecho de minha associação com Don Mellet; relembrou ainda a intrigante circunstância de eu ter trabalhado em um estado de espírito infeliz por um período de tempo considerável antes de romper com essas conexões. Passo a passo, ela teceu uma teia perfeita de evidências, indicando claramente que meu estado de espírito era o fator determinante para o desfecho infeliz de cada uma dessas e de muitas outras experiências.

Então ela me fez esta pergunta, e nossa tentativa de respondê-la nos deu um primeiro vislumbre fugaz da lei da força cósmica do hábito:

– Voltando ao que eu disse há alguns minutos sobre esse ritmo negativo de Nova York, agora eu me pergunto se a chave mestra para seus 17 princípios de realização não seria alguma lei da natureza que você ignorou; ou alguma coisa relativa à Lei da Compensação. Pergunto-me também se essa lei não estaria de alguma forma ligada à energia do pensamento. Talvez seja a força que dá a cada cidade, a cada rua e bairro, a cada negócio, a cada habitação e a cada lugar onde as pessoas se reúnem uma vibração separada e distinta – um composto dos pensamentos dominantes liberados em cada um desses lugares. Essas questões surgiram na minha mente como um "estalo", mas tenho a sensação de que são mais do que pensamentos aleatórios.

Antes que ela terminasse de falar, minha mente também estava captando algumas ideias. Eu estava pensando sobre o ritmo negativo da cidade de Nova York; e então lembrei que essa vibração oculta, à qual ela se referia, sempre tinha me afetado muito. Desde minha primeira visita à cidade (e durante todo o tempo em que vivera ali, antes do nosso casamento), eu tinha o hábito de me ausentar por uma semana ou mais para "limpar minha mente da estagnação mental", como eu me expressava. Sim, ela estava certa.

Muitos anos antes, o Dr. Alexander Graham Bell tinha me ensinado algumas coisas sobre a lei da vibração – que explica, por exemplo, a diferença de sensação que alguém tem na Quinta Avenida e na Nona Avenida na cidade de Nova York; mas não o ouvi dizer nada sobre essa lei ter alguma influência sobre a formação de hábitos.

Em seguida, captei um pensamento preciso e definido: ele transmitia a ideia de que a lei da vibração é de fato a mesma lei que Emerson descrevera em seu ensaio sobre a compensação. Mas ele falhou em descrever as qualidades rítmicas da lei, por meio das quais ela automaticamente impõe a todos os seres vivos, incluindo o homem, as influências dominantes do ambiente em que ela se manifesta. Ao reconhecer esse fato, exclamei:

– A força que estamos tentando encontrar é a força cósmica do hábito! E agora entendo pela primeira vez como e por que fui surpreendido por tantas adversidades, e por que me deparei com tantas formas de derrota temporária.

– Sim – respondeu minha esposa –, entendo o que você quer dizer! A força cósmica do hábito é aquela força que fixa de forma permanente os hábitos de pensamento de alguém. A qualidade hipnótica da lei é tão sutil, e tão abstrata, que ela nunca foi identificada. Com o passar do tempo, ela lentamente converte os nossos hábitos em dispositivos permanentes, que começam a operar automaticamente. Sim, entendo claramente o princípio de funcionamento da lei! É como o princípio que faz a natureza transformar o suco de uva em vinho, sendo o tempo um elemento importante para sua existência e funcionamento. Isso explica por que todos os seus fracassos anteriores foram precedidos estranhamente por um estado de espírito infeliz. Por um tempo considerável, seus pensamentos dominantes se tornavam negativos – pois eles estavam, obviamente, estabelecendo o ritmo do fracasso. Isso também explica por que temos atraído cada vez mais pessoas hostis e negativas durante os últimos meses. Agora nós dois sabemos que o relacionamento infeliz entre nós e aqueles com quem estamos em conflito é um reflexo perfeito de nosso estado de espírito em relação a eles.

– Sim – interrompi –, o que você disse me traz à mente uma afirmação que fiz centenas de vezes, sem saber o significado completo dela: "Nunca em minha vida me comprometi a fazer alguma coisa sem chegar a um desfecho bem-sucedido, exceto quando mudei de ideia como resultado de alguma forma de derrota temporária e voluntariamente aceitei a derrota como um fracasso". Agora percebo que todo o sucesso que já experimentei veio como resultado de um plano definido que mantive como o poder dominante de minha mente durante certo tempo. E percebo que meus fracassos vieram principalmente, se não totalmente, por eu ter negligenciado a atitude de manter a mente sob o domínio de um propósito definido até que o tempo pudesse manifestar fisicamente esse propósito. A fuga do exílio ao qual me obriguei na Virgínia Ocidental após a morte de Don Mellet, e os meios pelos quais financiei a publicação de minha filosofia logo depois, foram exemplos em que me recusei a aceitar a derrota temporária como fracasso e forcei minha mente a produzir um plano

– e então meu problema foi resolvido. O tempo era a essência do meu sucesso na época, assim como tem sido a essência de todo sucesso que já experimentei.

Então me ocorreu lembrar a minha esposa que as circunstâncias de nosso encontro eram outra evidência da existência de uma lei natural que tinha o poder de manifestar fisicamente determinados desejos. Nesse caso, o procedimento que segui foi simples, mas definitivo: adotei um propósito definido; saturei minha mente com uma obsessão de não parar ou mudar de ideia até que esse propósito fosse realizado; estabeleci a mim mesmo um período de tempo definido, mas razoável, para atingir meu objetivo; elaborei um plano para alcançar esse propósito e comecei imediatamente a executá-lo. A cada minuto, desde o dia em que comecei a procurar minha esposa até encontrá-la, o desejo dominante em minha mente era simplesmente encontrá-la. Todos os outros objetivos eram subordinados a esse propósito. Eu sabia que ela existia em algum lugar. Eu sabia que precisava dela, e que ela precisava de mim.

Nesse ponto minha esposa me interrompeu novamente, com uma sugestão que explicava uma característica da estranha coincidência de eu ter encontrado mais fracassos do que a maioria das pessoas comuns.

– Há uma coisa em que você não falhou – ela me lembrou –, e foi o cumprimento da promessa que você fez a Andrew Carnegie: que continuaria sua pesquisa até organizar uma filosofia de realização pessoal que compreendesse as causas do fracasso e do sucesso. Com a descoberta da lei da força cósmica do hábito, você completará esse trabalho; e ouso dizer que o Sr. Carnegie ficaria muito orgulhoso, se ele ainda estivesse aqui.

Sim, ela estava certa. Ao longo de trinta anos de altos e baixos (principalmente baixos), continuei em busca de um objetivo principal bem definido, que finalmente trouxe o triunfo por meio da persistência. Trinta anos podem parecer muito tempo para se dedicar a uma tarefa, mas a natureza daquela tarefa impossibilitava sua realização em menos tempo. Torna-se óbvio, portanto, que a medida de tempo necessária para que a lei da força cósmica do hábito possa manifestar fisicamente um impulso de desejo depende inteiramente da natureza do desejo. A esse respeito, a natureza se move exatamente como ela faz ao aplicar a lei da força cósmica do hábito na produção de coisas que crescem do solo. Ela pode cultivar uma abóbora em três meses, mas precisa de muitos anos para produzir um carvalho.

À medida que avançávamos em nossa análise da lei recém-descoberta, seu princípio de funcionamento tornou-se tão claro e compreensível quanto a tabuada de multiplicação ou qualquer outra realidade comprovável. Não estávamos mais intrigados com a estranha maneira pela qual os hábitos são formados, pois ficou muito claro que o hábito é o método da natureza de forçar todos os seres vivos, desde a mais humilde forma de vegetação até o cérebro do homem, a assumir, tornar-se parte e ser influenciado pelo ritmo do ambiente em que existe.

Com essa revelação surpreendente diante de nós, entendemos por que a Ilha de Manhattan tem muito mais pessoas indo para a sarjeta do que triunfando na vida. Também pudemos compreender por que havíamos entrado em um relacionamento tão infeliz com tantas pessoas. A verdade é que não tínhamos ficado à deriva: fomos pegos desprevenidos e levados pela irresistível força cósmica do hábito a harmonizar nossas faculdades mentais com a intensa vibração que domina toda a cidade de Nova York.

Finalmente havíamos chegado ao cerne do nosso problema, por meio de um diagnóstico que revelou sua causa. Naquele momento estivemos muito perto da prisão da qual tínhamos acabado de nos libertar, para perceber que a chave mestra que destrancara a porta era a mesma que libertaria outros de suas prisões, criadas por eles mesmos.

Por fim, ficamos tão emocionados com nossa libertação repentina que não nos preocupamos com a liberdade dos outros. Nossos primeiros pensamentos se voltaram para a elaboração de um plano para assegurar que não seríamos arrastados novamente no redemoinho de um poder que quase havia nos aniquilado.

## A zona de segurança

Descreverei agora, passo a passo, o plano com o qual realizamos nossa fuga, chegando finalmente à zona segura da liberdade espiritual e econômica.

Assim como havíamos reconhecido conjuntamente a lei da força cósmica do hábito, por meio de ideias que surgiam alternadamente em nossa mente, descobrindo a lei pouco a pouco, também construímos juntos um plano para mudar definitivamente nosso relacionamento de uma aplicação negativa para uma positiva dessa grande lei – que, dentro de vinte e quatro horas, nos concederia o perdão permanente dos nossos pecados de ignorância passados.

Ficamos envolvidos por horas na criação de nosso plano. Portanto, mencionarei apenas os resultados de nossa decisão final. Mesmo este breve esboço pode não estar de acordo com as regras ortodoxas da autoria profissional, mas estou mais preocupado em compartilhar com os outros as bênçãos do entendimento do que em alcançar a supremacia literária. Lembro-me também de que a maioria de nós prefere ilustrações concretas da verdade em vez de pregações abstratas sobre seu valor moral.

Após descobrirmos que o ritmo intenso da Ilha de Manhattan tinha começado a endurecer nossa alma em prol da autopreservação, decidimos definitivamente nos retirar daquele ambiente para outro mais adequado ao meu trabalho:

- Um ambiente onde o ritmo seria calmo o suficiente para estabelecermos nossa própria taxa de vibração de pensamento.

- Um ambiente em que não teríamos a necessidade de nos defender contra intrigas, nem lutar contra os elementos do clima extremo.
- Um ambiente no qual poderíamos planejar nosso tempo e usá-lo sem ter que dedicar qualquer parte dele a qualquer esforço defensivo.
- Um ambiente com ar fresco suficiente e espaço aberto, para nos permitir sair de casa e ver as belezas do céu estrelado sem espiar entre os arranha-céus.
- Um ambiente onde nossa casa não precisaria de trancas em todas as portas.
- Um ambiente onde a poeira não seria vendida por centímetro quadrado, onde um homem poderia andar e falar em um mundo povoado apenas por seus próprios pensamentos.
- Um ambiente onde poderíamos ter as árvores como vizinhas e os pássaros silvestres como animais de estimação.
- Um ambiente onde teríamos espaço para esquecer todos os problemas e tirar uma folga para sermos nós mesmos, no trabalho e no lazer.
- Um ambiente no qual pudéssemos controlar completamente os nossos próprios pensamentos, de forma a estabelecer, sem dificuldade, o estado de espírito necessário para nos colocarmos em sintonia com o Infinito, no qual podemos recorrer generosamente à fonte de toda a verdade.

Um grande desejo? Sim, mas nós o aperfeiçoamos até o último detalhe.

Como tínhamos o privilégio de poder morar em qualquer lugar que escolhêssemos viver, o local escolhido foi a Flórida, onde planejamos morar desde que o ambiente atendesse às nossas necessidades.

Tendo escolhido a localização geográfica de nossa futura residência, começamos ali mesmo a nos preparar para a mudança, marcamos a data e providenciamos o empacotamento e o despacho de nossos pertences. Já tendo aprendido que nunca há uma hora "certa" para romper com os velhos hábitos e estabelecer novos, começamos a agir imediatamente; e nos movemos tão definida e rapidamente como se fosse a hora certa, queimando atrás de nós todas as pontes que pudessem nos fazer retroceder.

Com uma decisão tão abrangente, consolidamos todos os nossos problemas maiores em um único de menor importância, que poderíamos dominar facilmente. Decidimos que encontraríamos o ambiente exato que descrevi, nos mudaríamos para lá imediatamente e dedicaríamos o restante de nossas vidas a escrever livros que transmitissem o conhecimento adquirido em meus trinta anos de pesquisa; e que eu nunca mais me envolveria em qualquer forma de controvérsia sobre questões de negócios. Essa decisão eliminou automaticamente uma fortuna estimada em um milhão de dólares, que eu provavelmente poderia ter ganhado com aquela firma de Wall Street; mas também me deu total liberdade de tempo, algo que eu nunca havia conhecido antes; e, com essa liberdade, o privilégio de realizar o primeiro e único trabalho que escolhi: um trabalho de amor.

A decisão também eliminou automaticamente o relacionamento irritante que eu havia estabelecido com os chamados agentes literários, já que minha saída de Manhattan tornava impossível que um deles controlasse qualquer parte do meu tempo. Isso deixou apenas um outro problema a ser resolvido para me dar uma ficha limpa, um novo começo na vida: um problema associado ao contrato legal injusto que fiz com uma editora, em um momento em que o estresse da necessidade financeira havia destruído o exercício da costumeira cautela.

O procedimento surpreendente pelo qual contornamos o obstáculo daquele contrato injusto (mas perfeitamente legal) foi superado pela rapidez com que o plano nos livrou do sofrimento que o contrato havia nos causado. Primeiro, despachamos breves notas para todas as pessoas com quem estávamos em negociações controversas, informando a cada uma delas a minha decisão de devotar o resto de minha vida a escrever livros sobre autodeterminação, e afirmando que nosso plano era tão definitivo que nada poderia nos convencer a mudá-lo. Na nota ao editor com quem tínhamos o embaraçoso contrato, acrescentamos um parágrafo explicando brevemente a natureza da lei da força cósmica do hábito – que havíamos descoberto recentemente –, e o desafiamos corajosamente a corrigir o contrato que eu tinha firmado com ele; ou então se recusar a fazê-lo (e assim conhecer em primeira mão o poder dessa lei, pois isso destruiria totalmente o valor financeiro de sua participação no contrato sem que eu violasse uma única cláusula).

Não fizemos ameaças, não pedimos favores, não tropeçamos nos direitos de ninguém; apenas exigimos que um contrato injusto fosse reescrito, de modo a abraçar os princípios da Regra de Ouro.

Dentro de vinte e quatro horas, os dois agentes literários retiraram sua queixa sem o menor ressentimento contra nós; a firma de Wall Street acatou nossa decisão de bom grado, deixando aberta entre nós a porta para uma amizade contínua; e o titular do embaraçoso contrato devolveu o documento acompanhado de outro, para nossa assinatura. O novo documento abrangia todas as alterações que havíamos solicitado, reestabelecendo uma relação de confiança e removendo o último obstáculo entre nós e nosso novo objetivo.

Ao mudar nossa atitude mental de negativa para positiva, não apenas reconhecemos uma das leis mais profundas da natureza, como também abrimos caminho para sua rápida aplicação, de uma maneira que produziu exatamente os resultados que desejávamos. Dessa forma, apagamos as relações de antagonismo que nos haviam levado à beira de duas batalhas jurídicas – as quais teriam nos impossibilitado de encontrar a liberdade da qual agora desfrutamos.

Outro exemplo de como a força cósmica do hábito pode produzir mudanças ocorreu durante o tempo em que servi ao presidente Franklin Roosevelt. Logo após a primeira posse de Roosevelt, tive o privilégio de participar de uma conferência de MasterMind com um grupo de assessores do governo que enfrentavam o problema de lidar com a onda de crimes que assolava o país. O bebê Lindbergh tinha acabado de ser sequestrado, e a criminalidade se espalhava tão rapidamente que parecia inseguro para qualquer homem rico sair às ruas sem proteção.

A pedido de um dos membros da Comissão Criminal recém-criada pelo presidente, preparei para ele um discurso que seria transmitido pelo rádio sobre os meios de combater o crime organizado. Nesse discurso, descrevi cinco passos definidos que o governo poderia tomar em sua guerra contra os criminosos, sendo um deles:

> Fornecer ao procurador-geral o poder e os recursos necessários a fim de subornar criminosos conhecidos para denunciarem uns aos outros, pagando a eles quando necessário e garantindo-lhes isenção absoluta contra a retaliação do governo ou de seus próprios associados.

Esse discurso serviu para mobilizar a opinião pública, e essa mobilização se refletiu no Congresso – no qual a legislação adequada deveria ser aprovada para dar ao Ministério da Justiça a liberdade de ação e os recursos necessários para travar uma guerra contra o crime. A partir de então, a onda de crimes na América começou a diminuir. O crime organizado não era páreo para a opinião pública organizada, nem para a proteção organizada de criminosos dispostos a trair seus parceiros no crime.

Além disso, como resultado de uma repreensão merecida das igrejas e do governo, os produtores de cinema pararam de produzir filmes que mostravam gângsteres como heróis, e começaram a fazer filmes retratando os gângsteres como ratos de esgoto e os *G-men*[*] como heróis. Os produtores de programas de rádio engrossaram o coro e deram um maior destaque para os *G-men*, assim como os jornais. Em pouco tempo, as poderosas forças formadoras da opinião pública do país mobilizaram tanto os pensamentos do povo americano em nome da lei e da ordem que o esquema de sequestros acabou e os inimigos públicos tornaram-se cada vez mais escassos. A força cósmica do hábito mais uma vez se fez presente por meio de uma ordem estabelecida de conduta legal, e o tempo necessário para a obtenção desse fim desejável foi pouco menos que quatro anos.

Minha madrasta, involuntariamente, aplicou a lei da força cósmica do hábito quando se juntou à nossa família. Ela não se limitou a mudar a vida de meu pai, como expliquei anteriormente, mas agiu imediatamente para retirar nossa família do ambiente de pobreza em que se encontrava e para fazer com que cada membro se tornasse um exemplo vivo de sucesso em algum campo de atuação útil, para si mesmo e para o mundo.

Seu primeiro movimento foi construir uma casa para a nossa família no centro de Wise County, Virgínia. Enquanto meu pai cursava a faculdade de odontologia, ela trabalhava com o restante da família, formada na época por meu irmão, eu, seus dois filhos e sua filha. Ela nos ajudou a nos livrar do hábito de ficar à deriva e nos moveu em direção a algum objetivo com determinação de propósito. Seu trabalho não foi fácil, pois ela precisou encarar três gerações de indiferença

* *G-men* é uma gíria americana para os agentes do governo dos Estados Unidos. É especialmente utilizada como um termo para um agente do Federal Bureau of Investigation (FBI). (Nota da Tradutora.)

hereditária, falta de propósito e inércia até que pudesse encaminhar a mim e ao meu irmão a carreiras definidas.

Lembro-me de um incidente relacionado à experiência dela com meu pai, que agora me diverte muito mais do que quando aconteceu. Quando nos mudamos do campo para a "cidade", minha madrasta insistia para que meu pai vestisse diariamente uma camisa limpa com colarinho branco e gravata – para fazê-lo parecer, como ela explicou, "como um homem profissional de dignidade e importância". Meu pai não gostava de colarinhos e gravatas, mas ela insistia que ele os usasse. Quando nos mudamos para o centro do condado, ele era tímido e reservado na presença de homens vestindo "roupas da cidade" e atravessava a rua para evitar encontrar as pessoas importantes. Mais tarde, depois que meu pai se tornou um dentista de sucesso, a história mudou completamente.

Minha madrasta se movia com determinação de propósito e estava livre do hábito de andar à deriva sobre qualquer assunto. Quando meu pai terminou a faculdade de odontologia e recebeu sua licença para praticar a profissão, ela já tinha encaminhado todos os membros da família para uma carreira definida. Cada membro da família foi enviado para a faculdade ou para uma escola técnica, com instruções expressas para adquirir conhecimento para um uso específico e definido. Todos nós havíamos adquirido hábitos de sucesso.

É um fato notório que todas as pessoas bem-sucedidas têm uma grande capacidade de fé. A fé pode ser descrita como um hábito cósmico que opera nas crenças e desejos de alguém. Observe que estou enfatizando a força cósmica do hábito como um grande poder benéfico com o qual um indivíduo pode condicionar a própria mente para contatar e recorrer ao repositório universal da Inteligência Infinita. Essa grande lei é benéfica apenas quando aplicada por nós mesmos.

A lei começa a nos afetar assim que uma ideia ou impulso de pensamento atinge o cérebro; não importa se vem de dentro ou de fora, através de um ou mais dos cinco sentidos. Ideias e impulsos de pensamento que repetimos e enfatizamos com um forte sentimento emocional rapidamente se tornam hábitos de pensamento, por meio da operação da lei.

A fé, a força cósmica do hábito e a definição de propósito são os três fatores da realização pessoal que, quando combinados e usados adequadamente, são capazes de criar a nossa autodeterminação, em seu sentido mais amplo. Essas três forças sempre foram as marcas distintivas de todos os verdadeiros grandes líderes. Qualquer um que tenha a capacidade de impregnar sua mente com fé pode fazer com que a vida proporcione tudo o que deseja. O que é a fé senão uma mente aberta, livre de todos os medos e acessível à orientação da Inteligência Infinita?

Duas coisas estão em ação no cérebro de cada pessoa, em todos os momentos. Uma é o processo de liberação de pensamentos, e a outra é a lei da força cósmica do hábito, que combina esses pensamentos de forma lenta – mas definitiva – para que finalmente se tornem hábitos de pensamento. A mente humana não é voluntariamente capaz de ficar totalmente em branco a qualquer momento. Ela sempre está trabalhando em algum tipo de pensamento. Cada pessoa tem o poder e o privilégio de preencher sua mente com o tipo de pensamento que quiser. Se ela falhar em exercer esse privilégio, logo os pensamentos errantes – inspirados pela influência de pessoas próximas e de seu ambiente imediato – virão ocupar sua mente.

Quando você aprender a reconhecer e utilizar a surpreendente lei da força cósmica do hábito, ela pode proporcionar a você mais bênçãos na vida do que a maioria das pessoas do mundo já desfrutou, entre elas as seguintes:

1) Ela pode libertá-lo de todos os tipos de medo e remover todas as limitações autoimpostas.
2) Ela pode lhe trazer liberdade econômica para toda a vida.
3) Ela pode lhe proporcionar o privilégio de viver em qualquer parte da Terra que você desejar, e de usar seu tempo da maneira que quiser.
4) Ela pode lhe dar o privilégio de prestar assistência a outros que buscam caminhos e meios para conquistar a vida, e fazê-la render riquezas materiais e espirituais.
5) Ela pode colocá-lo na posição de dizer com sinceridade: "Vida, você me deu tudo o que desejo e, com este presente, recebi o segredo para manter comigo esta joia preciosa enquanto permanecer neste plano terrestre".

Antes de prosseguirmos, eu gostaria de definir o termo força cósmica do hábito por meio da espantosa afirmação sugerida por minha esposa: é a força que põe em operação a lei da compensação descrita por Emerson. Provavelmente ela seja o poder que Emerson estava procurando; mas ele desistiu quando estava a um passo de descobri-lo.

A força cósmica do hábito é a aplicação particular da energia com a qual a natureza mantém a relação existente entre os átomos da matéria, as estrelas e planetas, as estações do ano, noite e dia, doença e saúde, vida e morte – e, mais importante do que tudo para nós agora, é o meio pelo qual todos os hábitos e todos os relacionamentos humanos são mantidos; o meio pelo qual o pensamento é manifestado em seu equivalente físico.

Somos governados pelos hábitos! Nossos hábitos são fixados em nós pela repetição de pensamentos e experiências. Portanto, é possível controlar nosso destino terreno na mesma medida em que controlamos nossos pensamentos. É um fato profundamente significativo, pois uma pessoa pode ter controle total sobre o poder do seu pensamento.

A natureza deu ao homem o privilégio de controlar seus pensamentos, mas também o sujeitou à força cósmica do hábito – por meio da qual seus pensamentos são feitos para se travestirem em sua semelhança física e equivalente.

Se os pensamentos dominantes de uma pessoa forem de pobreza, a lei manifestará fisicamente esses pensamentos de miséria e carência. Se os seus pensamentos dominantes forem de riqueza, a lei os manifestará. O homem constrói o seu padrão por meio de seus pensamentos, mas a força cósmica do hábito manifesta fisicamente esse padrão e o torna permanente.

Se Emerson tivesse explicado sua lei da compensação de forma mais clara e completa, ela teria se tornado acessível para muito mais pessoas. Ele poderia ter explicado que a influência das relações humanas e a atitude mental resultante (ambas sujeitas ao controle de cada pessoa) representam a "alavanca" pela qual a lei da compensação pode ser assumida e colocada em uso por um indivíduo.

Depois que aprendi a lei da força cósmica do hábito, analisei minha própria vida e vi que todos os problemas e fracassos que encontrei foram causados por relacionamentos errados e por uma atitude mental errada, que surgiram das influências negativas de outras pessoas. Foi uma descoberta chocante, mas os fatos eram inconfundíveis.

Agora sei que, quando estou infeliz, é por causa de algum relacionamento impróprio com os outros. Quando eu falho, é por causa da minha atitude mental errada. Sei também que a atitude mental é algo que posso controlar. É por isso que posso dizer com sinceridade: "Tenho tudo o que desejo, e tudo o que a vida tem a me oferecer!". Eu nunca poderia dizer isso enquanto não aprendesse a me relacionar com os outros em um espírito harmonioso e aprendesse a controlar minha atitude mental.

Finalmente, encontrei o "elo perdido" da filosofia da realização pessoal, mas gostaria de deixar claro que essa descoberta não teria sido possível sem meu conhecimento dos 17 princípios da Filosofia da Realização Americana. A abordagem adequada para a compreensão da força cósmica do hábito é por meio desses 17 princípios, pois eles estabelecem as bases para uma aplicação prática dessa força, em termos que qualquer pessoa leiga possa entender.

Ao longo de nossas discussões, Andrew Carnegie sempre mencionava uma lei desconhecida da natureza que ele francamente admitia não entender, mas observava seus efeitos repetidas vezes. Você sabe agora, depois de ler este livro, que o Sr. Carnegie se referia à lei da força cósmica do hábito.

Uma das características mais estranhas da longa entrevista que tive com Thomas A. Edison, relatada anteriormente, é que ele afirmou categoricamente que eu estava prestes a descobrir essa lei. A única coisa que ele não acertou com precisão foi o momento em que ela seria revelada a mim. Ele declarou que seria dentro de três anos, mas na verdade demorou cinco anos. A entrevista ocorreu em 1932, e a lei da força cósmica do hábito foi descoberta em 1937.

É perfeitamente natural que alguns leitores destas memórias se perguntem: por que o autor teve que se deparar com todas as adversidades descritas ao longo do livro? Por que este autor (que foi pessoalmente orientado por Andrew Carnegie e teve acesso a centenas de outros homens de sucesso) se deixou abater por derrotas, uma após outra, se a Filosofia da Realização Americana tem as respostas para a maioria dos problemas dos seres humanos?

Essa pergunta já foi feita a mim antes, então desejo aqui e agora dar a única resposta que tenho. Sinceramente acredito que é uma resposta precisa. Pelo menos não contém nada que se assemelhe a uma justificativa, nem é oferecida como um pedido de desculpas.

Há pouco tempo, fiz essa mesma pergunta a mim mesmo, e a resposta me levou à necessidade de fazer um levantamento pessoal da minha vida, para determinar com precisão qual seria o meu legado após uma vida inteira de esforços dedicados à vocação que escolhi. Eis o que me foi revelado:

1) Apesar de todas as adversidades, fiz com que a vida me permitisse seguir a profissão de minha escolha, com a qual adquiri todas as coisas materiais de que preciso ou desejo, e estou encontrando uma felicidade contínua ajudando os outros a se relacionarem harmoniosamente com a vida.
2) Meu trabalho foi reconhecido como uma contribuição valiosa para o mundo, e tem alcançado milhões de homens e mulheres em quase todo o planeta.
3) Estou agora empenhado em escrever outros livros, destinados a ser de grande benefício para as pessoas que estão tentando encontrar seu caminho em um mundo tão confuso; e a reputação que construí por intermédio do meu trabalho ajudará a garantir um mercado para os livros que escreverei no futuro. Essa é uma vantagem que somente foi alcançada porque provei que a adversidade é uma bênção quando serve como um desafio para um esforço maior, e não como um sinal para desistir.
4) Não tenho arrependimentos de nenhuma natureza; não tenho inimigos que reconheça como tais; não guardo rancor de nenhuma pessoa viva; não tenho inveja de ninguém; não tenho o menor sinal de autopiedade; tenho muita fé no futuro da América; e não compartilho, em nenhum grau, do sentimento de derrotismo que se espalhou por este país nos últimos anos. Acredito sinceramente que posso fazer qualquer coisa que eu realmente deseje; e, acima de tudo, finalmente adquiri a autodisciplina para fechar a porta entre mim

e todas as experiências do passado que não são agradáveis de recordar. Vivo inteiramente o presente e o futuro, e tenho fé de que o serviço que prestarei ao mundo no futuro será incomparavelmente maior do que qualquer coisa que já fiz no passado. E, com tudo isso, adquiri uma humildade de coração que me leva a considerar-me apenas como um humilde filho de Deus que acaba de sair da pré-escola da vida e já está pronto para começar a aprender por meio do fazer. Minha humildade veio das minhas adversidades.

Portanto, a vida não me deve nada; sou eu quem devo tudo à vida, e ainda estou pagando. Meu pagamento é jogar um colete salva-vidas, por assim dizer, para todos aqueles que foram arrastados para o mar, nas águas do oceano inquieto e instável da vida – onde, em tantas ocasiões no passado, me vi lutando por um resgate.

Com alguns simples traços do lápis do editor, eu poderia ter eliminado deste livro cada parte da história que revela minhas fraquezas e derrotas, e apenas alguns que fazem parte de minha vida pessoal saberiam que, ao longo de meus esforços para dar ao mundo uma filosofia prática de realização pessoal, encontrei mais derrotas do que uma pessoa comum jamais encontraria.

Mas omitir a história de minhas próprias derrotas teria sido uma forma de medo, e isso não faz parte de mim. Se eu fizesse isso, teria me colocado em um pedestal – em que, pelo menos figurativamente, eu teria reivindicado para mim uma sabedoria que nunca foi conhecida, nem mesmo pelos grandes homens que, apesar das adversidades, tornaram este mundo melhor apenas por terem passado pelo nosso caminho.

Por que eu deveria esconder meu nascimento humilde, em meio à pobreza e ao analfabetismo, quando muitos dos verdadeiros grandes homens do mundo começaram a vida em circunstâncias semelhantes? Por que deveria ter vergonha do meu início humilde, ou dos meus tropeços no caminho, ou das minhas lutas para encontrar e manter o caminho que leva à realização pessoal, quando o mundo inteiro sabe que é preciso mais do que sangue azul e títulos de nobreza para que um homem esteja preparado para enriquecer o mundo com seus pensamentos e ações?

Em um estágio anterior da minha vida, eu nunca mencionava meus erros e fraquezas humanas; mas sei que não estava enganando ninguém, exceto a mim mesmo, com meu silêncio. Mesmo o mais sábio dos homens sempre tropeça e cai antes de encontrar uma base sólida na vida, e a porção mais bem informada do mundo sabe que a grandeza de um homem consiste nas lições que ele aprende com seus erros.

Não é uma desgraça encontrar a derrota. A desgraça vem de aceitar a experiência da derrota como algo mais do que um desafio para fazer um esforço maior.

Tive apenas um objetivo ao mencionar minhas derrotas: mostrar que a adversidade traz consigo a semente de um benefício equivalente. E essa derrota pode ser convertida em um estímulo que nos levará a realizações maiores do que qualquer outra que teríamos conhecido sem passar pelo fracasso.

Espero sinceramente que minha própria história sirva para ajudar outras pessoas a se livrarem dessa fraqueza comum conhecida como autopiedade: um estado de espírito que torna impossível qualquer conquista digna, em qualquer esfera da vida.

Escrevi minhas derrotas em primeira pessoa, em vez de escondê-las na terceira pessoa, para que os leitores deste livro saibam que escrevi sobre fatos, e não sobre ficção. Portanto, aqui está o registro de meus humildes esforços para encontrar meu lugar no mundo. Se alguém o despreza, por parecer que tomei o caminho mais longo e difícil para descobrir como aplicar minha própria filosofia, talvez ajude lembrar que encontrei minha vocação, estou fazendo o melhor que posso, e estou feliz!

## Um plano que prevalecerá

Enquanto escrevo estas páginas, o mundo está em um estado de caos que ameaça destruir todas as conquistas da civilização. O melhor que a ciência descobriu foi transformado em armas de destruição, e para alguns, as perspectivas para o futuro podem parecer terríveis e desanimadoras.

Mas vejo esse quadro de forma diferente! Na atual desordem mundial, vejo um plano deliberado para quebrar alguns dos principais hábitos da humanidade, a fim de que hábitos melhores possam ser formados; um plano que está além do controle dos homens, portanto, um plano que prevalecerá.

Milhões de pessoas foram mortas, presas, empobrecidas e destruídas pela Segunda Guerra Mundial. Propriedades no valor de bilhões de dólares foram destruídas, e o medo e a indecisão ficaram em evidência por toda parte.

Tinha que ser assim. A lei da força cósmica do hábito teve que ser quebrada, e continua sendo quebrada por forças sobre as quais a humanidade não tem poder de controle. Mas as coisas só mudam para melhor quando são quebrados velhos hábitos.

Desta era de caos surgirá harmonia e compreensão, e um melhor espírito de fraternidade entre os homens. Não pelas intenções do homem, talvez, mas *apesar* da ignorância do homem. Quando as circunstâncias se tornam tão ruins que não podem piorar, elas sempre começam a melhorar. O mundo, espero, chegou ao fundo do poço. Mas em breve estará em recuperação, para um modo de vida mais saudável e melhor, em que os relacionamentos humanos serão mais valorizados do que as posses materiais, e haverá menos egoísmo e um maior desejo de prestar serviço útil.

Muitos podem estar desanimados por causa da atual perspectiva do mundo. Eu não estou! As experiências de minha própria vida humilde, pequenas e inconsequentes como foram, ensinaram-me que a escória dos relacionamentos humanos muitas vezes deve ser queimada pelo fracasso e pelo sacrifício, até que o metal mais refinado da alma humana seja revelado. Foi assim em minha própria experiência. Assim será com o mundo, pois é óbvio que as experiências de um indivíduo refletem, nos mínimos detalhes, as leis que regem toda a humanidade. Nenhum indivíduo é escolhido para um sofrimento pessoal. Aquilo que acontece a um está acontecendo, em maior ou menor grau, a todos os outros.

E a razão pela qual tenho esperança no futuro é explicada pelo que vi a partir de um estudo da história do passado. Ditadores vão e vêm, desde o início da humanidade. Eles surgem em quase todos os países, em muitos setores da vida; não apenas em manobras políticas, mas também em relações econômicas e pessoais.

A natureza sempre desaprovou os ditadores, em qualquer forma que eles apareçam, pois há algo inerente a todos os seres humanos que lutam eternamente pela liberdade pessoal. Os homens desejam ser livres, não importa qual seja sua posição na vida ou quais sejam suas circunstâncias pessoais. Esse desejo se torna uma esperança, e então se torna fé – e dessa fé vem a ação que leva à liberdade.

A natureza encoraja a liberdade individual entre os homens, pois de que outra forma alguém explicaria o desejo interno de liberdade que vive em cada coração humano? Aquilo que as pessoas mais desejam, a natureza tem uma maneira de fornecer. A força cósmica do hábito é sua ferramenta.

Por gerações, o mundo desejou ganhos materiais sem levar em conta os direitos dos indivíduos. Esse desejo trouxe o caos mundial atual que, esperemos, está prestes a terminar e já começou a ser desfeito.

Alguns homens têm advertido sobre o perigo iminente do mal que se abateu sobre o mundo, mas sua advertência não é suficiente. Um poder mais forte assumiu; um poder que não será ignorado até que tenha quebrado as garras do egoísmo com que a humanidade prendeu a si mesma, e assim dará aos homens um novo começo, em um mundo melhor do que aquele que eles criaram para si mesmos.

Quando Andrew Carnegie estava me ajudando a estabelecer um padrão para os 17 princípios da realização pessoal, ele reiterou, repetidas vezes, que essa filosofia se tornaria o melhor meio de igualar oportunidades e dividir as riquezas do mundo, porque daria à pessoa mais humilde o pleno benefício do "saber fazer", pelo qual as riquezas materiais podem ser devidamente adquiridas.

Ele apontou que um indivíduo dotado com o conhecimento para adquirir riquezas pode até enfrentar emergências pelas quais ele pode perder toda a sua riqueza, mas logo a recuperará por meio de seu conhecimento. O Sr. Carnegie também chamou a atenção para o fato de que o dom do conhecimento, pelo qual alguém pode ajudar a si mesmo, é a melhor forma de doação – e era seu objetivo fornecer esse conhecimento por meio dos 17 princípios da realização pessoal. Ele acreditava que esse conhecimento seria mais benéfico para o mundo do que todas as suas outras doações – incluindo as que fazia para tantas bibliotecas públicas.

Antes da publicação de meu livro mais popular, *Quem pensa enriquece*, minha vida tinha sido uma série contínua de ciclos de quatro anos cada. Minha sorte sempre oscilava para cima e para baixo, conforme demonstrado por um gráfico que guardei, e sempre atingia o auge durante o quarto ano – ora em alguma derrota monumental, ora em completo fracasso.

Pouco depois de *Quem pensa enriquece* se tornar *best-seller*, descobri a lei da força cósmica do hábito descrita anteriormente; desde então, até a redação deste livro, meu gráfico mostra o progresso ascendente contínuo de minha fortuna, sem variações perceptíveis de qualquer natureza. Oportunidades com as quais nunca sonhei surgiram em meu caminho sem que eu pedisse. Por fim, o "feitiço" que me atormentou ao longo dos anos foi permanentemente quebrado.

Provavelmente, o ponto de virada mais benéfico da minha vida veio de uma série de circunstâncias de rápida mudança que começaram no início de 1940. Mark Wooding, um ex-aluno meu, acabara de abrir uma nova cafeteria em Atlanta, Geórgia, e fiquei sabendo por um amigo em comum que ele estava com dificuldades financeiras em seu negócio.

Eu morava na Flórida na época, mas não pude esquecer as muitas vezes que meus amigos vieram em meu socorro quando precisei de ajuda. Então, peguei um avião e voei para Atlanta para ver o que poderia fazer pelo meu amigo Wooding.

Jamais esquecerei a expressão no rosto do Sr. Wooding quando entrei em seu escritório e ele me cumprimentou com estas palavras:

– Ora, ora, que coincidência. Você deve ter caído diretamente do céu, porque estou cheio de problemas até as orelhas. Ontem mesmo pensei que, se você estivesse aqui, poderia me dar uma ajuda.

Então ele passou a me contar sua história. Ele havia escolhido o que acreditava ser o melhor ponto comercial em Atlanta para abrir uma cafeteria: na área comercial do centro da cidade, onde trabalhavam milhares de pessoas. Ele e seus sócios haviam investido mais de 75 mil dólares no negócio, mas descobriram tarde demais que os trabalhadores do centro iam para casa no final da tarde – justo quando seu negócio deveria estar mais movimentado. Sem a renda da hora do jantar, a cafeteria não poderia sobreviver.

Ficamos parados em frente ao local enquanto Mark me contava sua história; e, antes de me sentar, dei a ele uma solução para o seu problema. Assim, tive novamente o privilégio de fazer bom uso, em prol de um amigo, do mesmo espírito de desenvoltura que eu havia adquirido através de meus longos anos de aplicação dos 17 princípios do sucesso.

– Relaxe – eu disse –, porque seus problemas acabaram, se for apenas esse o problema que o incomoda. Dentro de uma semana, você estará expulsando centenas de clientes de sua cafeteria todas as noites.

– Napoleon – respondeu Mark –, você sabe que tenho um grande respeito por você, e uma fé inabalável em sua habilidade como solucionador de problemas. Mas, por favor, não brinque comigo!

– Mark – expliquei –, nunca falei tão sério em toda a minha vida. Veja: todas as noites farei uma palestra para seus clientes, durante o jantar, sobre os 17 princípios do sucesso, e as comandas do jantar serão os ingressos.

Eu já havia observado que o lugar comportava pelo menos trezentas pessoas, e tinha certeza de que poderíamos lotá-lo com muita facilidade. Imprimimos alguns anúncios descrevendo as palestras e os enviamos por mensageiros da Western Union a todos os escritórios da vizinhança. Como consequência, a casa ficou lotada na primeira noite, e muitas pessoas não conseguiram entrar. E qual foi o pagamento pelos meus serviços? Apenas o meu jantar.

Mas, como observara muitas vezes antes, descobri mais uma vez que o serviço que prestamos sem qualquer expectativa de compensação material muitas vezes se mostra mais benéfico do que aquele pelo qual recebemos um pagamento. É impossível fazer o bem sem receber o bem, assim como é impossível ser e não ser ao mesmo tempo.

Agora, vamos retomar os fios da minha história de onde paramos, na minha primeira noite de palestras. Observemos, também, que muitas vezes os efeitos dramáticos que o destino me reservava derivavam da causa original – por exemplo, o pagamento de um serviço altruísta prestado em nome de um amigo necessitado.

Um dos membros da plateia da minha primeira noite era o gerente de publicidade da Georgia Power Company. Ele liderava um grupo de funcionários, e todos eles assistiram a toda a minha série de palestras. Antes que a série terminasse, fui convidado por um dos funcionários da empresa para ser o principal orador de uma convenção de executivos da Southern Power Company, que se reunia em Atlanta enquanto minhas palestras estavam em andamento.

Esse foi o meu passo número um no processo de derivação do efeito de sua causa; mas, naquele momento, eu não via uma relação direta com aquilo que aconteceu mais tarde.

Entre outros funcionários da empresa de energia elétrica presentes na convenção, estava Homer Pace, vice-presidente da South Carolina Power Company. Quando terminei de falar, o Sr. Pace se apresentou a mim e disse: "Seu discurso me lembra tanto um de nossos proeminentes cidadãos da Carolina do Sul que estou me perguntando se ele não leu seus livros. Seu nome é Dr. William P. Jacobs, e ele é um importante conselheiro de relações públicas, e também presidente do Presbyterian College em Clinton, Carolina do Sul. Você e ele falam a mesma língua, e quero que você o conheça; porque ambos podem andar de braços dados, e assim cada um de vocês prestará um serviço maior ao mundo do que se estivesse caminhando sozinho".

Agradeci ao Sr. Pace e prometi a ele que entraria em contato com o Dr. Jacobs imediatamente. Esse era o passo número dois de uma série de circunstâncias que começaram com minhas palestras no café Wooding's, em Atlanta, e estavam destinadas a atingir o auge alguns anos depois – em uma das oportunidades mais abençoadas da minha vida, e no momento em que eu menos esperava receber um benefício.

Quando o Dr. Jacobs recebeu minha carta, ele respondeu imediatamente (e pessoalmente), visitando-me em Atlanta. Passamos três horas à mesa do almoço, durante as quais soube que ele havia estudado minha filosofia por muitos anos, e ele foi generoso o suficiente para dizer que a filosofia tinha sido a principal causa de todos os sucessos que obteve.

Antes de nossa conversa terminar, fiz um acordo com o Dr. Jacobs: eu me mudaria para sua cidade natal e reescreveria toda a minha filosofia de realização pessoal, e ele se tornaria o editor de sua nova interpretação. Além de seus outros interesses comerciais, o Dr. Jacobs possuía uma grande gráfica.

O destino avançou com o terceiro passo daquele enredo pelo qual minha vida estava sendo moldada. No primeiro dia de janeiro de 1941, comecei o trabalho de transcrever as anotações taquigráficas que eu tinha feito em minhas muitas reuniões com Andrew Carnegie, e acrescentei o que aprendera desde então sobre os assuntos dessas conversas, sob o título de *Dinamite mental*.

No início de dezembro de 1941, pouco antes do Dia do Pearl Harbor, concluí o trabalho que seria publicado em dezesseis volumes.

Depois que nosso país se envolveu na guerra, após o ataque a Pearl Harbor pelos japoneses, o papel se tornou difícil de encontrar, e fomos forçados a interromper a impressão de *Dinamite mental* após a primeira edição.

Antes de descrever o quarto passo do caminho sinuoso em que o destino me lançou, na noite em que comecei minhas palestras na Wooding's Cafeteria, voltemos à publicação de *Quem pensa enriquece* e vejamos o papel que ela teve nesse estranho enredo.

Pouco depois que o livro se tornou *best-seller*, decidi me aposentar. Eu havia comprado uma propriedade de catorze acres em Mount Dora, Flórida, conhecida como o "Castelo", e me mudei para lá. Eu pretendia continuar escrevendo, mas a vida na Flórida com minha esposa estava me distraindo, e rapidamente decidi parar de trabalhar. Desde aquele dia até deixar a Flórida, alguns anos depois, tive uma decepção após a outra; e, pelo que pude ver na época, não havia causa lógica para essas experiências.

Obviamente, o destino não gostou da minha aposentadoria!

Eu havia me comprometido com Andrew Carnegie a devotar "toda a minha vida para aperfeiçoar e disseminar a filosofia da realização pessoal", e lá estava eu, abandonando o trabalho.

Como não ganharia nada relatando todas as circunstâncias com as quais me deparei, vou ignorá-las e apenas explicar que, enquanto eu morava na Flórida, meu casamento se desfez e perdi os direitos de publicação de alguns de meus livros anteriores (temporariamente, para meu grande alívio), que tinham tornado possível minha aposentadoria. Essa reversão financeira não me deixou outra escolha a não ser voltar ao trabalho; e, embora parecesse uma adversidade irreparável na época, acabou marcando um dos pontos de virada mais benéficos de toda a minha vida.

Isso me forçou a voltar a trabalhar e a produzir obras que expandiram os livros que eu havia escrito anteriormente!

Se não fosse por essa experiência, eu não teria visitado meu amigo Mark Wooding em Atlanta e, claro, não teria conhecido o Dr. Jacobs, nem teria escrito *Dinamite mental*, sem contar outras obras que tenho programadas para o futuro.

Verdadeiramente, como disse o poeta William Cowper: "Deus se move de maneira misteriosa para operar Suas maravilhas".

Minha vida na Flórida foi destruída pelo divórcio da minha terceira esposa. Trabalhamos tão bem juntos em Nova York, concluindo *Quem pensa enriquece* e descobrindo a lei cósmica do hábito, mas nos afastamos quando não tínhamos mais objetivos em comum. Sem um propósito maior definido, descobrimos que nossa vida a dois não tinha mais razão alguma. Se não fosse pela série de decepções que tive na Flórida, você não estaria lendo esta história. Sem essas experiências de disciplina pelas quais tive que passar, eu ainda estaria me divertindo na Flórida.

Agora, vamos de volta a Clinton, Carolina do Sul, e à história de minha parceria com o Dr. Jacobs, que marca o quarto e último passo que finalmente conduziu à recompensa e eliminou os efeitos das adversidades que mencionei.

## Minhas diretrizes

Certa noite, durante o ano em que passei com o Dr. Jacobs, enquanto escrevia o livro *Dinamite mental* e dava palestras, estava sentado sozinho em meu apartamento quando, de repente, tive um impulso de começar a escrever algo como uma lista de diretrizes para mim. Foi mais do que uma inspiração comum; era mais como um comando, então, comecei a escrever. Eis o que escrevi:

- Lembre-se de que, pela graça de amigos silenciosos e invisíveis, você foi ajudado a enfrentar todas as crises de sua vida meteórica.
- Não se esqueça de deixar sua mente sempre aberta para aquela pequena voz que fala dentro de você.
- Por meio de suas feridas mais profundas, você foi forçado a abraçar suas maiores oportunidades, das quais obteve uma nova fonte de poder.
- Você precisava ter humildade de coração! Você a adquiriu.
- Ao abrir mão daquilo de que mais dependia, você foi compensado por aquilo que mais precisava – um controle maior sobre sua própria mente, uma melhor compreensão de seu "outro eu".
- Agora você tem a autoconfiança que só pode advir de uma experiência que testa a força da alma. Você passou no teste.
- É verdade que toda adversidade carrega a semente de um benefício equivalente, portanto, tome coragem ao perceber que agora você tem riquezas duradouras de valor inestimável.
- Você estava mentalmente adormecido, até ser acordado por uma emergência que teria sido fatal para alguém menos abençoado que você.
- Nunca mais diga, como você disse, "que a vida nunca lhe deu uma pausa para descanso".

- Agora que sua alma está livre, tome cuidado para não a enredar novamente!
- Suas feridas foram autoinfligidas, mas não foram autocuradas. Lembre-se disso.
- Aqui, nesta mesma sala, você vai registrar sua maior mensagem. Aguarde e confie.
- Pare de escrever com a cabeça e comece a escrever com o coração; e então observe a melhora em seu trabalho.
- Você foi deixado sozinho para que possa ser útil!
- Não se arrependa de sua perda imaginária, pois seu ganho será infinitamente maior que a sua perda.
- Suas adversidades não foram dissipadas. Elas foram preparadas para a transmutação em um serviço necessário ao mundo. Você já jogou o suficiente, e agora é hora de voltar ao caminho e continuar com seu trabalho.
- Não anseie por uma companhia. Quando você estiver realmente pronto, a mulher certa aparecerá, da mesma maneira dramática a que você está acostumado. Um dia você vai olhar e contemplar! Lá estará ela, ao seu lado, pronta e ansiosa para inspirá-lo a um esforço maior do que qualquer outro que você já tenha feito.
- Saiba que você não está sozinho; nunca!
- Apenas siga seu guia, e não pergunte qual é o seu destino. Alguma vez você já foi enganado, exceto por sua própria vontade?
- Você aprendeu sua lição da maneira mais longa e difícil, mas o importante é que você aprendeu bem!
- Você se lembra de todas aquelas crises das quais você foi misteriosamente resgatado? Bem, chegou o momento em que você deve compensar, prestando ao mundo um serviço maior.
- Você receberá um sinal claro sobre o que fazer e como fazer. Quando ele aparecer, mova-se rapidamente e não olhe para trás.

- O trabalho à sua frente é intenso, mas será suavizado pela alegria que você terá ao fazê-lo.
- Você foi aliviado de todos os fardos, exceto o da solidão. Isso também desaparecerá quando você se dedicar a servir aos outros. O poço de solidão em seu coração só pode ser preenchido ajudando outras pessoas que estão lutando para encontrar o caminho para sair da selva da vida.
- Sirva onde puder e a quem puder, e sirva desinteressadamente. Não dê atenção à compensação que receberá, pois será infinitamente maior do que suas necessidades.
- Agora olhe ao redor da sala e veja! Você está cercado por convidados invisíveis, que estarão com você enquanto você trabalha. Você reconhecerá a presença de seus convidados quando sua solidão desaparecer.
- Finalmente você terá a tranquilidade que sempre desejou. Tudo o mais que você deseja será acrescentado, tão rápido quanto você merecer.
- Não importa o trabalho que você fez no passado. Foi apenas o seu exercício de aquecimento no jardim de infância da sua vida.
- Nunca cometa o erro de se sentir um mestre, pois na verdade você é apenas um servo!
- Quando sentir que se perdeu no caminho e precisar de orientação, procure dentro de você.
- Você receberá um roteiro e deverá segui-lo sem questionar ou hesitar, não importa para onde ele o leve.
- Você ensinou a muitos outros como usar o princípio do MasterMind. Agora chegou a hora de você demonstrar seu poder por meio de seu próprio uso.
- Quando você pensava que tinha terminado, ficou surpreso ao saber que tinha apenas começado.

- O presente que você recebeu de Andrew Carnegie agora deve se tornar seu presente para os outros. Lembre-se, essa foi a oferta!
- Não pense em suas necessidades materiais. Tudo o que você deseja ou precisa estará em suas mãos no momento certo.
- A paz de espírito que você desfruta será sua garantia de que está seguindo seu guia interior. Não receba ordens de nenhuma outra fonte.
- Contanto que você siga suas instruções, você pedirá e receberá o que pedir.
- Em caso de dúvida, silencie e ouça as instruções que vêm de dentro de você!
- Volte a esta sala todas as noites antes de se deitar, e sente-se para receber mais instruções. Venha com a mente livre de todo medo e dúvida, e sua recompensa será a liberdade de todas as formas de medo e conflito.
- Não cobice nada, a não ser um desejo insaciável de ser útil para o mundo.
- Não procure levar vantagem sobre os outros, pois agora você tem mais vantagens do que realmente está usando.
- Não guarde malícia ou inveja em seu coração por ninguém, por nenhuma causa!
- Não sinta pena de si mesmo, pois agora você tem aquilo que o mundo inteiro procura, aquilo que o dinheiro não pode comprar – a paz de espírito e o privilégio de fazer o que mais gosta.
- Feche todas as portas que levam a pensamentos sobre as circunstâncias desagradáveis de sua vida passada; feche-as com força para que nunca mais possam ser abertas. Então olhe à sua frente e observe que muitas portas para maiores oportunidades se abrirão.

- Agora você está a serviço do rei; você é um capitão da guarda! Um exército de poder irresistível está sob seu comando. Tome conta dele, e dê a ele instruções.
- Atenção! Avante, marche! O mundo está em estado de caos, e seus serviços são necessários. E lembre-se, sempre: somente aquele que recebe ordens e as executa fielmente pode dar ordens com inteligência.
- Isso é tudo, por enquanto!

Muitos anos se passaram desde que essa mensagem foi entregue a aquele homem solitário, que hoje não está mais sozinho! Cada promessa foi cumprida ao pé da letra. Tenho uma paz de espírito que jamais tive antes.

O poço de solidão em meu coração foi preenchido com a maior alegria que já conheci. Tem sido uma alegria contínua.

Trabalho dia e noite, mas é um trabalho de amor, por meio do qual tenho crescido mental e espiritualmente.

Coloquei algo novo em meu trabalho, que nunca existiu antes; algo que foi facilmente identificado por todos os que leram meus trabalhos anteriores. A Filosofia da Realização Americana foi completamente reescrita, em uma forma nova e mais potente.

Nos meus livros anteriores, eu escrevia principalmente em primeira pessoa. Na nova interpretação da filosofia, tanto quanto possível, escrevo com as palavras de Andrew Carnegie e de outros grandes líderes americanos que colaboraram comigo na organização da filosofia; portanto, subordinei-me de todas as maneiras possíveis.

Meu "outro eu" agora está no comando! O velho eu, aquele que tropeçava e caía, o eu que se preocupava mais com as coisas materiais do que em ajudar os outros que buscavam o caminho, foi completamente submerso para sempre.

Tenho sido grandemente abençoado com a cooperação de mentes infinitamente superiores à minha; homens que acrescentaram à nova interpretação da Filosofia da Realização Americana aquele espírito vital de altruísmo que tem sido responsável pelos aparentes milagres que acontecem na vida daqueles que a seguem.

Finalmente, aprendi uma coisa que a filosofia não havia me ensinado anteriormente: a paciência e a força de vontade para me sentar e ficar quieto por tempo suficiente para ouvir minha voz interior.

Descobri a lei da força cósmica do hábito por meio de turbulências e conflitos, enquanto era empurrado para cá e para lá pelo ritmo frenético da cidade de Nova York. Mais tarde, descobri como me adaptar às influências dessa lei, no silêncio do meu coração, numa cidade povoada de gente comum, onde antes a solidão parecia ter me afastado do mundo exterior.

No silêncio do meu coração, encontrei a humildade e a compreensão que vêm apenas de dentro, quando aprendemos a ficar quietos e a ouvir.

Será que minha descoberta não é o que você está procurando?

Não é isso que o mundo inteiro está buscando? Esta era louca, de mudanças tão rápidas, destruiu a "hora silenciosa" para muitas pessoas. Deu asas à ganância e ao egoísmo, e ao desejo de ter coisas materiais, até que as emoções mais sutis da fraternidade tivessem sido submersas.

A "pequena voz mansa" que fala apenas de dentro foi silenciada; e muitos estão tão ocupados em receber que simplesmente se esquecem das bênçãos do ato de dar!

Se este fosse o meu último livro, e se eu desejasse encerrá-lo com o pensamento mais caridoso e benéfico ao meu alcance, eu diria:

- Separe uma hora a cada vinte e quatro para a meditação silenciosa! Para a oração, se você quiser chamá-la assim.
- Afaste-se de si mesmo; exclua todos os pensamentos e desejos associados a receber, e pense apenas em termos de doação!
- Deixe de lado todo egoísmo, e pense apenas nos outros!

- Em sua "hora silenciosa", não leve com você nenhum pensamento de propriedade de coisas materiais; e perceba, como todo homem deveria perceber, que ninguém realmente possui nada, a não ser o privilégio de pensar!
- Abra sua mente para a orientação de quaisquer pensamentos que possam aparecer!
- Siga com a firme determinação de que não deixará nenhum dia passar sem que tenha realizado algum ato de serviço útil aos outros, sem qualquer pensamento de compensação material.
- As guerras podem trazer uma vitória temporária para uma nação ou outra, por meio da força das armas; mas a única vitória duradoura de real valor que qualquer pessoa pode desfrutar é a vitória sobre si mesmo; uma vitória obtida quando se nega todo desejo de benefícios materiais às custas dos outros e se abraça o desejo mais louvável de ajudar os outros na solução dos problemas prementes de sua vida diária.
- Quando essa vitória for alcançada, todas as outras coisas necessárias serão acrescentadas, com o auxílio daquele poder misterioso que vem de dentro de você!
- Reconheça o significado completo desse pensamento, e você terá adquirido uma paz de espírito que "excede todo o entendimento".

No mesmo edifício em que eu morava quando escrevi essa mensagem inspiradora que acabo de oferecer a você, vivia também uma pessoa que o destino escolheu para se tornar minha aliada de MasterMind número um.

Morei ali por quase um ano, sem saber que aquela mulher – que assumiria em minha vida um papel tão importante quanto o relacionamento que tive com minha madrasta durante os anos de formação da minha vida – estava a apenas um andar de distância.

Eu a via diariamente no escritório do Dr. Jacobs, pois ela era sua secretária; mas agora ela é a minha secretária – e também minha esposa!

O destino me conduziu até ela através de quatro etapas que mudaram toda a minha vida e me abençoaram com uma coroa de glória. Encontrei paz de espírito e reconhecimento de uma forma desproporcional à minha maior expectativa do passado.

Quem quer que você seja, onde quer que esteja, quaisquer que sejam as tristezas e alegrias que possam tomar conta de você, lembre-se da visita que me fez, por meio deste volume. Eu me esforcei sinceramente para mostrar a você que a derrota, a adversidade e o fracasso podem ser convertidos em triunfo glorioso se você mantiver uma atitude mental positiva – a única coisa que você pode controlar totalmente.

E agora, posso apresentá-lo ao maior de todos os professores?

A única pessoa no mundo que pode fazer o máximo para ajudá-lo a resolver seus problemas pessoais, sejam eles quais forem.

A única pessoa em quem você pode confiar, com uma fé que não irá decepcioná-lo.

A pessoa a quem você pode recorrer em todos os momentos de estresse e desânimo.

A única pessoa que pode conectar você diretamente com a Inteligência Infinita.

Eu lhe apresento a pessoa mais importante que vive neste mundo: VOCÊ!

Não o eu que se preocupa e sente medo, e reclama, e chora suas misérias na porta dos outros; mas o OUTRO EU, que apenas recebe ordens daquele poder interior e, portanto, é infalível!

# NAPOLEON HILL (1883-1970)

*"Lembre-se de que sua verdadeira riqueza não pode ser medida pelo que você tem, mas sim pelo que você é."*

Em 1908, durante um período particularmente conturbado na economia dos Estados Unidos, sem dinheiro e sem trabalho, Napoleon Hill recebeu a tarefa de escrever histórias de sucesso sobre homens famosos. Embora não gerasse muita receita, essa tarefa proporcionou a Hill a oportunidade de conhecer e traçar o perfil dos gigantes da indústria e dos negócios. O primeiro deles foi o criador da indústria siderúrgica americana, o multimilionário Andrew Carnegie, que se tornou o mentor de Hill.

Carnegie ficou tão impressionado com a mente perceptiva de Hill que, após uma entrevista de três horas, o convidou para passar o fim de semana em sua propriedade para que pudessem continuar a conversa. Durante os dois dias seguintes, Carnegie disse a Hill que acreditava que qualquer pessoa poderia alcançar a grandeza se entendesse a Filosofia do Sucesso e as etapas necessárias para alcançá-lo. "É uma pena", disse ele, "que cada nova geração deva encontrar o caminho para o sucesso por tentativa e erro, quando os princípios são realmente claros".

Carnegie passou a explicar sua teoria: esse conhecimento poderia ser obtido entrevistando aqueles que alcançaram a grandeza e, em seguida, compilando as informações e pesquisas em um conjunto abrangente de princípios. Ele acreditava que essa tarefa levaria pelo menos vinte anos para ser concluída, e que o resultado seria "a primeira filosofia de realização pessoal do mundo". Ele ofereceu o desafio a Hill – sem compensação alguma, a não ser as apresentações necessárias e as despesas de viagem.

Hill levou 29 segundos para aceitar a proposta. Carnegie disse-lhe depois que, se ele tivesse levado mais de 60 segundos para tomar a decisão, teria retirado a oferta; pois "Um homem que não consegue tomar uma decisão prontamente, uma vez que tem todos os fatos necessários, não pode ser confiável para prosseguir em qualquer decisão que ele possa tomar".

Foi por intermédio da dedicação inabalável de Napoleon Hill que seu livro *Quem pensa enriquece* foi escrito, e mais de oitenta milhões de cópias foram vendidas.

# LIVROS DA FUNDAÇÃO NAPOLEON HILL

Fascinante, provocativo e encorajador, *Mais esperto que o Diabo* mostra como criar sua própria senda para o sucesso, a harmonia e a realização em um momento de tantas incertezas e medos. Após ler esse livro, você saberá como se proteger das armadilhas do Diabo e será capaz de libertar sua mente de todas as alienações.

Conheça o maior clássico de Napoleon Hill de todos os tempos, com mais de 100 milhões de cópias vendidas no mundo, nesta edição especial, traduzida diretamente do texto original de 1937.

*Não há um dia sequer que eu não reflita e utilize os ensinamentos de Napoleon Hill. Ao ler e aplicar os conceitos de QUEM PENSA ENRIQUECE, você também poderá expandir seus sonhos e, mais importante, se aproximar deles.* – THIAGO NIGRO

O clássico *best-seller* sobre o sucesso agora anotado e acrescido de exemplos modernos, comprovando que a filosofia da realização pessoal de Napoleon Hill permanece atual e ainda orienta aqueles que são bem-sucedidos. Um livro que vai mudar não só o que você pensa, mas também o modo como você pensa.

*O manuscrito original – As leis do triunfo e do sucesso de Napoleon Hill* ensina o que fazer para ser bem-sucedido na vida. Sucesso é mais do que acumular dinheiro e exige mais do que uma mera vontade de chegar lá. Napoleon Hill explica didaticamente como pensar e agir de modo positivo e eficiente, além de como conseguir a ajuda dos outros para a realização de objetivos.

Um clássico de Napoleon Hill que tem mudado milhões de vidas! Sua mente é um talismã secreto. De um lado é dominado pelas letras AMP (Atitude Mental Positiva) e, por outro, pelas letras AMN (Atitude Mental Negativa). Uma atitude positiva irá, naturalmente, atrair sucesso e prosperidade. A atitude negativa vai roubá-lo de tudo que torna a vida digna de ser vivida. Sucesso, saúde, felicidade e riqueza dependem de qual lado você irá usar.

Originalmente uma série de palestras de rádio em Missouri, este livro é repleto de *insights* e histórias pessoais e escrito em um estilo conversacional acessível. Os *insights* de Hill se aplicam a todas as facetas da vida, inspirando os leitores a alavancar seus princípios para alcançar suas próprias aspirações e criar as vidas de sucesso com que sempre sonharam.

A mais completa compilação dos escritos de Napoleon Hill sobre persuasão, *marketing* e técnicas de vendas. Poucas pessoas compreenderam a arte de vender tão bem quanto Napoleon Hill. Ele se tornou uma lenda nos círculos de negócios por criar cursos de vendas capazes de alavancar empresas insolventes até então. A filosofia de sucesso de Hill para vendedores era simples – você, o vendedor, é o ativo mais valioso e precisa se vender primeiro. Apresente a solução de um problema e a venda acontecerá naturalmente.

O *Pense e enriqueça* original foi escrito de uma perspectiva masculina, em uma era em que todos os titãs dos negócios eram homens. Por esse e muitos outros motivos, Sharon Lechter – a premiada coautora do *best-seller* mundial *Pai rico, pai pobre*, criou *Pense e enriqueça para mulheres*. Esse novo e poderoso livro oferece às mulheres um plano para superar obstáculos, agarrar oportunidades, definir e atingir metas, viver seus sonhos e preencher suas vidas com amor, família, significado e sucesso.

*A arte de lidar com pessoas* é um livro que une a habilidade e a filosofia nos relacionamentos. Ao colocá-las em prática, encontramos grandes resultados. O leitor perceberá que saber "o quê" é bem diferente de saber "como", por meio das páginas deste livro, e embarcará em uma viagem para aprimorar a sua inteligência interpessoal.

Nesse livro, Napoleon Hill relembra as conversas com seu mentor, o magnata Andrew Carnegie, apresenta os conceitos de visão criativa, pensamento organizado e atenção controlada, ensina como cultivar essas qualidades e explica sua importância para a conquista do sucesso. Domine sua mente, pense de modo criativo, organizado e atento, e suas ações o levarão à vitória.

Um clássico inédito de Napoleon Hill no Brasil, o livro é o registro de uma série de conversas entre Napoleon Hill e seu mentor, o magnata do aço Andrew Carnegie, um dos homens mais ricos da história. *Como aumentar o seu próprio salário* foi redigido no formato pergunta-resposta e apresenta em detalhes os princípios que Carnegie utilizou para construir seu império.

O que é paz de espírito? É liberdade das forças negativas que podem se apoderar de sua mente e de quaisquer atitudes negativas, como preocupação e sentimento de inferioridade. É liberdade de qualquer sentimento de carência. É liberdade de doença mental e física autoinduzida do tipo que degrada a vida de maneira crônica. É liberdade de todos os medos, especialmente dos sete medos básicos. É liberdade da fraqueza humana comum de procurar alguma coisa em troca de nada. É ter alegria de trabalhar e conquistar. É o hábito de ser quem é e pensar com a própria cabeça.

Uma série de artigos inéditos do homem que mais influenciou líderes e empreendedores no mundo. Esses ensaios, que contêm ensinamentos sobre a natureza da prosperidade e como alcançá-la e oferecem *insights* sobre a popularidade e o estilo envolvente do autor como orador e escritor motivacional, são publicados aqui em forma de livro pela primeira vez.

Saiba como utilizar o poder da persuasão na busca da felicidade e da riqueza. Aprenda mais de 700 condicionadores mentais que vão estimular seus pensamentos criativos e colocá-lo na estrada da riqueza e da felicidade – nos negócios, no amor e em tudo que você faz.

CITADEL
Grupo Editorial